最新 臨床検査学講座

遺伝子関連・染色体検査学
第3版

編集
東田修二

医歯薬出版株式会社

「最新臨床検査学講座」の刊行にあたって

　1958年に衛生検査技師法が制定され，その教育の場からの強い要望に応えて刊行されたのが「衛生検査技術講座」であります．その後，法改正およびカリキュラム改正などに伴い，「臨床検査講座」(1972)，さらに「新編臨床検査講座」(1987)，「新訂臨床検査講座」(1996)と，その内容とかたちを変えながら改訂・増刷を重ねてまいりました．

　2000年4月より，新しいカリキュラムのもとで，新しい臨床検査技師教育が行われることとなり，その眼目である"大綱化"によって，各学校での弾力的な運用が要求され，またそれが可能となりました．「基礎分野」「専門基礎分野」「専門分野」という教育内容とその目標とするところは，従前とかなり異なったものになりました．そこで弊社では，この機に「臨床検査学講座」を刊行することといたしました．臨床検査技師という医療職の重要性がますます高まるなかで，"技術"の修得とそれを応用する力の醸成，および"学"としての構築を目指して，教育内容に沿ったかたちで有機的な講義が行えるよう留意いたしました．

　その後，ガイドラインが改定されればその内容を取り込みながら版を重ねてまいりましたが，2013年に「国家試験出題基準平成27年版」が発表されたことにあわせて紙面を刷新した「最新臨床検査学講座」を刊行することといたしました．新シリーズ刊行にあたりましては，臨床検査学および臨床検査技師教育に造詣の深い山藤　賢先生，髙木　康先生，奈良信雄先生，三村邦裕先生，和田隆志先生を編集顧問に迎え，シリーズ全体の構想と編集方針の策定にご協力いただきました．各巻の編者，執筆者にはこれまでの「臨床検査学講座」の構成・内容を踏襲しつつ，最近の医学医療，臨床検査の進歩を取り入れることをお願いしました．

　本シリーズが国家試験出題の基本図書として，多くの学校で採用されてきました実績に鑑みまして，ガイドライン項目はかならず包含し，国家試験受験の知識を安心して習得できることを企図しました．国家試験に必要な知識は本文に，プラスアルファの内容は側注で紹介しています．また，読者の方々に理解されやすい，より使いやすい，より見やすい教科書となるような紙面構成を目指しました．本「最新臨床検査学講座」により臨床検査技師として習得しておくべき知識を，確実に，効率的に獲得することに寄与できましたら本シリーズの目的が達せられたと考えます．

　各巻テキストにつきまして，多くの方がたからのご意見，ご叱正を賜れば幸甚に存じます．

2015年春

医歯薬出版株式会社

第3版の序

　第2版の出版以降，疾患発症に関与する遺伝子や染色体の知見は急速に増加し，これに伴い，たとえば血液腫瘍のWHO分類が2023年に改訂されたように，診断基準や分類法が改訂された疾患がある．また，解明された疾患の分子病態に基づいて開発された分子標的治療薬が次々と臨床応用されるようになり，これらの新規分子標的薬に対応するコンパニオン診断検査が医療現場に導入された．2019年に保険収載されたがん遺伝子パネル検査は，利用する患者数が増加しており，2021年にはリキッドバイオプシーによるがん遺伝子パネル検査も保険収載された．こうした状況を鑑み，本書を第3版として改訂することとなった．

　2019年末に出現した新型コロナウイルス感染症により，それまで専門家しか知らなかった「PCR法」や「感度・特異度」という用語が一般市民にも知られるようになった．ただし，医療従事者ですらこの用語を正しく理解していないと思われることが経験される．臨床検査を専門としようとする者にとっては，遺伝子関連検査や染色体検査の原理や手技を正しく理解するとともに，その適切な精度管理を行う能力も求められる．2022年には日本医学会の「医療における遺伝学的検査・診断に関するガイドライン」が改定された．ヒト遺伝情報は究極の個人情報であり，遺伝学的検査を実施するにあたっては，このガイドラインを熟知した上での倫理的配慮が必要である．

　本書は，大学や専門学校など臨床検査技師養成施設での講義や実習の教科書，あるいは，臨床検査技師国家試験の受験参考書としての水準に合わせている．2023年4月に「令和7年版臨床検査技師国家試験出題基準」が厚生労働省から公表され，遺伝子関連・染色体検査の領域にも変更があり，本書もこれに対応させた．本書で用いている用語は，この国家試験出題基準のほか，日本医学会医学用語辞典，日本遺伝学会「遺伝単」などに基づいて選択したが，必ずしも統一されていない用語があり，今後も変わっていく可能性もありうる．また，本書は教科書としてだけでなく，医療施設での検査業務や研究施設での遺伝子・染色体研究の実用書としても十分に役立つ内容となっている．

　本書が遺伝子関連・染色体検査の普及と発展に寄与できれば，執筆者らにとって幸いである．

2023年12月

著者を代表して　東田修二

第2版の序

　遺伝子解析技術の急速な進展により，がんや遺伝性疾患を中心に，多くの疾患の染色体異常や遺伝子変異に基づく分子病態が明らかになった．これに伴い，診断に染色体検査や遺伝子関連検査が必須となる疾患が増えた．2019年には，がん組織標本から抽出したDNA検体から，多数のがん関連遺伝子の変異を一括して解析するがんゲノム医療が保険診療で行われるようになった．この検査結果に基づいて，個々のがん患者の遺伝子変異に適した分子標的治療薬を選択する個別化医療が可能となった．感染症に対する病原体核酸検査は以前から結核などで用いられていたが，2019年末に出現した新型コロナウイルス感染症（COVID-19）により，PCR法がその診断に必須の検査として一般市民にも周知されるようになった．一方，ヒト遺伝情報は究極の個人情報であり，その倫理面での対応も重要性が増している．こうした医療現場の変化に伴い，臨床検査に携わる者は，染色体検査や遺伝子関連検査を熟知する必要がある．

　法律においても，従来の「臨床検査技師等に関する法律」では，遺伝子関連検査は検体検査の一次分類ではなく，一次分類の3つの項目の中の二次分類として分散していた．分類を現状と一致させ，検査の品質と精度を確保する必要性もあり，2018年に法改正が行われ，「遺伝子関連・染色体検査」が一次分類として独立した．また，厚生労働省が作成した「臨床検査技師国家試験出題基準 令和3年版」においても，遺伝子関連検査の新たな小項目が加えられた．

　こうした遺伝子関連・染色体検査の医療，教育，行政における進展に対応させるため，「遺伝子・染色体検査学」を医療や教育の一線で活躍中の執筆者により内容を一新させて，第2版として改訂することになった．本書は，大学や専門学校など臨床検査技師養成施設での講義や実習の教科書，あるいは，臨床検査技師国家試験の受験参考書としての水準に合わせているが，医療施設での検査業務や研究施設での遺伝子・染色体研究の実用書としても十分に役立つ内容となっている．

　遺伝学や分子生物学の用語は時代とともに変わったり，複数の同義語が併存したりして混乱することがある．たとえば，「優性・劣性」という用語が誤った差別意識をもたらすため改訂すべきであるという議論が起こり，「顕性・潜性」に変わりつつある．本書で用いた用語は，臨床検査技師国家試験出題基準，日本医学会「医学用語辞典」，日本人類遺伝学会「遺伝学用語改訂のお知らせ」，日本遺伝学会「遺伝単」などに基づいて選択したが，今後も変わる可能性がありうる．

　本書が遺伝子関連・染色体検査の普及と発展に少しでも寄与できれば幸いである．

2020年12月

著者を代表して　東田修二

第1版の序

　遺伝子検査，染色体検査は，数多い臨床検査のなかでも比較的新しい分野である．染色体検査は遺伝子検査よりも古く，Down症候群等の先天性疾患の診断や慢性骨髄性白血病におけるフィラデルフィア染色体の検出など，臨床医学に応用されてきた．それでも，必ずしもすべての検査施設で実施されていたわけではなく，専門の研究室で検査されるなど，他の臨床検査ほどには普及していなかった．

　しかし，遺伝医学，分子生物学等が急速に発展するにつれ，染色体あるいは遺伝子レベルで病態が解析されるようになり，診断，治療に応用されることが多くなってきた．こうした背景から，「遺伝子・染色体検査学」が臨床検査技師養成のためのテキストとして，1999年に初めて刊行された．ただ，当時は臨床検査に正規に組み入れるには時期尚早との意見もあり，本シリーズ「臨床検査学講座」の別巻として出版された．

　その後，遺伝子検査学，染色体検査学はともに長足の発展を遂げ，臨床医学にもはや欠かせない重要な臨床検査となった．そこで，2002年には正式に「臨床検査学講座」の一科目として刊行され，臨床検査技師教育に利用されることとなり，医学・医療の発展を逐次取り入れ，増刷を重ねてきた．

　このたび，本シリーズが「最新臨床検査学講座」に刷新されるにあたり「遺伝子・染色体検査学」も装いを新たにすることにした．最新の情報を盛り込んだのはもちろんであるが，「国家試験出題基準平成27年版」にあわせることにした．さらに，読者がより理解しやすくなるよう，構成を一新し，かつ2色刷りを取り入れるなどの工夫もした．臨床検査技師に必ずしも必要ではないかもしれないが，知っておいた方が便利な記載などは側注にした．

　なお，平成23年版の国家試験出題基準「IV章　臨床化学」（遺伝子関連）と「VI章　臨床血液学」（染色体関連）に含まれていた遺伝子・染色体の部分は，平成27年版の新しい国家試験出題基準では，「I章　臨床検査総論」のなかに，病因・生体防御検査学という節として，独立させて扱うこととなった．本書に合わせてご利用いただくと，より理解が深まると考える．

　本書を是非ご活用いただき，遺伝子検査，染色体検査の応用に役立てていただきたいと願う．

　本書の企画・編集にあたっては，日本臨床検査学教育協議会の先生方，医歯薬出版株式会社編集部の多大なるご協力をいただいた．ここに深謝する．

2015年1月

著者を代表して　奈良信雄

● 編　集　　　東田　修二（とうだ しゅうじ）　東京科学大学大学院教授（医歯学総合研究科全人的医療開発学講座臨床検査医学分野）

● 執筆者（50音順）

東田　修二（とうだ しゅうじ）　（前掲）

中山　智祥（なかやま ともひろ）　日本大学教授（医学部病態病理学系臨床検査医学分野）

奈良　信雄（なら のぶお）　日本医学教育評価機構常勤理事
順天堂大学医学部客員教授
東京医科歯科大学（現東京科学大学）名誉教授

松田　和之（まつだ かずゆき）　信州大学教授（学術研究院保健学系検査技術科学専攻）

吉田　雅幸（よしだ まさゆき）　東京科学大学教授（先進倫理医科学開発学分野）
東京科学大学医学部附属病院遺伝子診療科科長

最新臨床検査学講座
遺伝子関連・染色体検査学　第3版
CONTENTS

口絵：染色体を並べてみよう
　　　—核型分析—……………………… xvi

第1章　遺伝子の基礎 …………… 1

Ⅰ　細胞の構造と機能 ………………… 2
1　生物の基本単位としての細胞 ……… 2
2　細胞の構造と機能 …………………… 2
　1）細胞膜　3
　2）核　4
　3）小胞体，リボソーム　4
　4）Golgi（ゴルジ）装置（体）　5
　5）ミトコンドリア　5
　6）細胞質　7
　7）中心体　7
3　細胞分裂 ……………………………… 7
　1）体細胞分裂　8
　2）減数分裂　9
4　細胞周期 ……………………………… 10

Ⅱ　遺伝子 ……………………………… 12
1　核酸 …………………………………… 12
　1）核酸の基本構造　13
　2）核酸の高分子構造　15
2　核酸代謝 ……………………………… 16
　1）核酸の合成　16
　2）核酸の分解　18
3　遺伝子の構造と機能 ………………… 18
　1）DNAの構造　19
　2）RNA　20
　3）ミトコンドリアDNA　24
4　クロマチンの構造 …………………… 25
5　DNAの複製 ………………………… 26
　1）複製　26
　2）DNA複製の校正　28
　3）遺伝子の損傷と修復　30
6　遺伝情報の伝達と発現 ……………… 30
　1）転写　32
　2）翻訳　35
　3）遺伝子発現の調節　37
　4）蛋白質合成　38

第2章　染色体の基礎 ……………… 43

Ⅰ　染色体とは ………………………… 43
Ⅱ　分裂中期核と間期核における
　染色体の構造 ……………………… 43
1　分裂中期核 …………………………… 43
　1）セントロメアと動原体　44
　2）テロメア：直鎖状ヒトゲノムDNAの
　　　末端の特徴的な構造　46
2　間期核 ………………………………… 48
3　ユークロマチンとヘテロクロマチン … 48
Ⅲ　体細胞分裂と減数分裂における
　染色体の分離様式の違い ………… 48
1　体細胞分裂における染色体の凝縮と
　姉妹染色分体の分離 ………………… 48
2　減数分裂における相同染色体の
　対合・分離 …………………………… 49
3　減数分裂による多様性の獲得 ……… 49
　1）減数分裂時の対合・交差・キアズマ
　　　50
　2）交差・組換えのメカニズム　51
　3）X染色体とY染色体の対合　52
　4）配偶子形成と減数分裂の進行　52
Ⅳ　染色体の分類 ……………………… 53
1　染色体分類・命名に関する規約 …… 54
2　核型分析 ……………………………… 54
　1）分染法開発以前　54
　2）分染法開発以降　54
Ⅴ　染色体地図と遺伝子マッピング … 55
1　遺伝子マッピング …………………… 56
2　染色体地図（遺伝子地図）………… 58

VI 遺伝子発現量の補正：X染色体の不活化
·· 58
1 X染色体の不活化現象 ················ 58
2 X染色体の不活化のメカニズム ······ 59
3 X染色体不活化の時期 ················ 59
4 X染色体の不活化とXクロマチン，
ドラムスティック ······················ 59
5 X染色体不活化を免れる遺伝子 ······ 60
6 不活化X染色体と複製時期 ············ 60

VII 染色体異常 ······························ 60
1 先天性異常と後天性異常 ·············· 61
2 数的異常 ································ 61
　1）倍数性の異常　61
　2）異数性の異常　61
　3）核内倍加と多倍体化　63
　4）片親性ダイソミー　63
3 構造異常 ······························· 65
　1）転座（相互転座）　65
　2）欠失　67
　3）挿入　68
　4）重複　68
　5）逆位　68
　6）環状染色体　68
　7）同腕染色体　69
4 親の性差による遺伝子発現の違い：
　ゲノムインプリンティング（刷り込み）··· 69

第3章　遺伝子関連検査の基本 ········ 71

I 遺伝子関連検査の種類 ················ 71
1 病原体核酸検査 ························ 71
2 体細胞遺伝子検査 ····················· 72
3 生殖細胞系列遺伝子検査 ············· 73

II 遺伝子関連検査の手法 ··············· 74
1 サザンブロット法 ····················· 74
　1）サザンブロット法の原理　74
　2）制限酵素処理　75
　3）プローブの標識　75
　4）サザンブロット法の応用　77

2 PCR法 ································· 78
　1）PCR法の意義　78
　2）PCR法の原理　79
　3）定性RT-PCR法　79
　4）PCRを応用した解析法　83
3 リアルタイムPCR法 ················· 84
　1）リアルタイムPCR法の原理　84
　2）リアルタイムPCR法による定量解析　86
　3）定量RT-PCR法　87
　4）高解像度融解曲線解析　87
4 デジタルPCR法 ······················ 87
5 PCR以外の核酸増幅法 ··············· 88
　1）LAMP法　88
　2）TMA法　89
　3）TRC法　89
　4）NASBA法　89
6 ノザンブロット法 ····················· 90
7 シークエンス解析 ····················· 90
　1）ダイターミネーター法の原理　91
　2）ダイターミネーター法の手順　91
8 マイクロサテライト解析 ············· 92
9 DNAマイクロアレイ法 ·············· 92
　1）網羅的な遺伝子の発現解析　93
　2）遺伝子多型解析　93
　3）アレイCGH法　94
10 FISH法 ······························ 94
11 次世代シークエンス法 ·············· 94

III 疾患と遺伝子関連検査 ·············· 95
1 感染症 ·································· 95
　1）ウイルス性肝炎　95
　2）新型コロナウイルス感染症　96
　3）抗酸菌感染症　96
2 血液疾患 ······························· 96
　1）慢性骨髄性白血病　98
　2）その他の血液腫瘍　98
3 固形腫瘍 ······························· 98
　1）乳がん，肺がん，大腸がん　99
　2）家族性腫瘍　100

4 遺伝性疾患……………………100
　　5 個人識別………………………100
　Ⅳ 遺伝子関連検査の精度管理…………101
　　1 精度管理の考え方……………101
　　2 精度管理の方法………………102

第4章 遺伝子関連検査の実践……103

　Ⅰ 遺伝子関連検査に用いる試薬………103
　Ⅱ 遺伝子関連検査用機器とその保守管理
　　………………………………………104
　　1 クリーンベンチ………………104
　　2 安全キャビネット……………105
　　3 炭酸ガス培養装置……………105
　　4 恒温水槽，恒温器……………105
　　5 電気泳動装置…………………106
　　6 遠心分離装置…………………107
　　7 滅菌装置………………………108
　　　1）オートクレーブ　108
　　　2）乾熱滅菌装置　108
　　8 顕微鏡…………………………109
　　9 写真撮影装置…………………109
　　10 水の精製装置…………………110
　　11 核酸抽出装置…………………110
　　12 分光光度計……………………110
　　13 核酸増幅装置…………………110
　　14 ブロッティング装置…………111
　　15 シークエンサ…………………111
　　16 次世代シークエンサ…………112
　　17 遺伝子関連検査に用いるその他の器具
　　　……………………………………112
　Ⅲ 検体の取扱い…………………………113
　　1 検体採取と前処理……………113
　　　1）血液の血球検体　113
　　　2）骨髄穿刺液　114
　　　3）血清検体　114
　　　4）生検検体　114
　　　5）ホルマリン固定パラフィン包埋検体　115

　　　6）喀痰　115
　　　7）口腔粘膜細胞　115
　　2 DNA抽出……………………115
　　　1）フェノール-クロロホルム法　115
　　　2）シリカメンブレン（スピンカラム）法　117
　　3 RNA抽出……………………117
　　　1）AGPC法　117
　　　2）シリカメンブレン（スピンカラム）法　119
　　4 核酸の濃度測定………………119
　　5 核酸の保存……………………119
　Ⅳ PCR法の実践…………………………120
　　1 プライマーの作製……………120
　　2 PCR法の手順…………………120
　　3 ゲル電気泳動…………………122
　　　1）アガロースゲル電気泳動　122
　　　2）ポリアクリルアミドゲル電気泳動　123
　　4 トラブルシューティング……125
　　　1）陽性コントロールでPCR産物が得られない　125
　　　2）陽性となるべき検体でPCR産物が得られない　126
　　　3）陰性コントロールでもPCR産物が生じる　126
　　　4）非特異的なPCR産物（目的としない複数のバンド）が生じる　126
　Ⅴ 定性RT-PCR法の実践………………126
　　1 プライマーの作製……………126
　　2 逆転写反応……………………127
　　3 PCRとゲル電気泳動　127
　Ⅵ 定量RT-PCR法の実践………………127

第5章 染色体検査の基本……129

　Ⅰ 染色体検査法…………………………129
　Ⅱ 分染法に基づく染色体検査…………129
　　1 細胞培養〜標本作製…………129
　　　1）検査対象　130

2）検査材料・採取時期　130
　　3）培養法　132
　　4）細胞回収　132
　　5）標本作製　133
　2 分染法･････････････････････････････134
　　1）Q 分染法　134
　　2）G 分染法　135
　　3）R 分染法　135
　　4）C 分染法　136
　　5）NOR 分染法　137
　　6）姉妹染色分体分染法　137
　　7）高精度分染法　137
　3 染色体核型解析・核型表記･････････138
　　1）核型解析　138
　　2）核型表記　138
　　3）核型記載について注意が必要な例　139
Ⅲ fluorescence in situ hybridization
　（FISH）法に基づく染色体検査･･･････140
　1 核酸ハイブリダイゼーションを原理とする
　　方法･･･････････････････････････････140
　2 ハイブリダイゼーションから in situ ハイ
　　ブリダイゼーションへ─技術的背景･･140
　3 in situ ハイブリダイゼーションの種類
　　･･･････････････････････････････････140
　4 FISH 法･･･････････････････････････142
　　1）FISH 法に利用される標本の種類と基本
　　　的操作法　142
　　2）変性・ハイブリダイゼーション（アニー
　　　リング）・洗浄に影響する因子　143
　　3）プローブの種類　143
　　4）蛍光シグナルと細胞周期　144
　　5）FISH シグナル検出の種類　146
　　6）組織切片標本と細胞核の切断：FISH シ
　　　グナル観察時の注意点　146
Ⅳ マイクロアレイ法･･････････････････148
　　1）CGH アレイ　148
　　2）SNP アレイ　148
Ⅴ 先天性染色体異常：染色体異常症････149
　1 常染色体異常･･･････････････････････149
　　1）トリソミー　149
　　2）モノソミー　150
　2 性染色体異常･･･････････････････････150
　　1）Turner 症候群　150
　　2）Klinefelter 症候群　151
　　3）脆弱 X 症候群　151
　3 隣接遺伝子症候群･･･････････････････151
　　1）Angelman 症候群　151
　　2）Prader-Willi 症候群　151
　　3）Williams 症候群　152
　　4）Smith-Magenis 症候群　152
　　5）Miller-Dieker 症候群　153
　　6）DiGeorge 症候群　153
　4 インプリンティングと疾患･･･････････153
　5 染色体不安定症候群･････････････････154
　　1）Fanconi 貧血　155
　　2）Bloom 症候群　155
　　3）ICF 症候群　155
　　4）PCS/MVA1 症候群　155
Ⅵ 後天性染色体異常：がんにおける染色体
　異常･･････････････････････････････155
　1 白血病・悪性リンパ腫･･･････････････156
　　1）診断・分類に反映される染色体異常
　　　156
　　2）病型特異的な染色体転座による分子メ
　　　カニズム　157
　　3）腫瘍で初めて発見された染色体異常：
　　　フィラデルフィア（Ph）染色体　159
　2 固形腫瘍･･･････････････････････････160
　　1）2 ヒット説　160
　　2）2 ヒット説と遺伝性腫瘍　161
　　3）SNP アレイと LOH　161
　　4）ゲノム不安定性　162
　　5）軟部腫瘍における染色体異常　163
　3 融合遺伝子形成における染色体構造と
　　遺伝子転写方向･････････････････････163
Ⅶ 核型進化････････････････････････････165
Ⅷ 染色体検査の精度管理･･････････････165
　1 精度管理の考え方･･･････････････････165

2 精度管理の方法 …………………… 166

第6章 染色体検査の実践 ………… 167
I 細胞培養・標本作製 ………………… 167
1 細胞培養 ………………………………… 167
　　1）培地の調製（クリーンベンチ内で操作する）　167
　　2）滅菌　167
2 末梢血リンパ球を用いる場合の注意点 …………………………………… 167
　　1）採血時の抗凝固剤　167
　　2）検体量　168
　　3）検体保存　168
3 培養手順 ………………………………… 168
　　1）細胞数　168
　　2）紡錘糸形成阻害剤添加　168
4 標本作製（細胞取り上げ）手順 ……… 168
　　1）準備（試薬）　168
　　2）低張処理：赤血球の溶血と有核細胞の膨化　169
　　3）固定　169
　　4）展開　169
　　5）乾燥（エージング）　169
II 染色 …………………………………… 170
1 Giemsa染色による単染色 …………… 170
2 G分染法 ………………………………… 170
3 Q分染法 ………………………………… 171
4 C分染法 ………………………………… 173
III 解析（G分染法）……………………… 174
IV FISH法 ……………………………… 179
1 カルノア固定液を用いたFISH法 …… 179
2 May-Giemsa染色標本を用いたFISH法 …………………………………… 180
3 頬粘膜細胞を用いたFISH法 ………… 181
4 ホルマリン固定パラフィン包埋標本 …………………………………… 182
V FISHの解析 …………………………… 182

第7章 遺伝子診療における臨床検査 ……………………………………… 185
I 遺伝子診療の基礎 …………………… 185
1 遺伝型と表現型 ………………………… 185
2 バリアント（変異と多型，変異原を含む） …………………………………… 186
　　1）バリアント　186
　　2）遺伝毒性と変異原性　187
3 遺伝の法則 ……………………………… 188
　　1）メンデルの法則　188
　　2）連鎖　190
4 遺伝形式 ………………………………… 191
　　1）単一遺伝子疾患　191
　　2）多因子遺伝性疾患　194
　　3）染色体異常　194
5 家系図の描き方 ………………………… 195
6 遺伝カウンセリング …………………… 196
　　1）定義　196
　　2）基本理念　196
　　3）遺伝カウンセリングの特徴　197
　　4）使ってはいけない言葉　197
II 遺伝子診断 …………………………… 198
1 病原体核酸検査 ………………………… 198
2 体細胞遺伝子検査 ……………………… 199
3 遺伝学的検査 …………………………… 200
　　1）罹患者検査・診断　200
　　2）発症前検査・診断　200
　　3）保因者検査・診断　200
　　4）新生児マススクリーニング検査　202
　　5）出生前検査・診断　202
4 ファーマコゲノミクス ………………… 204
5 コンパニオン診断 ……………………… 205
6 がんゲノム医療 ………………………… 205
7 遺伝子診断のメリットとデメリット … 207
　　1）遺伝子診断のメリット　207
　　2）遺伝子診断のデメリット　207
8 遺伝子診療に求められる人材 ………… 208

Ⅲ 遺伝子治療………………………208
1 治療の目的………………………208
2 細胞への DNA 導入法…………209
　1) ウイルスベクター　209
　2) 非ウイルスベクター　210
3 遺伝子治療の対象疾患…………211
4 遺伝子治療の問題点……………211
　1) ベクターによる有害反応　211
　2) 悪性腫瘍の発生誘導　211
　3) 必須遺伝子の不活化　211
Ⅳ 移植・再生医療…………………212
1 移植医療…………………………213
2 再生医療…………………………213

第8章 遺伝学的検査と倫理的課題
　………………………………………215

Ⅰ 遺伝学的検査とは………………215
Ⅱ 遺伝学的検査の実施と各種指針……216
1 医療における遺伝学的検査・診断に
　関するガイドライン……………216
2 遺伝学的検査受託に関する倫理指針…217
3 人を対象とする生命科学・医学系研究に
　関する倫理指針…………………217

参考文献……………………………………219
索引…………………………………………221

側注マークの見方　国家試験に必要な知識は本文に，プラスアルファの内容は側注で紹介しています。
　用語解説　　関連事項　　トピックス

●**執筆分担**

巻頭口絵　　　　松田和之
第1章　　　　　奈良信雄
第2章　　　　　松田和之
第3, 4章　　　 東田修二
第5, 6章　　　 松田和之
第7章　　　　　中山智祥
第8章　　　　　吉田雅幸

xv

口絵 染色体を並べてみよう―核型分析（karyotyping）―

① 次ページの写真からハサミですべての染色体を切り離す．
② 染色体数を確認する．
③ セントロメアの位置を確認しながら，大きさ順に群分けする
　（A群：1〜3番染色体，B群：4，5番染色体，C群：6〜12番染色体，X染色体，D群：13〜15番染色体，E群：16〜18番染色体，F群：19，20番染色体，G群：21，22番染色体，Y染色体）
④ 下の分染パターンの特徴を参考にして，各番号の染色体を決める．

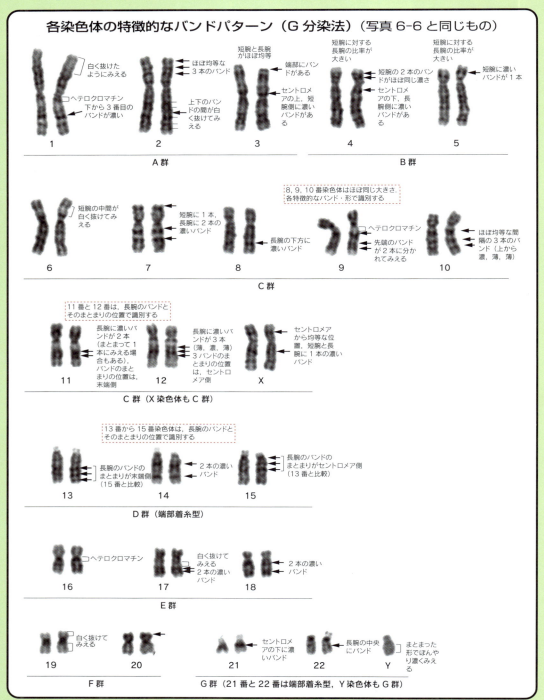

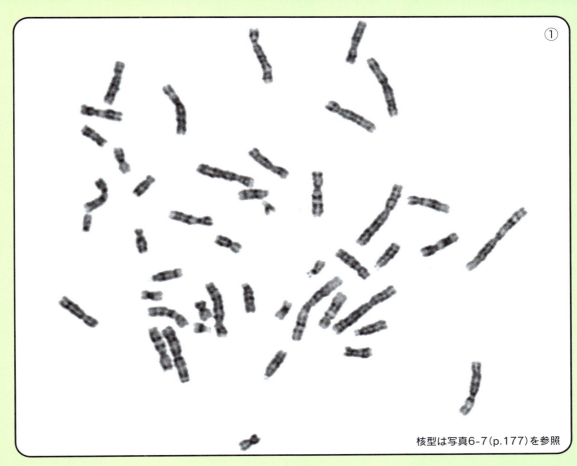

核型は写真6-7(p.177)を参照

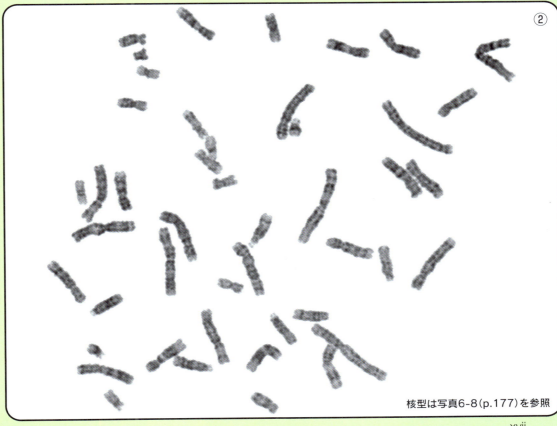

核型は写真6-8(p.177)を参照

第1章 遺伝子の基礎

本章では，遺伝子関連・染色体検査学を理解するために必要な基本事項を紹介する．

あらゆる生物には，それぞれにほぼ定められた寿命がある．寿命が尽きる前に，生物は次世代へとその形質を伝える．この結果，親に似た子孫がつくられていく．これが**遺伝**（inheritance または heredity）である．

遺伝では，自身の姿をそっくりそのまま伝えるわけではない．まず，子孫のからだをつくりあげるのに必要な情報をもつ「遺伝物質」を伝える．そして子孫は，伝えられた情報に基づいてからだをつくる．この結果，子孫の体つきや性格は親に似ることになる．

生物のからだを構成する基本単位は**細胞**である．個々の細胞には，さまざまな機能を調整しているプログラムが備わっている．その機能とは，細胞の分裂，組織や器官の発生と分化，栄養素からのエネルギー代謝，筋収縮，骨など支持組織の維持，免疫防御，ホルモンや生理活性物質の合成・利用・輸送・分解，神経系や感覚器官の機能発現などである．

細胞の構造や機能は，すべて遺伝的に規定されたプログラムによって決定される．そして，細胞分裂を繰り返すたびに，プログラムは新しく生じる細胞へ正確に伝えられる．

もしも，伝達されるときに誤りがあれば，情報は正しく伝わらず，細胞の構造や機能に障害が発生してしまう．

こうした過誤は生体に備わっている修復機構で矯正され，問題を生じることは少ない．しかし，修復されないままに誤った情報が伝わってしまうと，本来の細胞の構造や機能に変化が生じる．これは，がんや生活習慣病などの疾病につながりかねない．

細胞の構造ならびに機能を維持するのは，**蛋白質**である．細胞には何千種類もの蛋白質が含まれ，それぞれが細胞をかたちづくったり，酵素としての活性をもって代謝を行ったりしている．つまり，蛋白質の構成によって，それぞれの特徴をもった個体がつくりあげられるといえる．

遺伝では，親の遺伝情報が子に伝えられ，その情報をいわば設計図として蛋白質がつくられる．そして，つくられた蛋白質が子の形質を形成する．個々人に特有な蛋白質の構成をつくりあげるのに必要な設計図となる遺伝情報を担うのが，**遺伝子**である．

人間の寿命
厚生労働省の発表によると，2021年の日本人の平均寿命は男性81.47歳で世界第3位，女性は87.57歳で世界第1位である．

形質
生物個体がもつ独自の特性で，形態的な要素や特徴などである．遺伝学においては，表現型として現れる各種の形態的・生理的な遺伝的性質をいう．

細胞
新生児のからだは約3兆個の細胞から，健常成人は約60兆個（37兆個との報告もある）の細胞からつくられている．

恒常性
生体の生理的機能が協調し合って調和を保ち，動的な平衡状態にあることを恒常性（ホメオスタシス）という．外界や生体内部のさまざまな変化に対応して生体内部の恒常性を保つことは，生命を維持するうえで重要である．

I 細胞の構造と機能

1 生物の基本単位としての細胞 (cell)

細胞は，すべての生物の構造および機能の基本単位である．

ウイルスは，自己複製のための遺伝情報をもってはいるが，細胞としての機能は備わっておらず，他の生物に侵入して宿主の酵素やリボソームなどの機構を借用して増殖する．この意味では，ウイルスは独立した生物とはいえない．生物の最も基本的な性質である自己増殖は，細胞という形態が存在してこそ成り立つ．

細胞は，それぞれの種によって特徴があるが，基本的な構造と機能は互いに似ている．微生物，動物，植物といった生物の種による細胞のさまざまな違いは，進化による適応の結果と考えられる．

生物には，1個の独立した細胞が生物そのものである単細胞生物と，複数の細胞からなる多細胞生物がある．

単細胞生物では，1個の細胞が単独で生活し，増殖する．細菌や原生動物などが相当する．

高等な動物や植物は**多細胞生物**である．多細胞生物では，多くの細胞が集まって組織・器官といった機能単位を構成し，それぞれに特別な機能を分担している．しかも，細胞間には有機的な協力関係があり，全体として生命の円滑な維持を行っている．

また，細胞には，細胞内に核としての形態が観察されない**原核細胞**と，核がはっきりと認められる**真核細胞**という2種類の基本型がある．

原核細胞をもつのは，細菌や藍藻類などである．原核細胞には膜で包まれた核という構造がなく，遺伝物質はコンパクトな核様体を形成している．また，ミトコンドリアや Golgi （ゴルジ）装置などといった膜で包まれた細胞小器官もなく，外側に面した細胞膜が唯一の膜構造を形成している．細胞膜の外側には一般に細胞壁があり，さらに被膜で囲まれていることもある．

藍藻類以外の藻類，真菌，原生動物，植物，動物は，真核細胞をもつ．真核細胞内には，細胞膜で分画された機能上の各成分が存在する．また，有糸分裂によって細胞が増える．真核細胞の構造を以下に述べる．

2 細胞の構造と機能

真核細胞は，直径は 10〜20 μm くらいのものが多いが，直径約 200 μm の卵細胞までさまざまであり，形状も多様である．たとえば上皮細胞は扁平状，円柱状，サイコロ状などで，線維芽細胞は扁平で細長い．

真核細胞の基本構造を図 1-1 に示す．細胞の表面は細胞膜で包まれ，その中に**細胞質**と**核**がある．細胞質には，それぞれの機能をもつ構造物があり，**細胞小器官**（オルガネラ）とよばれる．主なものは，ミトコンドリア，小胞体，Golgi 装置などである．

単細胞生物

単細胞生物には，大腸菌などの細菌や，アメーバ，ゾウリムシなどの原生動物がある．

原核細胞の増殖

原核細胞の染色体は1個で，増殖する場合には真核細胞のように有糸分裂は行わず，細胞の分割といった形式で行われる．

細胞小器官

細胞小器官の構造は，すべて膜構造から構成され，しかもその膜は閉じた構造をしていることに特徴がある．つまり，細胞はいくつもの小部屋から成り立った構造体といえる．

細胞の各成分の容積率

細胞に占める容積率は，線維芽細胞の場合，核が約5%，細胞質が約55%，ミトコンドリアが約25%，小胞体が約10%，Golgi 装置が約5%程度である．

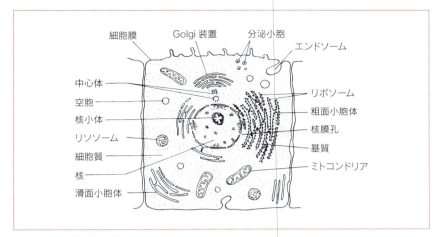

図1-1 真核細胞の模式図

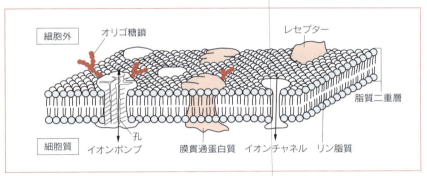

図1-2 細胞膜の模式図

　そのほか，細胞質には，さまざまな線維性蛋白質が細胞骨格を形成し，多種多様で，しかも安定した細胞の形状を保つ．また，核の近くにみられる中心体は円柱状の小体で，微小管からなり，細胞分裂のときに重要な役割を果たす．リボソームは蛋白質合成の場となる．

1）細胞膜（cell membrane）

　細胞の内と外との境界をなす細胞膜は，厚さが約5 nmで，リン脂質が二重層となった構造をしている（図1-2）．

　脂質二重層には，コレステロール，糖脂質，各種の蛋白質（糖鎖をもつものが多い）などが含まれ，通常は流動的な状態にある．細胞膜には各種の**レセプター**（受容体）や**イオンチャネル**があり，水・イオン・アミノ酸・糖などの物質が細胞内外に輸送されて，細胞の栄養，代謝，細胞内pHの調節，細胞容積の調節など，内部の恒常性を保つために重要な役目を果たす．

　レセプターは，細胞膜に存在する膜貫通蛋白質の一種である．膜貫通蛋白質は細胞膜を横断し，その一部分が一方あるいは両側に露出している．膜の両側に突き出ている蛋白質は通常，親水性で，膜を貫通する部分は脂質二重層の中

 細胞膜

細胞膜を構成するリン脂質はホスファチジルコリン，ホスファチジルエタノールアミンに代表され，疎水性の末端と親水性の末端がある．疎水性の部分が膜の内側に，親水性の部分が膜の外側に向かうように並び，脂質二重層になっている．

で安定するように疎水性部分を必要としている．このような部分を**膜貫通ドメイン**という．

レセプターは細胞膜の外側において，細胞の外にあるホルモン・成長因子・神経伝達物質・接着分子などといった**リガンド**を認識して結合する．すると蛋白質の構造が変化し，その構造変化がさらに細胞質内へ情報を伝えて，細胞内部へと蛋白質全体を移動させる．こうした変化が次々と細胞内部で他の変化をもたらし，最終的にリガンドによってもたらされた信号に対して応答する．この一連の現象を**シグナル伝達**という．

2）核（nucleus）

核は遺伝物質としての**デオキシリボ核酸（DNA）**を含み，DNAの複製，遺伝情報の転写，RNAのプロセシング，リボソームの組み立てなど，細胞の維持や機能の発現に重要な役割を担っている．

DNAはヒストンやその他の核蛋白質と結合し，**染色質**（クロマチン）とよばれるネットワーク状の構造を形成している．細胞が分裂するときには，クロマチンは一定の数の糸状構造となり，**染色体**（クロモソーム）として顕微鏡で観察できるようになる．

核は内膜と外膜の二重層からなる核膜で囲まれる（**図1-3**）．外膜は細胞質に面して小胞体とつながっている．内膜は核の内容物を包み込んでいる．核膜にはところどころに核膜孔とよばれる小孔が貫通し，細胞質と核の間で物質の輸送が行われる．

核の内部には，**核小体**（仁）とよばれる小体が1～数個存在する．核小体ではリボソームRNA前駆体が合成され，細胞質から運ばれてくるリボソーム蛋白質とともにリボソームがつくられる．また，核の中には塩類溶液に対して溶けにくい蛋白質からなる骨格があり，**核マトリックス**とよばれる．

3）小胞体（endoplasmic reticulum），リボソーム（ribosome）

小胞体は，細胞質内に張りめぐらされたトンネル状をした小腔の総称である．細胞膜および核膜とも互いに連絡していることから，これらの膜の起源は同じと考えられる．小胞体は，膜全体の30～60％に相当する非常に入り組んだシート状の膜が折りたたまれたようになっている．かたちや大きさは細胞の種類によってさまざまで，扁平嚢が層状に重なったり，細管や小胞が網目状につながったりしている．

小胞体は電子顕微鏡で観察すると2つの型に分けられる．1つはリボソームが付着している**粗面小胞体**で，もう1つはリボソームが付着していない**滑面小胞体**である．

リボソームは蛋白質合成に関与する12～15 nmの小さな粒子で，リボ核酸（RNA）と蛋白質の複合体である．小胞体に付着しているリボソームは膜付着リボソームとよばれ，消化酵素など多くの分泌蛋白質が合成される．つくられ

ドメイン

生体高分子，とくに蛋白質の構造または機能上の観点から1つのまとまりをもった領域をいう．

リガンド

レセプター蛋白質に結合する物質を一般にリガンド（ligand）といい，ホルモン，サイトカイン，神経伝達物質などがある．また，酵素と結合する基質，補酵素，阻害薬，そのほかの活性調節因子もリガンドという．

ヒストン

ヒストンは真核細胞の核内に普遍的に存在し，DNAとイオン結合している塩基性蛋白質である．ヒストンにはH1（分子量約22,000），H2A（同13,700），H2B（同13,700），H3（同15,700），H4（同11,200）の5種類の成分があり，H1以外は重量比でほぼ等量で存在する．ヒストンはDNA複製に共役して合成され，クロマチン構造の維持に重要な役割をもつ．

核マトリックス

核マトリックスは，核内膜裏打ちラミナ（蛋白質）が網目状に取り囲み，さらに内部空間に網目状の立体構造となってDNAやクロマチンをつなぎ止める役割がある．

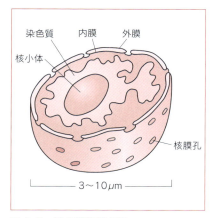

図 1-3 核の構造模式図

図 1-4 小胞体と Golgi 装置の関係

た蛋白質は輸送小胞に蓄積されて Golgi 装置に運ばれ,そこから分泌される(図1-4).

　なお,小胞体に付着していないリボソームもあり,遊離リボソームとよばれる.ここでは主に,細胞増殖に必要な蛋白質や,細胞骨格に組み込まれる蛋白質など,主に細胞内で使われる蛋白質の合成が行われる.

　このほか,粗面小胞体には薬物代謝などに関係する多くの酵素が含まれ,種々の物質代謝が行われる.また,小胞体の嚢は物質の一時的な貯蔵場となり,物質を輸送する働きもある.

　滑面小胞体は粗面小胞体と連絡しており,粗面小胞体で合成された蛋白質の輸送に関与する.また,筋細胞ではカルシウムを貯蔵して筋収縮に関係する.脂肪代謝やグリコーゲン代謝などにも役目を果たしている.

4) Golgi(ゴルジ)装置(体)(Golgi apparatus)

　Golgi 装置(体)は,小胞体と細胞膜の間にあり,小胞体で合成された蛋白質を受け取り,分泌したり放出する.また,種々の酵素が含まれ,蛋白質にリン酸や糖などを結合して修飾し,機能をもった分子に加工する.

　Golgi 装置は,平たい円盤のような膜構造の扁平嚢(Golgi 小嚢)が積み重なった構造で,Golgi 層板を形成している(図1-5).

5) ミトコンドリア(mitochondria)

　細胞には,約100〜2,000個のミトコンドリアがある.分離されたミトコンドリアは 0.5×2 μm 程度の大きさで,球形,円柱状,あるいは糸状のかたちを示す.二重膜によって囲まれ,内胞は隔壁(クリステ)によって仕切られ,DNA,基質顆粒,リボソームなどが含まれる(図1-6).

　ミトコンドリアには多くの呼吸酵素が含まれ,細胞内の主な ATP(アデノシン三リン酸)の供給源となる.心筋や骨格筋など,高度なエネルギーを必要とする器官の細胞では,ミトコンドリアのクリステの数が多い.

 Golgi

Camillo Golgi(1843-1926年)はイタリアの解剖学者,神経組織学者で,硝酸銀を用いた染色法を開発して大脳皮質神経細胞,グリア細胞など多くの組織学的研究を行った.1906年にノーベル生理学・医学賞を受賞.

 Golgi 層板

Golgi 層板は一側に弯曲し,凸面は小胞体に面して小胞体からの物質の供給を受ける面で,シス面とよばれる.一方,凹面は細胞膜に面し,物質を放出または分泌する面で,トランス面とよばれる.シスは「こちら側」,トランスは「あちら側」を意味するラテン語である.

ATP(アデノシン三リン酸)

ATP は細胞のエネルギー代謝を行ううえで中心的な役割を果たすエネルギー伝達物質で,アデノシンの 5′ 位のヒドロキシ基(水酸基,-OH)に 3 個のリン酸基が一列に結合したリボヌクレオチドである.

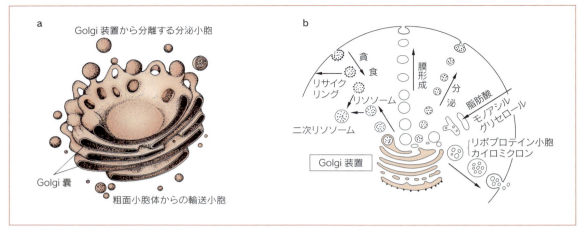

図 1-5　Golgi 装置の三次元モデル（a）と，Golgi 装置を中心とした細胞の模式図（b）

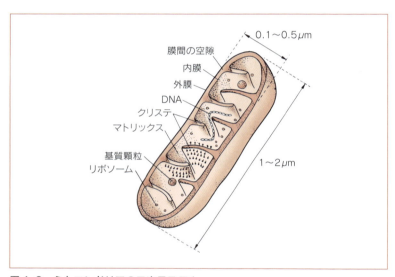

図 1-6　ミトコンドリアの三次元モデル

　なお，ミトコンドリアには核の遺伝情報とは別に独自の遺伝情報（ミトコンドリアゲノム）があり，細胞の複製と同調して自己複製する（p.24 参照）．ミトコンドリア遺伝子によって現れる形質発現は，細胞質遺伝とよばれる．ミトコンドリアゲノムは非常に小さく，大部分の酵素蛋白質の情報は，核の遺伝子に依存している．

　Leber 遺伝性視神経症（レーベル病），ミオクローヌスてんかん症などの特殊な疾患（ミトコンドリア病）は，ミトコンドリア DNA に突然変異が起こったもので，メンデルの法則に従わずにミトコンドリアの遺伝情報が遺伝する**母性遺伝形式**をとる．

ミトコンドリアゲノム

ミトコンドリアに存在する遺伝子の総体をいう．

母性（母系）遺伝形式

遺伝形質が母親の生殖細胞を通してのみ発現する現象を母性遺伝形式という．卵子に比べて精子のミトコンドリアは極端に少なく，また受精の際に排除されるため，受精卵が分裂増殖する際，ミトコンドリアの遺伝情報は母親の情報のみが伝わる．

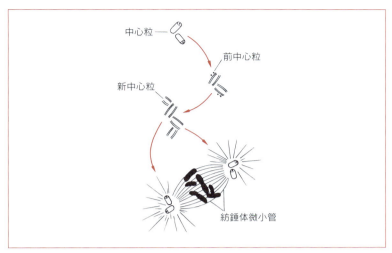

図 1-7 細胞分裂中の中心体

6) 細胞質（cytoplasm）

　細胞の中にあり，細胞小器官を構成していない可溶性の部分を**細胞質**という．多くの可溶性酵素類が含まれ，解糖などさまざまな反応が行われている．小胞体に結合していない遊離リボソームも細胞質にあり，転移 RNA（tRNA）や多くの蛋白質性因子とともに，細胞質内で作用する種々の蛋白質合成を行う．

7) 中心体（centrosome）

　通常は核の近くにあり，細胞分裂の際に重要な役割を果たす．1 対の中心小体（中心粒）を含み，その周りの密度が高く輪郭のはっきりとしない領域を指す．中心小体は，一方が開放して他方が閉じた小さな中空の円筒形をしており，2 個の中心小体は互いにほぼ直角に並んでいる（図 1-7）．

　中心小体には自己増殖能があり，細胞分裂するときには 4 個となる．そして 2 個ずつが対応する細胞極に移動し，細胞が分裂する際に種々の活動の拠点となる．

3　細胞分裂（cell division）

　1 個の細胞が 2 個に分かれる現象を**細胞分裂**という．

　分裂する前の細胞を**母細胞**，分裂してできる細胞を**娘細胞**とよぶ．受精卵から始まり，細胞の分裂が繰り返されて生物の個体がつくりあげられる．生殖細胞（卵子および精子）を除き，生物全体をつくりあげる細胞は**体細胞**とよばれる．

　細胞分裂では，細胞の構造に変化が起こり，紡錘糸とよばれる糸状の構造が形成され，染色体が娘細胞にそれぞれ受け継がれる．こうした特徴から，**有糸分裂**という．

　有糸分裂には 2 つの形式がある．1 つは体細胞でみられる**体細胞分裂**である．もう 1 つは**生殖細胞**（卵子または精子）が形成されるときにみられるもので，**減数分裂**である．

細胞骨格（cytoskeleton）
細胞の構成成分が膜構造と可溶性の細胞質だけであれば，細胞は完全な球形になってしまう．しかし，実際には，楕円形や紡錘形など，さまざまな形態をとる．このような細胞の形状を保つために細胞の中に骨のような役目をする線維構造があり，細胞骨格という．

中心小体
直径は約 0.2 μm，長さは約 0.4 μm で，その壁には平行な 3 本の微小管の束が 9 個並んで縦走している．

細胞分裂
最終的に分化してしまった細胞を除き，すべての細胞は分裂しうる能力をもつ．

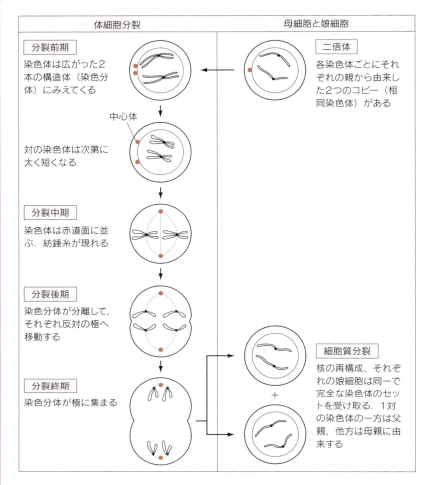

図1-8 体細胞分裂

 染色体の総数

細胞分裂直後の細胞DNA量は2Cであるが，細胞分裂が開始されるときの染色体のDNA量は4Cになっており，分裂して2組の2C染色体に分かれる（1Cは1配偶子あたりのDNA量）．こうして，細胞分裂のあとでも，体細胞の中で染色体1組の総数は一定に保たれる．

1）体細胞分裂（somatic cell division）（図1-8）

体細胞が増殖するときにみられる細胞分裂である．それぞれの細胞に存在する染色体は間期に核で複製される．そして各染色体は2本の染色分体となって分離し，2個の娘細胞に母細胞と同じ数の染色体数，DNA量が分配される．

分裂によって生じた1個の細胞が次の2個の娘細胞に分裂するまでの期間を**細胞周期**という．

細胞周期は，大きく2つの期間に分けられる．第1は間期（静止期または中間期）とよばれる比較的長い期間で，次の分裂までの準備期間である．第2は有糸分裂期で，比較的短い間に1つの母細胞が2つの娘細胞に分裂する．この期間は，分裂前期，分裂中期，分裂後期，分裂終期に分けられる．

① 間期（interphase）：分裂してできた娘細胞が成長して，次の分裂までに物質の合成を行い，細胞成分を増やして準備を行う期間である．

間期

間期には，細胞が分裂するために必要な3つのプロセスが起こる．第1に，DNAが複製される．第2に，細胞が分裂するために必要なエネルギーを蓄積する．そして第3に，ミトコンドリア，リボソーム，中心小体などの細胞小器官が形成される．

② **分裂前期**（prophase）：糸状の染色質（クロマチン）が濃縮してはっきりした染色体が形成され，核膜が解離しはじめる．染色体は最初は細くて長いが，次第に太く短くなる．増殖している細胞では，間期に染色体の構成成分が2倍になり，それぞれの染色体は2本の染色分体（両者が動原体で結合している）として観察される．この2本組の構造のそれぞれを姉妹染色分体とよぶ．

③ **分裂中期**（metaphase）：核膜が消失し，核に著しい変化が起こる．核小体はみられなくなり，中心体から発する細い糸状物質の紡錘糸が認められるようになる．紡錘糸がつくる紡錘形の両端を極という．線維は，極と染色体の動原体を結んだり，細胞の両極の間に伸びている．
染色体は分裂中期に最も太く短くなり，細胞の赤道面上に配列する．

④ **分裂後期**（anaphase）：すべての染色体は動原体領域において分離し，分かれた染色分体はそれぞれ反対の極へと移動する．染色分体の移動は，極と動原体を結ぶ紡錘糸が短縮することによって起こる．

⑤ **分裂終期**（telophase）：染色分体は細胞の両極に集まり，太くなっていた染色体は細くなってクロマチンになる．核膜が再び形成され，核が再構成される．細胞質も分裂し，2つの娘細胞が分離する．娘細胞は，母細胞と全く同じで完全な染色体のセットをもつ．

2）減数分裂（meiosis）（図1-9）

生殖細胞（配偶子）が形成されるときには，体細胞分裂とは異なった分裂様式で行われる．この過程では**単数体**（ハプロイド），すなわちn個の染色体をもつ細胞を生じる．このため，**減数分裂**とよばれる．減数分裂では，第一分裂と第二分裂の2回の分裂が起こって，結果としてn個の染色体を有する4組の細胞に分かれる．

(1) 減数第一分裂

① **分裂前期**：体細胞分裂のときと同じく，染色体は濃縮し，**相同染色体**が並んで対合し，二価染色体となる．染色体は縦裂して，各染色体はそれぞれ1対の染色分体となる．核小体は消失し，核膜もみえなくなる．

② **分裂中期**：対合した二価染色体が赤道面に並ぶ．おのおのの染色体は縦裂しているので，二価染色体は4本の染色分体からなる．

③ **分裂後期**：相同染色体がそれぞれ反対の紡錘体の極に移動を始める．

④ **分裂終期**：相同染色体が両極に分かれ，染色体は集まって膨潤する．核膜が形成され，核小体も形成されて，間期の核の状態になる．体細胞分裂のときのように細胞質もくびれ，相同染色体はそれぞれ別々の細胞に入る．こうして，それぞれn個の染色体をもつ2個の細胞ができる．次いで，短い間期をおいて減数第二分裂期に入る．

(2) 減数第二分裂

染色体は再び濃縮を始め，核膜が消失して紡錘体が形成される．縦裂した2

 分裂前期

体細胞では相同染色体がそれぞれ2コピーずつあるので，染色体の総数は二倍性とよび，2nで表す．姉妹染色分体は染色体が複製して生じたものなので，全長にわたって各位置で全く同じ遺伝物質を含み，動原体とよばれる部分で束ねられている．なお，DNA量はC値で表現し，体細胞のDNA量は，分裂直後は2Cとなる．

 紡錘糸

紡錘糸は微小管からできた多数の線維で，紡錘形になる．

 単数体

haploid（ハプロイド）は，これまで「半数体」と訳されていたが，日本遺伝学会は「単数体」としている．半数体が受精して二倍体になるのは理屈に合わないためである．

 分裂前期

間期に染色体は複製されているので，それぞれの二価染色体は細胞内の相同染色体4個のコピーを併せもつこととなる．

 配偶子

減数分裂して配偶子がつくられるときには，父親と母親に由来していた相同染色体は分かれてしまい，配偶子は母細胞のもっていた2個の相同染色体のうちの1個だけをもつこととなる．父親由来の染色体と母親由来の染色体は，それぞれの染色体によってランダムに配偶子に入る．このため，メンデルの独立の法則（p.190）があてはまる．

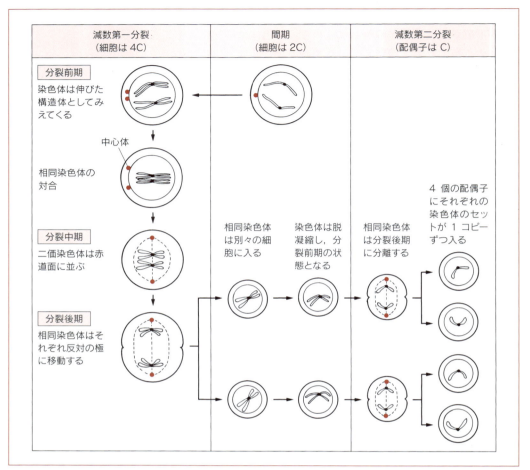

図 1-9 減数分裂
C は DNA 量を表す.

本の染色分体が両極に分かれ，2 個の娘細胞がつくられる．この結果，n 個の染色分体をもつ細胞ができ，これらが成熟して配偶子になる．配偶子の DNA 量は C である．

なお減数分裂の際には，相同染色体が対合したときに相同染色分体が近接化（キアズマ形成）し，相同染色分体が交差して組換えが起こることがある（図1-10）．組換えの起こった染色体は元の染色体とは異なる．したがって，体細胞分裂の場合とは違い，娘細胞の染色体は元の母細胞の染色体と遺伝的に必ずしも同一ではない．

4 細胞周期（cell cycle）

細胞が分裂を開始し，完了してからまた次に分裂が始まるまでの間を細胞周期という（図1-11）．細胞分裂が完了してから次の分裂が開始されるまでの期間を**間期**とよぶ．間期は，**DNA 合成準備期（G_1 期）**，**DNA 合成期（S 期）**，分

 細胞周期

増殖している体細胞では，通常この周期は18〜24時間ごとに繰り返される．G_1期が最も長く，6〜12時間かかる．S期では6〜8時間の間にすべてのゲノムが複製される．有糸分裂の準備をするG_2期は，間期のなかでは短く，3〜4時間程度である．M期は細胞周期のなかで最も短く，1時間以内に完了する．

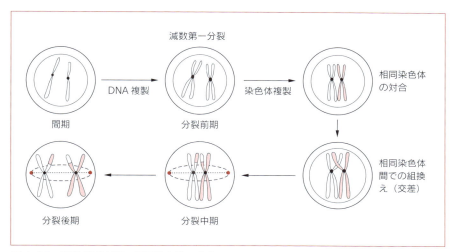

図1-10 減数分裂の際の相同染色体の交差

裂準備期（G_2期）に分けられる．有糸分裂の進行が観察できる**分裂期**は，**M期**とよばれる．

① G_1期（Gap 1，G_1期）：有糸分裂期が過ぎて，RNAと蛋白質の合成が開始される時期である．DNAの複製はまだ起こらない．

② S期（synthetic phase，S期）：DNAの複製が開始され，DNAの総量が2倍になるまでの時期である．

③ G_2期（Gap 2，G_2期）：S期の終わりから，有糸分裂が始まるまでの期間をいう．この期間に，細胞は完全な二倍体の染色体を2組もつ．

④ M期（M phase）：細胞が分裂を開始し，2個の娘細胞になるまでの時期である．

体細胞分裂では，分裂にあたって細胞の構成成分が2倍になり，その成分が2個の娘細胞に均等に配分される．DNAは，S期に2倍に増え（DNA量としては4C），二倍性（染色体数は2n，DNA量は2C）の染色体構成をもった2個の娘細胞に引き継がれる．これに比べて，RNAや蛋白質といった構成成分は，連続的なプロセスで増加する（**図1-12**）．

細胞周期の当初はDNAは増えないが，個々の細胞の表現型を形成する蛋白質をコードしている遺伝子の転写，翻訳は進行する．このため，RNAと蛋白質の増加がまず始まり，蛋白質・RNA/DNA比が大きくなる．S期に核は特に大きくなり，DNA量に釣り合うまで蛋白質が蓄積される．そして，最終的には蛋白質・RNA/DNA比は元の値に復する．

すべての体細胞が活発に分裂をしているわけではない．分裂をしていない細胞はG_1期に似ているが，S期に入らないことでG_1期とは区別される別の状態と考えられる．このような時期を**休止期（G_0期）**といい，細胞周期からはずれた状態にあると考えられる．細胞によっては，G_0期から再びG_1期に入って，細胞周期に進入する．また，分裂を終えてG_1期に入ったばかりの細胞がG_0期

 細胞周期の制御

細胞周期の各時期は，多数の細胞分裂遺伝子によってコードされた特定の蛋白質に制御されている．特にG_1期からS期，G_2期からM期への移行は特異的な細胞周期蛋白質で制御される．こうした制御を受けて，母細胞の構成と同じ娘細胞をつくることができる．

I 細胞の構造と機能

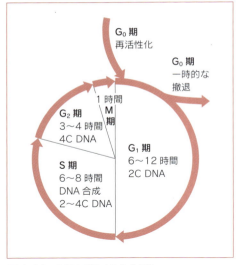

図 1-11　細胞周期（有糸分裂）
間期：G_1 期（DNA 合成準備期），S 期（DNA 合成期），G_2 期（分裂準備期）．
M 期：分裂期，G_0 期：休止期．

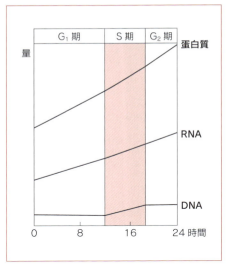

図 1-12　DNA，RNA，蛋白質量の増加
量は相対値である．

に入ることもある．さらに，細胞によっては，分裂能力を失い，分化，成熟し，あるいは老化の方向に向かう．

II　遺伝子

　遺伝情報を伝える基本単位が**遺伝子**（gene）である．遺伝子は細胞核内の染色体にある DNA にあり，各遺伝子が存在する位置と構造は，それぞれに決まっている．

　遺伝子は DNA に書かれた設計図にすぎず，それ自体が蛋白質をつくるわけではない．蛋白質をつくり，次世代の細胞をつくりあげるには，設計図の暗号文が写し取られ，正確に読み取られなければならない．すなわち，DNA に書かれた設計図（遺伝子）をもとにして蛋白質がつくられ，遺伝情報が伝えられる．

　細胞のかたちや機能は，細胞に含まれる多数の蛋白質の働きによって決定される．生物間でかたちや機能が異なっているのは，それぞれの細胞に含まれる蛋白質の種類が違っているからといえる．そして，その蛋白質をつくるための設計図となるのが遺伝子である．つまり，遺伝子は遺伝情報の担い手で，蛋白質は伝えられた遺伝情報の実行役の関係にあるといえる．

1　核酸

　核酸は低分子のヌクレオチドから合成される高分子の生体成分である．核酸は遺伝情報を担い，伝える役目を果たす．核酸には，**デオキシリボ核酸**（deoxyribonucleic acid；**DNA**）と**リボ核酸**（ribonucleic acid；**RNA**）の 2 種類がある．

gene
generation を意味するギリシャ語の *genea* に由来する．

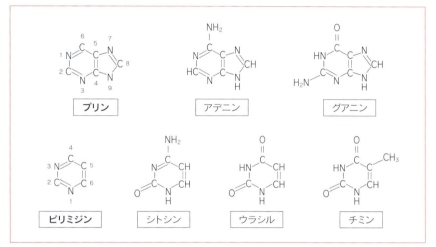

図 1-13 核酸を構成する五炭糖

図 1-14 核酸を構成する窒素を含む塩基
DNAはプリンのアデニンまたはグアニン，およびピリミジンのシトシンもしくはチミンを含む．RNAのピリミジンはチミンの代わりにウラシルを含む．

1）核酸の基本構造

核酸は，**五炭糖**，窒素を含む**塩基**，**リン酸基**からなるサブユニットが化学結合してつくられている．

核酸をつくる五炭糖には2種類ある．DNAの糖は2-デオキシリボースで，RNAの糖はリボースである．いずれも炭素が5つあり，両者の差異は，五炭糖環の2'の位置が，2-デオキシリボースでは水素（-H），リボースではヒドロキシ基（-OH）になっていることである（図 1-13）．

核酸を構成する塩基は炭素原子と窒素原子からなる複素環で，**プリン**と**ピリミジン**の2種類がある．ピリミジンは六員環をもち，プリンはピリミジン環と五員環のイミダゾール環が融合したかたちになっている（図 1-14）．

DNAもRNAも，塩基は4種類の組み合わせでできている．プリンにはアデニン（adenine；Aと略）とグアニン（guanine；G）の2種類があり，DNAとRNAのいずれにもある．ピリミジンは，DNAにはシトシン（cytosine；C）とチミン（thymine；T）の2種類があり，RNAにはシトシンとウラシル（uracil；U）の2種類がある．

リボース
リボースは五炭糖の一種で，化学式は$C_5H_{10}O_5$，分子量150.13である．RNAのほか，ニコチンアミドアデニンジヌクレオチド（NAD），ニコチンアミドアデニンジヌクレオチドリン酸（NADP），フラビンアデニンジヌクレオチド（FAD）などの構成成分になる．

ヒドロキシ基
-OHの構造式をもつ官能基で，水酸基ともよばれる．かつてはヒドロキシル基とよばれていた．

ウラシルとチミン
ウラシルとチミンの違いは，C5の位置がメチル基（-CH_3）に置き換わっていることだけである．

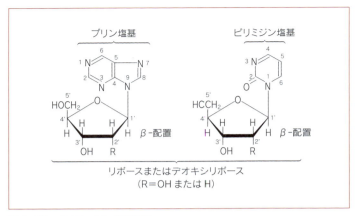

図 1-15　ヌクレオシドの構造

表 1-1　ヌクレオシド，ヌクレオチドの名称

塩基	ヌクレオシド	ヌクレオチド	略号	
			DNA	RNA
アデニン	アデノシン	アデニル酸	dAMP	AMP
グアニン	グアノシン	グアニル酸	dGMP	GMP
シトシン	シチジン	シチジル酸	dCMP	CMP
チミン	チミジン	チミジル酸	dTMP	
ウラシル	ウリジン	ウリジル酸		UMP

　塩基は，それぞれの頭文字で表記することが多い．DNA は A，G，C，T を，RNA は A，G，C，U を含んだ組み合わせとなる．

　塩基は，プリンの N9 あるいはピリミジンの N1 がグリコシド結合によって，五炭糖の C1' と結合する．なお，塩基の複素環と五炭糖環の番号を混同しないように，五炭糖環はダッシュをつけた番号で表示する取り決めになっている（図1-15）．塩基に糖が結合した物質を**ヌクレオシド**という．

　ヌクレオシドにリン酸基が加わって，塩基–五炭糖–リン酸基の構造をした物質を**ヌクレオチド**とよぶ．糖がデオキシリボースである DNA の場合には**デオキシリボヌクレオチド**，糖がリボースである RNA では**リボヌクレオチド**という．ヌクレオシドならびにヌクレオチドには塩基の種類別に名称がつけられている（**表 1-1**）．リン酸基がエステル結合する五炭糖環の位置によって，2'-，3'-，もしくは 5'-ヌクレオチドというように表現される．5' 位にリン酸基が結合したものが，核酸を構成する基本単位となっている（図 1-16）．

　ヌクレオシドの 5' 位にリン酸基が 1 個，2 個，3 個結合したものは，それぞれ，ヌクレオシド 5'-一リン酸（NMP），ヌクレオシド 5'-二リン酸（NDP），ヌクレオシド 5'-三リン酸（NTP）とよばれる（図 1-17）．

ヌクレオチド
3 段階のリン酸基を含むヌクレオチドは相互に移行して，さまざまな細胞活動のエネルギー源として使われる．

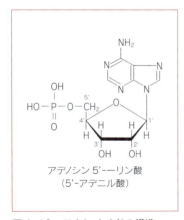

図 1-16 ヌクレオチドの構造
5'-アデニル酸の例.

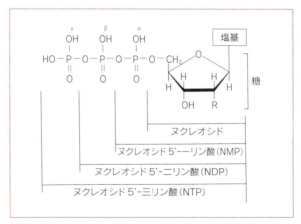

図 1-17 ヌクレオシドにリン酸基が 1, 2, 3 個結合した構造

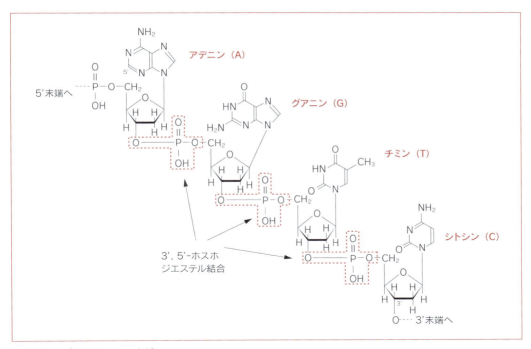

図 1-18 ポリヌクレオチド鎖

2) 核酸の高分子構造

　核酸は，ヌクレオチドを基本単位として組み立てられている．ヌクレオチドは互いに結合して，五炭糖とリン酸基が交互に連なり，長い鎖状の**ポリヌクレオチド鎖**を形成する（図 1-18）．

　1 つのヌクレオチドが有する五炭糖の 5' に位置するリン酸基は，その隣のヌクレオチドの五炭糖の 3' の位置と結合する．すなわち，リン酸基がホスホジエステル結合によって橋渡しをして，五炭糖-リン酸基の骨格をつくる．窒素を含む塩基は，五炭糖-リン酸基の骨格から突き出たようなかたちになっている．

ホスホジエステル結合

リン酸（P）が，2 個のアルコール性ヒドロキシ基（R-OH）とエステル結合した状態で，R-O-(P)-O-R' の構造となる．

II 遺伝子　15

ポリヌクレオチド鎖の一方の末端のヌクレオチドでは，5'位についたリン酸基は結合せずに遊離の状態になっている．これを **5' 末端** という．これに対して，反対側の末端のヌクレオチドでは，3' 位にはリン酸基がついていない遊離の状態になっている．これを **3' 末端** という．

核酸の表記

核酸の塩基配列を表記する場合，5' 末端を左側に，3' 末端を右側に書くのが慣例になっている．

2　核酸代謝

核酸は食べ物に含まれている．食べ物中の核酸は，結合していた蛋白質成分が胃で変性消化された後，膵液中の核酸加水分解酵素によって加水分解され，消化される．

DNA はデオキシリボヌクレアーゼによってジヌクレオチドまたはオリゴヌクレオチドに，RNA はリボヌクレアーゼによってオリゴヌクレオチドとなる．オリゴヌクレオチドは小腸でホスホジエステラーゼによってヌクレオチドとなり，さらにホスホモノエステラーゼによって加水分解されてヌクレオシドとなり，小腸粘膜から吸収される．

ジ，オリゴ

ジ (di-) は「2つの」「2倍の」，オリゴ (oligo-) は「少数の」という意味を表す接頭語．

1) 核酸の合成

核酸は食べ物から摂取される以外にも，人体内で代謝によって新規 (*de novo*) に合成される．

(1) プリンヌクレオチドの合成

プリンヌクレオチドの合成では，ペントースリン酸回路に由来するリボース

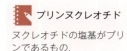
プリンヌクレオチド

ヌクレオチドの塩基がプリンであるもの．

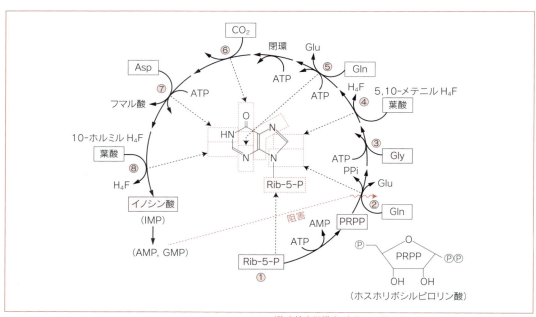

図1-19　イノシン酸の合成

（臨床検査学講座 生化学，第2版．p124，医歯薬出版，2006）

········▶ はプリン塩基の各部位の合成ステップを示す．
⌁⌁▶ はフィードバック阻害を示す．

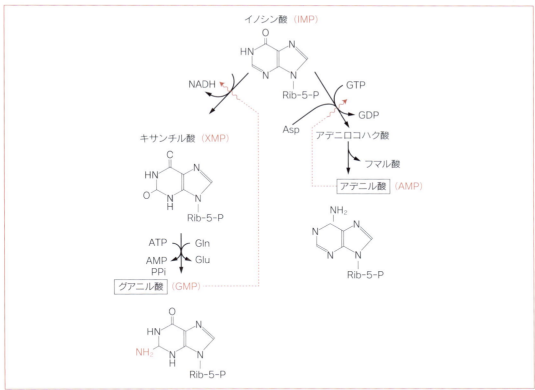

図1-20　プリンヌクレオチドの合成
┈┈➤ はフィードバック阻害を示す．

（臨床検査学講座 生化学，第2版．p124，医歯薬出版，2006）

-5-リン酸（**図1-19**の① Rib-5-P）にピロリン酸がついてホスホリボシルピロリン酸（PRPP）となり，さらにグルタミン（Gln），グリシン（Gly），葉酸，アスパラギン酸（Asp）などが次々に反応し，イノシン酸がつくられる（**図1-19**）．

イノシン酸からはグアニル酸（GMP）とアデニル酸（AMP）がつくられ，それぞれにリン酸基が結合し，GDP，ADP，さらに GTP，ATP となってリボヌクレオチドがつくられる（**図1-20**）．

GDP と ADP は還元酵素によってリボースが還元され，それぞれデオキシグアノシン三リン酸（dGTP），デオキシアデノシン三リン酸（dATP）となる．

(2) ピリミジンヌクレオチドの合成

二酸化炭素，グルタミン，水が反応してできるカルバモイルリン酸にアスパラギン酸が反応し，オロト酸がつくられる（**図1-21**）．オロト酸に PRPP が結合し，ウリジル酸（UMP）がつくられ，UMP はリン酸化されてウリジン二リン酸（UDP）となる．UDP からは，ウリジン三リン酸（UTP）からシチジル酸（CMP）が合成される経路と，デオキシウリジン二リン酸（dUDP）を経てデオキシチミジル酸（dTMP）が合成される経路がある．

> **ピリミジンヌクレオチド**
> ヌクレオチドの塩基がピリミジンであるもの．

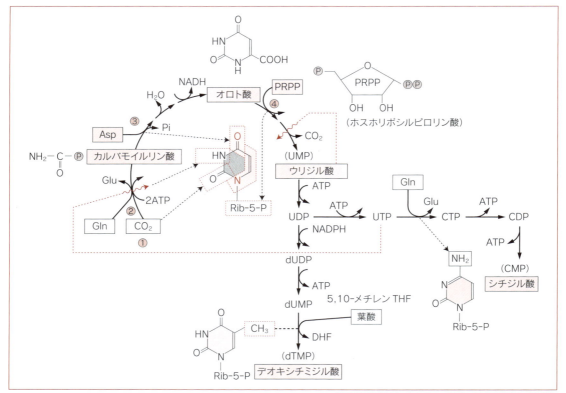

図 1-21 ピリミジンヌクレオチドの合成
·······▶ はピリミジン塩基の各部の合成ステップを示す．
······~▶ はフィードバック阻害を示す．

(臨床検査学講座 生化学．p125, 医歯薬出版, 2006)

2) 核酸の分解

ヌクレオチドはまずリン酸と糖が順次はずされ，遊離したプリン塩基は酸化的に分解され，ピリミジン塩基は還元的に分解される．

(1) プリンヌクレオチドの分解

グアニル酸（GMP）とアデニル酸（AMP）は，それぞれヌクレオシドを経て塩基のグアニンとヒポキサンチンになり，キサンチンから**尿酸**に代謝されて尿中に排泄される．

(2) ピリミジンヌクレオチドの分解

シチジル酸（CMP），ウリジル酸（UMP），デオキシチミジル酸（dTMP）からリン酸とリボースがはずれ，CMP は UMP を経てウラシルとなり，dTMP はチミンとなる．これらは還元後，加水分解されて，アンモニア，二酸化炭素，β-アラニンなどになって排泄される．

> **尿酸**
> プリンの最終代謝産物が尿酸になるのは，尿酸オキシダーゼ（ウリカーゼ）をもっていないヒトなどの霊長類と鳥類だけである．プリン含量の多い食べ物を過食したり，プリン生合成過剰または排泄低下などがあると尿酸が体内に蓄積し，痛風の原因になる．

3 遺伝子の構造と機能

ヒトの細胞は二倍体（ディプロイド）であり，46本の染色体に約60億塩基対の核酸がある．遺伝情報に必要な単数体（ハプロイド，p.9 側注参照）あた

りの遺伝子のセットを**ゲノム**（genome）といい，ゲノムには約30億塩基対（bp）の核酸がある．ただし，遺伝情報を担うDNAは細胞の核に存在するほか，ミトコンドリアにも存在する（p.5参照）．そこで現在では，**ゲノム**は細胞にあるDNAの全塩基配列であると定義されている．

DNAのもつ塩基配列は正確にRNAに読み取られ，それを鋳型にして蛋白質が合成される．この結果，生物に遺伝情報として組み込まれた設計図どおりの蛋白質がつくられる．つまり，遺伝子の本体はDNAであるといえ，遺伝情報をもつDNAの塩基配列が正確に複製されて，子孫へと伝えられる．

現在までに知られているすべての生物と大部分のウイルスでは，DNAが遺伝物質になっている．ウイルスには遺伝物質としてRNAを使っているもの（RNAウイルス）もあるが，その化学構造はDNAとわずかな違いしかなく，それらのRNAはDNAと同じ役割を果たしている．つまり，遺伝物質は常に核酸であり，RNAウイルスをわずかな例外として，遺伝物質はDNAであるといえる．

なお，後述するように，DNAには遺伝子部分と遺伝子としては利用されない部分もある．すなわち，遺伝子はDNAであるが，逆にDNAのすべてが遺伝子というわけではない．

1）DNAの構造

DNAは2本の長いポリヌクレオチド鎖が二重のらせん構造をとっている（図1-22）．発見者の名にちなんで**ワトソン-クリックのモデル**とよばれ，次のような特徴をもつ．

> **DNA**
> ミトコンドリアや植物細胞の葉緑体にも小さな環状のDNAが含まれ，顆粒の中に特有な遺伝情報が含まれている．細菌などの原核細胞では，大部分のDNAが細胞膜に接してかたまり，核のようにみえる．このほか，プラスミドとよばれる小さな環状のDNAがある．

> **ワトソン-クリックのモデル**
> アメリカのJames Dewey Watson（1928-）と，イギリスのFrancis Harry Compton Crick（1916-2004）が共同してDNAの構造を研究し，X線回折像や塩基の分析に基づいて1953年に二重らせんモデルを提唱した．この業績に対し，1962年に両者はウィルキンズ（Wilkins MHF）とともにノーベル生理学・医学賞を共同受賞した．

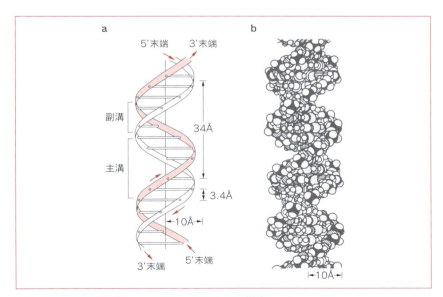

図1-22　ワトソン-クリックのDNA二重らせん構造モデル
a：リボンは五炭糖-リン酸基の骨格，横棒は塩基間の水素結合，縦棒は二重らせんの縦軸を示す．
b：分子模型．

図 1-23　塩基の対合
水素結合を点線で示す.

① 逆方向に並んだ 2 本のポリヌクレオチド鎖が，あたかも朝顔の蔓が 1 本の軸の周りに巻きつくようにして，規則正しいらせん形をしている．これを**共軸二重らせん構造**という.
② 塩基は物理化学的に疎水性で，水溶液中では分子の内側を向き，親水性の五炭糖-リン酸基の骨格が外側を向いている.
③ 2 本のポリヌクレオチド鎖は，内側を向いた塩基同士の水素結合によって結びつけられて，全体として長い鎖状構造を保っている．この場合，アデニン（A）はチミン（T）と水素結合で特異的に対合し，グアニン（G）はシトシン（C）とだけ対合する（図 1-23）．これを塩基の対合，あるいは**塩基対**（base pair；bp）とよび，対合した塩基は**相補的**であると表現する.
④ 塩基はらせんの軸に垂直となるよう，対になった平面構造をしている．塩基は互いに重なり合って，あたかもらせん階段の渡し板の部分に相当するような構造になっている.
⑤ 1 つの塩基対は，次の塩基対に対してらせんの軸の周りを 36° 回転した位置にある．したがって，10 塩基対でちょうど 1 回転する．2 本のポリペプチド鎖は互いにねじりあって二重らせんをつくるが，幅の狭い副溝（約 12Å 径）と広い主溝（約 22Å 径）が認められる.
⑥ らせんは軸に沿って時計回りの方向に巻かれているので右巻きとよばれ，このような特徴の DNA を B 型（B-form）という．一部の DNA は左巻きのらせん構造をとり，12 塩基対で 1 回転している．こうした DNA は Z 型（Z-form）とよばれる（図 1-24）.

2) RNA

RNA は DNA の遺伝情報を伝えて，蛋白質を合成する介在役である．実際，蛋白質合成が活発に行われている細胞での RNA 量は多く，しかも RNA の代謝が活発に行われている.

RNA には，**メッセンジャー RNA**（messenger RNA；mRNA），リボソーム

> **ポリ**
> ポリ（poly-）は「多くの」を意味する接頭語.

> **共軸二重らせん構造**
> 34Å（3.4 nm）ごとに 1 巻きしており，その直径は約 20Å（2 nm）である．隣り合うヌクレオチドの間の距離は 3.4Å（0.34 nm）であるから，1 巻きあたりのヌクレオチドの数は 10 個ということになる.

mRNA は代謝回転が速く，蛋白質合成の必要度に応じて合成され，使われると代謝されてしまう.

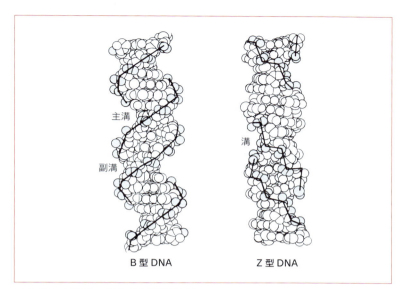

図 1-24 核酸の二重らせん構造モデル

表 1-2 RNA の種類

種類	大きさ	特徴
hnRNA	数千〜数万塩基長	mRNA の前駆体で核内にある
mRNA	500〜10,000 塩基長	蛋白質合成の鋳型となり，細胞質でリボソームと結合する
tRNA	70〜80 塩基長（4.5S）	アミノ酸を結合してリボソームに運ぶ
rRNA	(5S, 5.8S, 18S, 28S)	リボソームの成分をなす
snRNA	(6S)	核内に存在し，転写後修飾（スプライシング）に使われる

microRNA (miRNA)
21〜25 塩基の一本鎖 RNA で，遺伝子の転写後発現調節に関与する．

long non-coding RNA (lncRNA)
蛋白質へ翻訳されない 200 塩基以上の長さの転写産物である．

表 1-3 DNA と RNA の基本構造の差異

	塩基		五炭糖	リン酸
	プリン塩基	ピリミジン塩基		
DNA	アデニン（A） グアニン（G）	チミン（T） シトシン（C）	デオキシリボース	リン酸
RNA	アデニン（A） グアニン（G）	ウラシル（U） シトシン（C）	リボース	リン酸

←―― ヌクレオシド（nucleoside） ――→
←―――― ヌクレオチド（nucleotide） ――――→

RNA（ribosomal RNA；rRNA），転移 RNA（transfer RNA；tRNA）のほか，数種類の短い RNA が存在する（**表 1-2**）．通常の細胞では，RNA 全体の約 82％が rRNA，15％程度が tRNA，残りの大部分が mRNA である．

(1) **RNA の基本構造**

RNA も DNA と同じく，塩基-五炭糖-リン酸基からなるヌクレオチドを基本単位としてできている．RNA と DNA の基本構造の差異は，糖と塩基の種類に

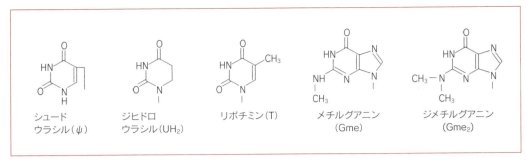

図 1-25 tRNA の特殊な塩基

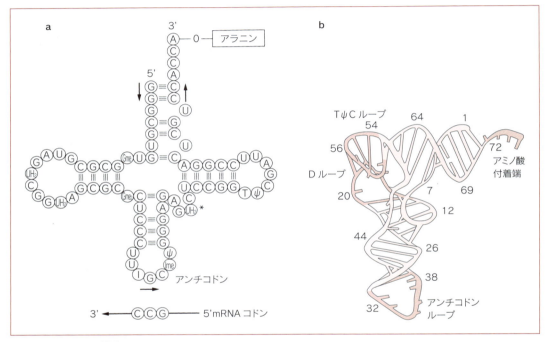

図 1-26 tRNA の構造
a：二次構造，b：L 字型立体構造．

ある（表 1-3）．なお，RNA にはこれら 4 種類のほかにも，メチル化誘導体などの塩基成分がわずかながらある．特に tRNA はいろいろな種類の塩基を含む（図 1-25）．

　RNA はすべて DNA を鋳型として合成され，原則として一本鎖の構造をしている．ただし，一本鎖の RNA 分子内では，塩基同士が水素結合によって軽く結合している部位もある．連続した数個の塩基が相手の塩基と水素結合すると，その部分は二重らせん構造となる．RNA 分子には，このような幹になる部分と，ループ様に張り出した部分を含むヘアピン状の構造が混じりあっている．
　こうして RNA は特定の二次構造，あるいはさらに特定の立体構造をとっている．たとえば tRNA では，クローバーの葉のようなかたちをした二次構造を

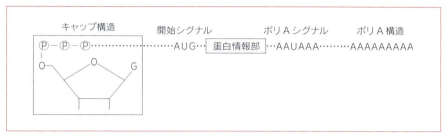

図1-27 mRNA の構造

とり，さらにそれが折りたたまれてL字型の立体構造になっている（図 1-26）．

(2) メッセンジャー RNA（mRNA）

蛋白質を合成する際のいわば完成予想図となるもので，DNA の遺伝情報を蛋白質合成の場にもたらす役目がある．

mRNA は DNA を鋳型として合成されるので，鋳型となった DNA 鎖と対になっていた DNA と相同である（ただし RNA の U は，DNA では T である）．その DNA 鎖を**コード鎖**もしくは**センス鎖**という．これに対して，mRNA 合成の鋳型となった DNA 鎖は鋳型鎖もしくは**アンチセンス鎖**という．

真核細胞の mRNA の 5' 末端にはキャップ構造とよばれる特殊な構造がある（図 1-27）．これによってリボソームと会合する速度が高まり，RNA 自身の安定性が増す．また，3' 末端寄りには数十〜200 個ほどの A が連続して結合しており，ポリ A 構造といわれる．ポリ A 構造も mRNA の安定化に関与していると考えられる．

(3) 転移 RNA（tRNA）

tRNA は各種のアミノ酸を mRNA 上の特定のコドンへ運ぶ短い RNA である（図 1-45 参照）．

蛋白質の材料となるアミノ酸は，まず ATP（アデノシン三リン酸）から生じるアデニル酸（AMP）と結合して活性化され，次いで tRNA の 3' 末端と結合する．この過程は，アミノアシル tRNA 合成酵素によって進められる．アミノ酸を結合した tRNA は，鋳型 mRNA の適合する位置へ接着する．

それぞれの tRNA はただ 1 個のアミノ酸だけを認識し，そのアミノ酸と共有結合をする．

tRNA は，図 1-26 に示すように，クローバーの葉のようなかたちをした二次構造をしている．クローバーの葉型構造の中央にあるヘアピン状に張り出したところが，mRNA 上の各アミノ酸の暗号（**コドン**）にちょうど対応する仕組みになっている．そこで，この部分の 3 塩基配列を**アンチコドン**とよぶ．

アンチコドンは mRNA の塩基配列と相補的に結合するので，mRNA 上の情報（コドン）をアミノ酸に読み換える働きがあるといえる．これが**翻訳**である．

アンチコドンに対応したアミノ酸が tRNA に付加したものをアミノアシル tRNA という．この分子では，アミノ酸のカルボキシ基（–COOH）が tRNA の

---

mRNA の分子量
mRNA の分子量はまちまちであるが，数十万〜100 万くらいで，塩基数にして 1,000〜3,000 くらいが平均的な大きさである．

キャップ構造
キャップ構造は，mRNA の安定化や，翻訳，スプライシングの効率化，あるいは核外への輸送に関与する．

アミノ酸との共有結合
各アミノ酸には専用の tRNA が少なくとも 1 種類，アミノ酸によっては 2 や 3 種類ある．したがって，細胞の中には 40〜60 種類もの tRNA がある．それらの大きさはほぼ同じで，70〜80 塩基，分子量にしておよそ 25,000 である．

tRNA
tRNA は，アミノ酸と mRNA のコドンの両方を認識できるアダプターとしての性質をもつ．

カルボキシ基
–COOH の構造式をもつ官能基である．以前はカルボキシル基ともよばれた．

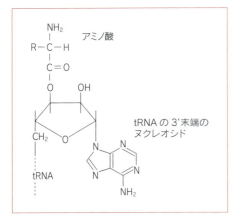
図 1-28　tRNA とアミノ酸の結合
アミノ酸は tRNA3' 末端に結合している．

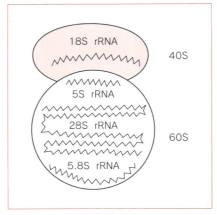
図 1-29　rRNA の構造（真核生物）

3' 末端のヌクレオシド（これは常にアデノシンである）のリボースの 2'-もしくは 3'-ヒドロキシ基とエステル結合をつくる（図 1-28）．

(4) リボソーム RNA（rRNA）

　アミノ酸から蛋白質への合成は，リボソームで行われる．リボソームは 40S と 60S の沈降速度をもつ 2 つのサブユニットからできている．それぞれのサブユニットは rRNA とよばれる長い RNA 分子と多数の蛋白質からできている（図 1-29）．

　40S のサブユニットには 18S の rRNA と 33 個程度の蛋白質が，60S のサブユニットには 28S, 5.8S, 5S の rRNA と 49 個の蛋白質が含まれている．2 つのサブユニットはリボソームの構成成分として協調して機能するが，それぞれ蛋白質合成の異なる反応を触媒している．

　リボソームは，mRNA のコドンと tRNA のアンチコドンとが互いにうまく識別できるような場を提供している．リボソームは mRNA のコード領域の 5' 末端あるいはその近くに結合し，mRNA に沿って 3' 側へ移動し，しかるべきアミノアシル tRNA が結合して，アミノ酸をポリペプチド鎖の末端に次々につないでいく（図 1-30）．

3）ミトコンドリア DNA

　細胞の核以外に，細胞質にあるミトコンドリアにも DNA が存在する．

　ヒトのミトコンドリア DNA は，1 万 6,569 塩基対からなる環状構造をしており（図 1-31），H 鎖 DNA と L 鎖 DNA が二重らせんを形成する．

　ミトコンドリア DNA には，13 種類の蛋白質をつくる情報を提供する遺伝子〔図 1-31 の ND1〜ND6, Cyt b, CO I〜III, アデノシントリホスファターゼ（ATP アーゼ 6,8），2 つの rRNA を指示する遺伝子（12S および 16S），22 種類の tRNA を指示する遺伝子（図 1-31 の赤色で示した箇所）〕がある．これら合計 37 種類のミトコンドリア遺伝子が**ミトコンドリアゲノム**とよばれる．

S 値

S は沈降速度を表す Svedberg 単位で，S 値が大きいものほど分子量が大きく，沈降速度が速い．

リボソームの構造

真核生物のリボソームは 60S の大サブユニットと 40S の小サブユニットからなり，原核生物では 50S の大サブユニット（23S, 5S rRNA と 34 個程度の蛋白質）と 30S の小サブユニット（16S rRNA と 21 個の蛋白質）からなる．ただし，生物の種によって異なる．

ミトコンドリアゲノム

ミトコンドリアゲノムは，酸化などの傷害を受けやすく，また修復活性が弱いので，核のゲノムより変異しやすい．ミトコンドリア DNA の変異による疾患の原因遺伝子は，母親から子へと伝達されるため，ミトコンドリア脳筋症や Leber 病などのミトコンドリア病はすべての子に遺伝する．

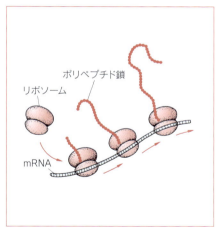

図1-30 リボソームでのポリペプチド鎖の合成

リボソームがmRNAに沿って移動しながら遺伝情報を読み取る．そして，遺伝情報に従ってアミノ酸が結合してポリペプチド鎖を合成していく．

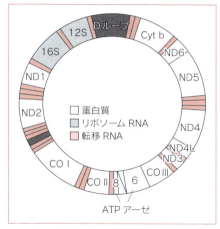

図1-31 ミトコンドリアDNAの遺伝子配置

> **ポリリボソーム**
> mRNA分子は複数のリボソームが結合したかたちの単位になっており，こうした状態をポリリボソームまたはポリソームとよんでいる．真核生物のmRNAには平均して一度に約8個のリボソームが結合しており，それぞれのリボソームはmRNAの配列の上を動きながらポリペプチドを1分子つくる．

なお，ミトコンドリアにはエネルギーを産生したり呼吸代謝を行うなどの役目があるが，これらの機能の大半は核DNAの遺伝情報に従う．

受精するときにはミトコンドリアをもった精子が卵子に入るが，精子のミトコンドリアははじき出されてしまい，ミトコンドリアDNAは母親由来のものだけが子孫に伝わる（母性遺伝，p.6参照）．

> **ミトコンドリアDNAの起源**
> ミトコンドリアDNAは，嫌気性細胞に侵入して共生関係になった好気性細菌に由来すると考えられている．

4 クロマチンの構造

長い糸状になったDNA分子は，細胞の核の中で蛋白質と結合し，折りたたまれて存在している．このDNA-蛋白質複合体が**クロマチン**（染色質）とよばれるものに相当する．クロマチンはDNAを規則正しく折りたたんでコンパクトにし，また遺伝子の発現調節にかかわっている重要な構造でもある．

細胞の分裂期には，核膜は消失し，クロマチンは凝縮し，染色体（クロモソーム）として認められるようになる．染色体の中では，DNAは塩基性の蛋白質である**ヒストン**に巻きつくように結合して，**ヌクレオソーム**という基本構造をとる（図1-32）．

ヒストンにはH2A，H2B，H3，H4があり，それぞれ2分子ずつ合計8分子が円柱のような複合体をつくっている．これに糸状のDNAが巻きつくような構造となっている．

ヌクレオソームは規則的にきつく折りたたまれてフィラメントを形成し，高次によじれたクロマチン線維となる．それがさらに巻いて**ソレノイド**となる．そしてもう一度巻いて**スーパーソレノイド**となって超凝縮し，これが顕微鏡で染色体として観察される．

染色体の分染法では，バンドの出現する部位は染色体ごとに一定している．

> **DNA-蛋白質複合体**
> 分裂していない細胞では，DNA-蛋白質複合体がどのような空間配置をとっているのか明らかでない．

> **DNAの長さ**
> 1個のヒトの細胞に含まれるDNAの長さは，およそ1.5mにも達する．細胞の大きさから考えると，これほどにも長いDNAが，一定の規則性をもって幾重にも折り重ねられて核の中に存在していることになる．

II 遺伝子

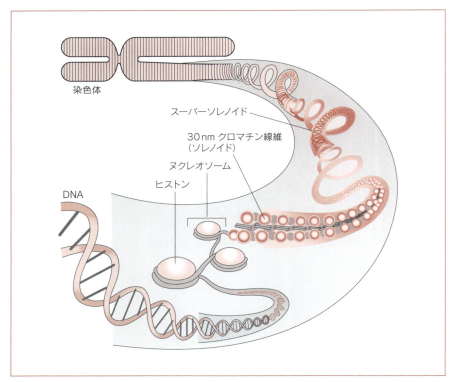

図 1-32 DNA，ヌクレオソーム，クロマチン線維，ソレノイド，染色体の関係

これは，その部分に存在する DNA と蛋白質の相互作用を反映していると考えられている．

5 DNA の複製

1 個の受精卵から成体になるまでには，膨大な回数の細胞分裂が繰り返される．そして，成体においても，細胞の分裂は行われている．分裂を繰り返し，細胞が新生される過程では，遺伝情報が保存され，伝えられる．このためには，正確に同じ DNA が 2 組つくられ，母細胞から 2 個の娘細胞へそれぞれ渡されなければならない．

母細胞と同じ DNA が合成される過程を **DNA の複製** とよぶ．

1）複製（replication）

二重らせん構造をとる DNA が複製される場合，1 組の DNA 鎖のいずれかは変化を受けずに保存された状態のまま，新しい DNA の片方を合成して元と同じ DNA が複製される．このような複製を **半保存的複製** という．

2 本の DNA 鎖は水素結合だけで結びついているので，共有結合を切らずに分離できる．そこで，DNA が複製される際には，まず親の二本鎖の水素結合が切られ，一本鎖になる（**図 1-33**）．

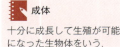

成体
十分に成長して生殖が可能になった生物体をいう．

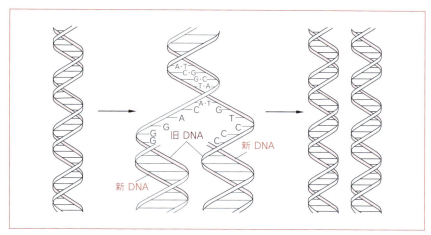

図 1-33　DNA 半保存的複製の模式図

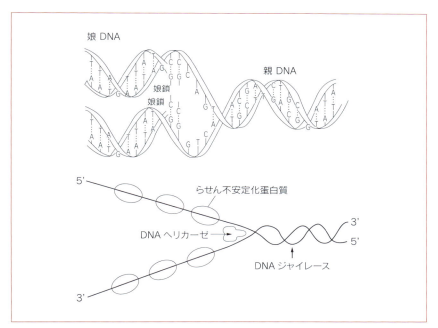

図 1-34　DNA ジャイレースと DNA ヘリカーゼの作用

　複製は DNA の定まった位置の，特定の塩基配列でのみ開始される．複製開始のシグナルをもつ領域を複製起点もしくは複製開始点とよぶ．

　複製起点では，まず二本鎖 DNA が巻き戻されて一本鎖となり，二またに分かれ，2 本の新しい DNA 合成が開始される．この活性領域は Y 字型で，あたかもフォークのようなので，複製フォークもしくは Y 字構造ともよばれる．

　複製の開始にあたっては，DNA ジャイレース（トポイソメラーゼⅡ）が二重らせんの一方の鎖を切り，そのリン酸部分に結合し，DNA のねじりが取り除かれて巻き戻される（**図 1-34**）．

> **DNA の複製**
> 1 つの複製起点で複製される DNA 領域をレプリコンという．すなわち，レプリコンとは，細胞内で自律的に複製できる DNA の単位分子である．

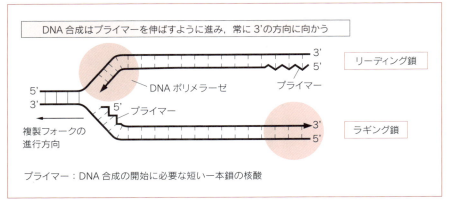

図 1-35 DNA 合成の原則

次いで DNA ヘリカーゼが水素結合を切り離していく．そして，切り離された一本鎖 DNA 部分にらせん不安定化蛋白質（一本鎖 DNA 結合蛋白質）が結合し，二本鎖に戻れないようにする．

次に，一本鎖になった部分の塩基配列を鋳型として，相補的な配列をもつ娘鎖が合成される．

新たな DNA は，必ず 5' から 3' 方向へと合成され，決して逆方向には進まない（図 1-35）．複製フォークの進む部分の，親鎖からみて 5' 方向へ伸びる鎖をリーディング鎖（先導鎖），3' 方向へと伸びる鎖をラギング鎖（遅滞鎖）という．

リーディング鎖では，フォークの進行と新生 DNA の伸長方向は一致する．ラギング鎖では，新たな DNA は 1,000〜2,000 塩基の小断片（岡崎フラグメント）として合成される（図 1-36）．DNA 鎖の合成では，RNA の小断片が複製開始の**プライマー**として必要である．RNA プライマーは，プライマーゼによって合成される．

その後，RNA プライマーは除去され，DNA ポリメラーゼ I によって DNA がその間隙に挿入されていく．最後に各 DNA 断片は DNA リガーゼにより連結され，新しい DNA 鎖が完成する．

DNA 複製には，DNA ポリメラーゼⅢが関与する．この酵素は複数のサブユニットからなり，5' から 3' 方向への DNA 合成を行う．

なお，DNA 複製は複数の部位で始まり，複製は各レプリコンから両方向に起こる．そして隣接するレプリコンがつながっていき，すべての DNA の複製が完了する（図 1-37）．

2）DNA 複製の校正（図 1-38）

DNA 複製の際に中心的な役割を果たす酵素が **DNA ポリメラーゼ**である．この酵素は，鋳型鎖の塩基配列を 3' 側から順に読み取りながら相補的な塩基をもつデオキシリボヌクレオチドをコード鎖の 3' 末端に結合していく．

DNA 合成の開始

DNA 合成の開始には，反応の引き金になる短い核酸（オリゴヌクレオチド）が必要で，これをプライマーという．

DNA の複製様式

もしも 1 カ所だけからしか DNA が複製されなければ膨大な時間を要するはずなので，目的に適った様式と考えられる．

レプリコン

細胞のなかで自律的に複製できる DNA の単位分子をレプリコンという．レプリケーターとよばれる複製の起点と，それに作用して複製開始のシグナルとなるイニシエーター蛋白質をコードする遺伝子の両者が備わっている．レプリコンの大きさは生物種によって異なり，真核生物では多数の単位分子が縦向きに連結された複合レプリコンのかたちになっている．

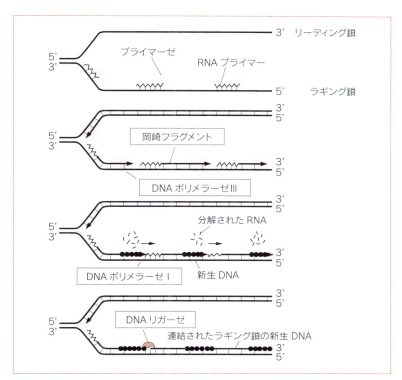

図 1-36　DNA の不連続な合成

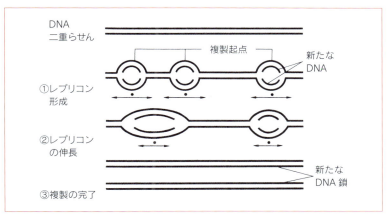

図 1-37　DNA 複製の進行モデル

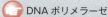

DNA ポリメラーゼ

DNA ポリメラーゼは DNA を鋳型として DNA を合成する活性がある．また，この酵素はホスホジエステル結合を加水分解するエキソヌクレアーゼの活性ももっており，新しいヌクレオチドを結合させる一つ前の塩基が誤っている場合には 3' 末端のヌクレオチドを取り除く 3'→5' エキソヌクレアーゼ活性がある．すなわち，DNA ポリメラーゼは DNA の複製に役割を果たすとともに，ゲノムの損傷を修復する役目もある．

　DNA が複製される際に，塩基が誤って組み込まれる可能性がある．DNA ポリメラーゼのヌクレオチド重合反応は非常に正確で，誤りは 1,000 分の 1 程度しか発生しない．しかし，わずかでも誤った塩基がつくられてしまえば，遺伝情報が誤ってしまい，重大な問題が発生しかねない．

　DNA 複製の誤りを修正するのが**校正**である．ヌクレオチドが間違って組み込まれた場合，DNA ポリメラーゼの酵素反応が停止し，次いで DNA ポリメラーゼの 3'→5' エキソヌクレアーゼ活性によってつくられた DNA を削りながら

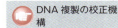

DNA 複製の校正機構

DNA 複製の校正機構により，誤って塩基が読み違いされる確率は 10^7 塩基に 1 回程度にまで下がる．

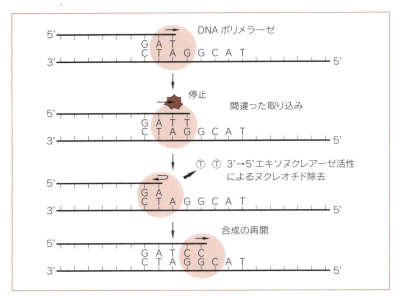

図 1-38　DNA 複製の校正機構

後戻りし，複製がやり直され，正しい DNA 複製が再開される．

3) 遺伝子の損傷と修復

　遺伝子は遺伝情報を伝える重要な役目をもっている．このため，安定していなければ生物の構造と機能に深刻な影響を及ぼす．

　自然界には，紫外線，電離放射線，化学物質など，遺伝子に傷害を及ぼす物質がある．これらの物質によって傷害された DNA は，細胞に備わった複雑な**修復機構**によって修復される．修復機構は個体のみならず種の生存に役立っている．前述した DNA ポリメラーゼによる校正機構も，DNA の構造の誤りを防ぐ重要なチェック機構といえる．

　除去修復機構では，まず傷害された DNA 断片がねじれ，エンドヌクレアーゼによって切断される（図 1-39）．次いで新しい DNA が合成され，傷害を受けた DNA 鎖はエキソヌクレアーゼによって除去される．新しく合成された DNA 鎖はリガーゼによって古い DNA 鎖と連結され，修復が完了する．

6　遺伝情報の伝達と発現

　遺伝子はあくまでも設計図にすぎず，それ自体が蛋白質をつくるものではない．蛋白質をつくり，次世代の細胞をつくりあげるには，設計図の暗号文が写し取られ，読み取られなければならない．DNA に書かれた遺伝情報が RNA に写され（**転写**），その情報が読み取られ（**翻訳**）て，情報に沿ってアミノ酸を次々とつなげて目的とする蛋白質を合成する．そして合成された蛋白質によって形質を現すことになり，この現象を**遺伝子の発現**とよぶ．遺伝情報の伝達と発現にかかわる核酸（DNA と RNA）と蛋白質を**情報高分子**という．

DNA の修復機構

たとえば，紫外線は DNA のチミンに二重結合を起こし，チミン二量体をつくる．これを修復する機構として，①光エネルギーを利用した酵素フォトリアーゼが二量体を開裂する（光回復），②傷害された DNA を除去して修復する（除去修復），③傷害部分をスキップして DNA を複製して姉妹鎖交換によって正常鎖を取り込む（組換え修復），④チミン二量体部分（T-T）を強引に A-A として修復してしまう（SOS 修復），といった 4 種類がある．

DNA と遺伝子

DNA 全体の約 3〜5% が形質発現に関与する遺伝子 DNA で，残りの大部分は非遺伝子 DNA である．遺伝子 DNA は染色体上で非遺伝子 DNA の中に点在する．非遺伝子 DNA には，遺伝子発現の調節をする調節 DNA，染色体の構造を保つうえで不可欠なセントロメア，テロメアなどのほか，種々の繰り返し配列，偽遺伝子（生物の進化の過程で機能しなくなったと考えられる遺伝子），過去に感染したレトロウイルスの残骸などがある．繰り返し配列には，反復単位が縦列に繰り返されているサテライト配列や，反復単位がゲノム中に分散している Alu ファミリーなどが知られている．

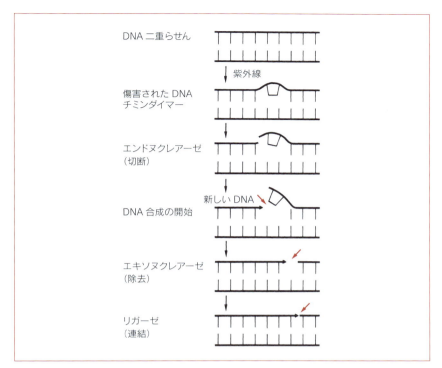

図 1-39 傷害 DNA の除去修復機能

> **除去修復機構にかかわる障害**
> 色素性乾皮症という疾患は，紫外線に対して異常な感受性を示す一群の遺伝性疾患である．露出した皮膚には色素が沈着し，乾燥している．しかも，露出した皮膚に高率に皮膚がんが発症する．この原因として，紫外線による DNA 構造変化に対する修復機構に遺伝的な欠陥が知られている．特に，エンドヌクレアーゼ活性低下による傷害 DNA の除去修復機構の障害が原因として最も多い．

DNA に存在する遺伝情報に従って蛋白質がつくられる一連の過程を簡単に模式化すると，次のようになる．

```
         転写        翻訳
  DNA   →   RNA   →   蛋白質
 （設計図） （完成予想図） （製品）
```

ゲノム DNA には，遺伝子部分と，遺伝子としては利用されない部分があり，遺伝子は DNA 上で，とびとびの状態で存在している．

1 つの蛋白質をつくるのに必要な遺伝子のユニットを**構造遺伝子**という（図 1-40）．

構造遺伝子のうち，遺伝情報をもち，転写されて mRNA に情報が伝わってアミノ酸へと翻訳される部分は**エクソン**（発現配列または構造配列，exon，エキソンとも表現される）とよばれ，翻訳されない**イントロン**（介在配列，intron）によって区切られている．DNA から転写されてできる産物は**スプライシング**によってイントロンが除かれ，遺伝情報をもつエクソンのみが結合し，その情報が翻訳されて蛋白質が合成される．

構造遺伝子の上流には，転写の開始を指示する配列である**プロモーター**がある．また，転写の終了を意味する配列として**ターミネーター**がある．これらの働きによって転写が調節されている．

> **遺伝情報伝達**
> 遺伝情報の流れを，遺伝情報伝達のセントラルドグマ（中心教義もしくは中心命題）という．ウイルスでは RNA から DNA をつくる（逆転写）こともあるが，すべての生物の遺伝情報は基本的にはセントラルドグマに則って伝えられる．

> **スプライシング**
> mRNA 前駆体にあるイントロンを切り取り，エクソンをつなぎ合わせる一連の過程をスプライシングという．

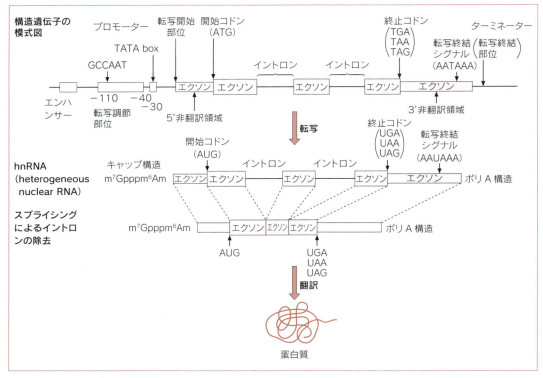

図1-40 遺伝子の転写，翻訳による蛋白質の合成

1）転写（transcription）

　DNAは核内にあるが，蛋白質が合成される場所は細胞質である（**図1-41**）．遺伝情報の設計図ともいえるDNAは，情報源としてきわめて重要なだけに，核の中にしっかりと保管され，核の外へ出るようなことはない．核内にある遺伝子の情報を細胞質に伝えるメッセンジャー役を担っているのは，RNAである．

　つまり，DNAを設計図とすれば，RNAはその完成予想図といえよう．RNAもDNAと同じく，塩基-五炭糖-リン酸基がつながってできている．ただし，DNAの塩基はA, T, G, Cであるが，RNAではA, U, G, Cの4種類からなる．

　DNA鎖に並んだ塩基配列は，それが鋳型となって，RNAに写し取られる．この過程が**転写**である．転写の際に写し取られる塩基は，**図1-42**のように厳密な対応がある．すなわち，DNAの中に塩基配列というかたちで書き込まれている遺伝情報は，間違うことなくRNAに転写される．これが狭義の遺伝子発現で，蛋白質にまで情報が伝えられる遺伝子の場合には，蛋白質が合成されて**遺伝子発現**が全体として完了する．

　RNAを合成する酵素は**RNAポリメラーゼ**である．RNAポリメラーゼはDNAと結合し，二重らせんを巻き戻し，その後部ではDNA鎖のらせんを再形成し，新しくできたRNAを押しのけていく（**図1-43**）．こうして，二本鎖DNAの片方をコピーした一本鎖RNAが合成される．

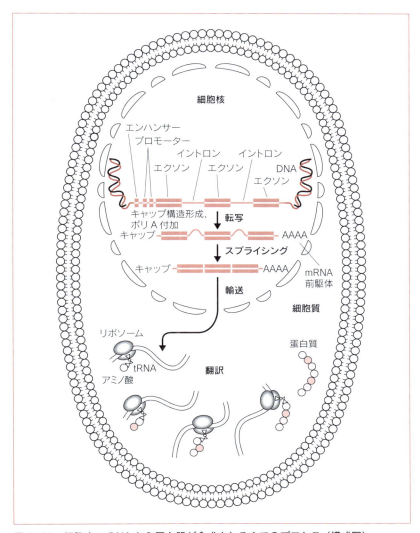

図1-41　細胞内でDNAから蛋白質が合成されるまでのプロセス（模式図）

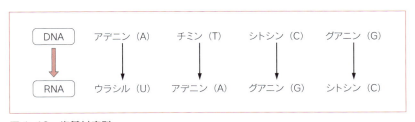

図1-42　塩基対応則

> **二本鎖DNA**
> 二本鎖DNAのうちRNAに転写される鎖を鋳型鎖，RNAと同じ配列をもつ鎖を非鋳型鎖という．蛋白質をコードする遺伝子の場合には，鋳型鎖を非コード鎖，非鋳型鎖をコード鎖（またはセンス鎖）とよぶ．二本鎖のいずれが鋳型になるかは，DNA構造の差ではなく，RNAポリメラーゼの進む方向で決定される．

　転写は，DNAの一方の鎖を鋳型とし，リボヌクレオチドがDNAのように3'の方向に重合されて進む．この際，DNAの塩基に対して相補的に塩基がつく．すなわち，A→U，T→A，C→G，G→Cという原則が守られる．
　転写のプロセスは，**開始，伸長，終結**の3段階に分けられる．

Ⅱ　遺伝子

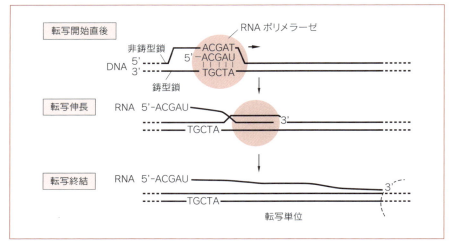

図 1-43　RNA ポリメラーゼと DNA の転写

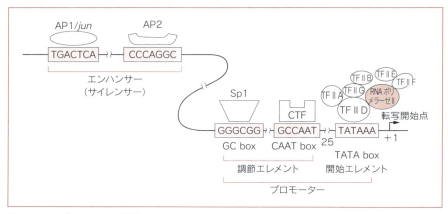

図 1-44　プロモーター領域，エンハンサーの構造

(1) 転写開始

　RNA ポリメラーゼは，構造遺伝子の上流にあるプロモーター領域に結合して**転写**を開始させ，ターミネーターの配列に出会うとゲノム DNA から離れ，転写が終了する．ただし，RNA ポリメラーゼ単独では転写を開始できず，転写開始にはさまざま因子が必要である．

　プロモーター領域には，転写開始点のおよそ 20〜30 塩基上流に，TATAAA (TATA box) という多くの遺伝子間で共通して存在する塩基配列（コンセンサス領域）がある（**図 1-44**）．TATA box にはいくつかの基本転写因子（**図 1-44** の TF）が結合して，RNA ポリメラーゼに転写開始位置を指示する．

　このほか，GGGCGG (GC box) や GCCAAT (CAAT box) という塩基配列が転写開始点から 100 塩基対以内にあり，いろいろな遺伝子に共通してみられる．GC box には Sp1，CAAT box には CTF とよばれる蛋白質がそれぞれ働いて，転写を促進する．

エンハンサー

遺伝子の上流（下流や構造遺伝子内部のこともある）でエンハンサーとよばれる配列が転写を促進することがある．これは通常，いくつかの基本となる配列を含む数十塩基の構造で，数 kb という離れた距離からも働くことがある．プロモーターが遺伝子の転写一般に必要な配列であるのに対し，エンハンサーは特異な制御蛋白質と結合することによって遺伝子発現の組織特異性を制御するのに関与している（例：免疫グロブリンエンハンサー）．エンハンサーには，転写の促進だけでなく，抑制に関与するサイレンサーという配列もある．

基本転写因子（general transcription factor）

基本転写因子 (GTF) は，転写が起こるために必須な蛋白質性因子で，TF II B，TF II D などがある．これらのうち，いくつかは遺伝子の上流にある特定の DNA 配列に結合して機能する．たとえば TF II D は TATA box に結合し，これに RNA ポリメラーゼ II や TF II の転写因子群が作用して転写が起こる．

(2) 転写伸長

転写の伸長は，RNA ポリメラーゼによって塩基を次々とつけていき，RNA 鎖を伸ばす段階を指す．

(3) 転写終結

転写の終結は，RNA ポリメラーゼが反応を止め，つくられた RNA 鎖が DNA から離れる過程を指す．転写終結にかかわる DNA 配列をターミネーターというが，転写終結の機構は必ずしも明らかにはされていない．

(4) 転写後修飾とスプライシング

DNA が転写されてできる産物には，mRNA に遺伝子としての情報をもって残る部分（**エクソン**）ばかりでなく，遺伝子としての意義がなく転写されたあとの mRNA では除かれる部分（**イントロン**）がある．

遺伝子の DNA はエクソンもイントロンも RNA ポリメラーゼ II によって忠実に転写され，一次転写産物としてヘテロ核内 RNA (heterogeneous nuclear RNA；hnRNA) がつくられる（**図 1-40**）．

次いで，RNA 分子の 5' 末端にメチルグアノシンヌクレオチドが添加され，キャップ構造となる．一方，3' 末端にはポリ A ポリメラーゼによって 100〜200 残基のアデニル酸がポリ A として付加され，これはポリ A 構造とよばれる．ポリ A 鎖は成熟 mRNA が核から細胞質へ搬出するのを助け，かつ細胞質内での分解を防いで安定化を図る働きがある．

こうして mRNA 前駆体（プレ mRNA）ができる．

さらに mRNA 前駆体内のイントロン部分が切り取られ，エクソン部分のみが連結される．この機構は **RNA スプライシング**とよばれる．スプライシングを完了してイントロンが除かれた mRNA は**成熟 mRNA** ともよばれ，転写が完結する．

成熟 mRNA はやがて核外に出て，蛋白質を合成するための完成予想図となる．

2) 翻訳 (translation)

mRNA の遺伝暗号をもとにして，リボソームにおいてポリペプチド鎖を合成する課程を**翻訳**という．

DNA から転写によってつくられた mRNA は，核から細胞質へと出たあと，細胞質に存在するリボソームと結合する（**図 1-45**）．mRNA の塩基は 3 個が 1 組になって 1 個のアミノ酸を表す．この塩基 3 個の組み（トリプレット）を**コドン** (codon) という．

コドンは特定のアミノ酸を指定する（コードする）（**表 1-4**）．たとえば，UUU と並んだコドンは，フェニルアラニン (Phe) を指定する．

それぞれのコドンに対応するアミノ酸は tRNA と結合し，アミノアシル tRNA となって運ばれてくる．20 種類あるアミノ酸にはそれぞれに対応する tRNA があり，いずれも決められたアミノ酸とアミノアシル tRNA を形成して蛋白質合

転写の終結

ポリ A 鎖結合部位の 11〜19 塩基上流に AATAAA という塩基配列があり，これが RNA 鎖の切断とポリ A 結合のシグナルとされる．

キャップ構造，ポリ A 構造

キャップ構造は，転写後に mRNA の 5' 末端にみられる修飾構造をいい，7-メチルグアノシン 5'-三リン酸部分である．一方，3' 末端の転写後修飾構造であるアデニンヌクレオチドのポリマーをポリ A（尻尾）構造という．
キャップ構造は，mRNA の翻訳効率を上げる．

コドン

RNA に並ぶコドンのすべてがアミノ酸につくり換えられるわけではない．たとえば，RNA の最初に出てくる AUG という配列は，「アミノ酸合成を開始せよ」という暗号として働く．これを開始コドンという．また，UAA，UAG，UGA という配列は，「翻訳を終えよ」という指令を出し，終止コドン（停止コドン）とよばれる．
終止コドンのいずれかが出現すると翻訳は終結する．作成されたペプチド鎖はリボソームから離れ，リボソームはサブユニットへと分解する．

アミノアシル tRNA

tRNA の 3' 末端のアデノシン残基の 2' または 3' 位のヒドロキシ基にアミノ酸がエステル結合したものである．アミノ酸が 3' 位のヒドロキシ基に結合した tRNA は，ポリペプチド鎖伸長因子および GTP と複合体を形成し，リボソームにおける蛋白質合成に利用される．

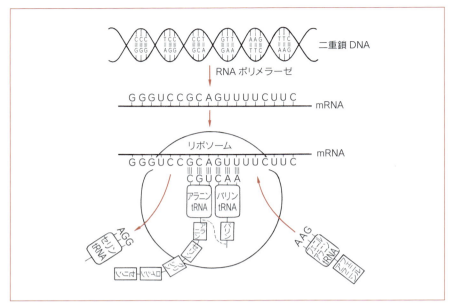

図 1-45 蛋白質の合成機構モデル

表 1-4 コドン表

最初の塩基	二番目の塩基				三番目の塩基
	U	C	A	G	
U	UUU } Phe UUC UUA } Leu UUG	UCU } Ser UCC UCA UCG	UAU } Tyr UAC UAA } 終了 UAG	UGU } Cys UGC UGA 終了 UGG Trp	U C A G
C	CUU } Leu CUC CUA CUG	CCU } Pro CCC CCA CCG	CAU } His CAC CAA } Gln CAG	CGU } Arg CGC CGA CGG	U C A G
A	AUU } Ile AUC AUA AUG 開始, Met	ACU } Thr ACC ACA ACG	AAU } Asn AAC AAA } Lys AAG	AGU } Ser AGC AGA } Arg AGG	U C A G
G	GUU } Val GUC GUA GUG	GCU } Ala GCC GCA GCG	GAU } Asp GAC GAA } Glu GAG	GGU } Gly GGC GGA GGG	U C A G

遺伝子の最初の AUG は蛋白質合成開始の信号として働き，その後は Met を指定する．
アミノ酸の略語と名称については**表 1-5** を参照.

成の材料となる．

　tRNA の一部には mRNA 上のコドンと相補的なアンチコドンとよばれる配列があり，この部分が mRNA と結合する．

　こうして次々と運ばれたアミノ酸が mRNA の塩基配列に従ってリボソーム上で結合し，蛋白質が合成される．この一連の過程が**翻訳**とよばれる．翻訳は，

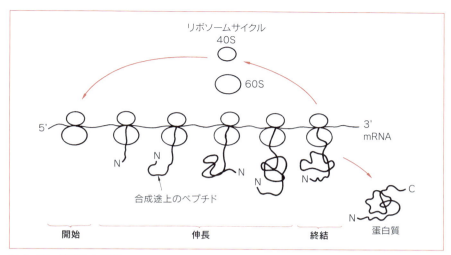

図 1-46 翻訳の各段階
N：N末端，C：C末端（p.39 参照）．

開始，伸長，終結という3段階からなる（**図 1-46**）．

翻訳の開始は，mRNA，リボソーム，tRNA の複合体が形成されることに始まる．この開始複合体の形成にはいくつかの**開始因子**（initiation factor；IF-1，IF-2，IF-3）と GTP（グアノシン三リン酸）が必要で，最初に開始コドンとしてのメチオニン（Met）を結合した tRNA が入ってくる．

次いでコドンで規定されている次のアミノ酸が結合する．コドンの認識，アミノ酸残基のペプチドへの結合，リボソームのさらに 3' 側への 3 塩基の移動（転移）という作業が次々に繰り返されて**伸長**が起こる．

アミノ酸のペプチド結合は，リボソームの大サブユニット（60S）上で起こる．ここには，P（ペプチジル）部位と A（アミノアシル）部位がある．翻訳では，まずリボソーム小サブユニット（40S）が mRNA と結合し，開始因子と GTP の存在下で開始アミノアシル tRNA（メチオニン tRNA）が大サブユニットの P 部位に結合する．

次に 2 番目のアミノアシル tRNA が A 部位に結合し，アミノ酸間でペプチド結合する．そして 2 番目のアミノアシル tRNA が P 部位に移動し，3 番目のアミノアシル tRNA が A 部位に結合する．

この一連の反応が次々に繰り返されて，ペプチド鎖が次第に伸長していく．ペプチド結合にはリボソーム大サブユニットにあるペプチジルトランスフェラーゼが作用し，伸長にはいくつかの**伸長因子**（elongation factor；EF）と GTP が必要である．

3）遺伝子発現の調節

ゲノムの遺伝情報に基づき，**転写**と**翻訳**という 2 つのステップを通じて蛋白質が合成される．そして細胞，組織，器官の構造と機能が表現型として形成さ

> **開始因子**（initiation factor；IF）
> ペプチド鎖開始因子ともよばれ，蛋白質合成にかかわる蛋白質性因子の一つである．真核生物では少なくとも 5 種が知られており，翻訳開始にかかわる複合体を形成する作用がある．

れる．これを**遺伝子発現**という．

もっとも，生物の表現型は遺伝子型だけで決まるわけではない．もしも遺伝子型だけで表現型が規定されるなら，一個の受精卵が分裂を繰り返して発生するすべての細胞，組織は同一の遺伝子をもっており，構造と機能が同じになるはずである．しかし，実際には，「眼には眼」「歯には歯」しかつくられないし，眼が歯の働きをすることもない．

遺伝子発現においては，ゲノム上にある遺伝子から，必要な遺伝子のみが必要な量だけ転写され，翻訳される．つまり，遺伝子発現が巧妙に調節されることにより，同一の遺伝子型からさまざまな表現型ができあがる．こうして適材適所の構造と機能が発揮される．なお，遺伝子発現調節の仕組みは原核生物と真核生物では異なっている．

遺伝子発現の調節は，転写と翻訳のそれぞれの段階で行われる．

(1) 転写の調節

転写の調節には，DNAにDNA結合蛋白質が結合して行われる方法と，DNAの塩基やクロマチンのヒストンが修飾されて起こる方法がある．

DNA結合蛋白質による遺伝子発現調節は，DNA結合蛋白質がDNA上にある特定の塩基配列（エレメント）に結合し，相互作用によって行われる．DNA結合蛋白質には，DNAのエレメントに結合して遺伝子発現を促進するアクチベーターと，遺伝子発現を抑制するリプレッサーがあり，転写を調節している．

原核生物ではmRNAの寿命が短く，遺伝子発現は主として転写レベルで調節される．オペロンを駆動するプロモーターの活性を抑制するリプレッサー，あるいは活性を促進するアクチベーターがDNA上のエレメントに結合して転写が調節される．プロモーターの近くにあってリプレッサーが結合するエレメントをオペレーターという．

真核生物における転写調節機構は複雑で，遺伝子発現はそれぞれの組織に特異的に起こり，ゲノムの大部分は転写を受けない．プロモーターの近くにある調節エレメントと転写因子の相互作用による転写調節に加え，ゲノムやヒストン蛋白質の修飾によるクロマチン構造の変化など，エピジェネティックな機構による調節が行われている．

(2) 翻訳の調節

遺伝子発現の調節は翻訳の段階でも行われる．蛋白質因子がmRNAと相互に作用し，翻訳の開始の効率やmRNAの寿命などを調節している．

4) 蛋白質合成

核酸によって伝えられる遺伝情報を実行するのが**蛋白質**である．

すなわち，蛋白質は細胞の構造を形成し，触媒作用や代謝調節などの機能を直接に担うなど，生体の構造と機能に関与する高分子である．

蛋白質はアミノ酸がペプチド結合で鎖状に長くつながってできている（図1-47）．

エレメント
調節蛋白質が結合する特定のDNA塩基配列をエレメントという．たとえば，ホルモンが遺伝子発現を促進する場合，ホルモン受容体が結合蛋白質として特定の「ホルモン応答エレメント」に結合し，調節する．

オペロン
1つの調節遺伝子によって共通の制御を受けるような複数の遺伝子集団の単位を，オペロンという．

エピジェネティック
「エピ」は「上」や「外側」を意味する接頭語で，エピジェネティックとは，ジェネティック（遺伝情報）としての塩基配列の変化によらない変化を意味する．細胞が分化してさまざまな組織や器官をつくるにはゲノムの塩基配列だけでは説明できず，DNA塩基配列の変化を伴わない調節機構が必要である．

蛋白質
通常，分子量が10,000以上，またはアミノ酸が100個以上結合したものを蛋白質といい，それより小さいものはペプチドという．

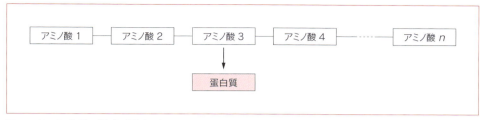

図 1-47　蛋白質の構成（模式図）

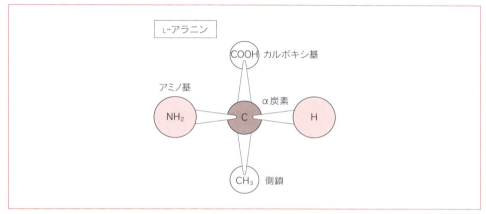

図 1-48　アミノ酸の基本構造

　蛋白質分子の一方の末端には遊離のアミノ基（-NH$_2$）があり，もう一方の末端にはカルボキシ基（-COOH）をもつアミノ酸がある．それぞれ N 末端アミノ酸残基，および C 末端アミノ酸残基という．

　DNA の遺伝情報をもとにしてつくられた RNA の塩基は，3 個で 1 組のコドンとして，それぞれに対応した特定のアミノ酸をつくる指令を出す．そして，その指令に従ってアミノ酸を次々と合成しては結合していく．アミノ酸が集まって**ポリペプチド**となり，さらに集まって高分子の蛋白質が合成される．

(1) 蛋白質を構成するアミノ酸

　蛋白質を構成する基本構造単位が**アミノ酸**である．決められたアミノ酸の配列と，特異的な高次構造によって，それぞれの蛋白質に特異的な物理化学的性質が規定されている．

　アミノ酸は，α 炭素といわれる原子にアミノ基とカルボキシ基が結合し，さらに水素原子と，各アミノ酸に特有な側鎖もしくは残基（-R）がついたものである（図 1-48）．

　蛋白質の原料になるアミノ酸は 20 種類ある．これらは，側鎖の性質に基づいて分類できる．まず，親水性，疎水性アミノ酸に分けることができる．さらに，負に荷電している酸性アミノ酸，正に荷電している塩基性アミノ酸，あるいは炭化水素の鎖をもつ脂肪族アミノ酸，芳香環をもつ芳香族アミノ酸，ヒドロキシ基をもつヒドロキシアミノ酸，硫黄を含む含硫アミノ酸などと分類され

> **蛋白質の表記**
> 蛋白質の構造を表記するときは，左側に N 末端を，右側に C 末端を書くのが習わしになっている．

> **アミノ酸**
> アミノ「酸」とよばれるのは，分子内にアミノ基をもち，かつ酸であるカルボキシ基が水素イオンを放出して -COO$^-$＋H$^+$ となりやすいからである．

> **アミノ酸の分類**
> それぞれのアミノ酸がもつ性質（疎水性，大きさ，原子の自由回転度，電気的性質など）は，蛋白質の性質として反映される．アミノ酸は，通常，3 文字もしくは 1 文字の記号で略記される（表 1-5）．

表1-5 アミノ酸の種類

性質		名称	3文字表記	1文字表記	側鎖の構造*
中性		グリシン	Gly	G	—H
親水性	正電荷をもつ	ヒスチジン	His	H	—CH$_2$—(イミダゾール環)
		リジン	Lys	K	—(CH$_2$)$_4$—NH$_3^+$
		アルギニン	Arg	R	—(CH$_2$)$_3$—NH—C(=$^+$NH$_2$)—NH$_2$
	負電荷をもつ	アスパラギン酸	Asp	D	—CH$_2$—COO$^-$
		グルタミン酸	Glu	E	—CH$_2$—CH$_2$—COO$^-$
	アミド基を含む	アスパラギン	Asn	N	—CH$_2$—CO—NH$_2$
		グルタミン	Gln	Q	—CH$_2$—CH$_2$—CO—NH$_2$
	ヒドロキシ基を含む	セリン	Ser	S	—CH$_2$OH
		トレオニン	Thr	T	—CH(OH)—CH$_3$
疎水性	芳香環をもつ	フェニルアラニン	Phe	F	—CH$_2$—(ベンゼン環)
		チロシン	Tyr	Y	—CH$_2$—(ベンゼン環)—OH
		トリプトファン	Trp	W	—CH$_2$—(インドール環)
	硫黄を含む	メチオニン	Met	M	—CH$_2$—CH$_2$—S—CH$_3$
		システイン	Cys	C	—CH$_2$—SH
	脂肪族の性質をもつ	アラニン	Ala	A	—CH$_3$
		ロイシン	Leu	L	—CH$_2$—CH(CH$_3$)$_2$
		イソロイシン	Ile	I	—CH(CH$_3$)—CH$_2$—CH$_3$
		バリン	Val	V	—CH(CH$_3$)$_2$
		プロリン	Pro	P	HN—COOH（全構造、環状）

*プロリンは全構造を示す．

る（表1-5）．

(2) アミノ酸のペプチド結合

アミノ酸はペプチド結合によって互いに結合し，蛋白質をつくる．

1番目のアミノ酸のカルボキシ基のOHと次のアミノ酸のアミノ基のHが脱水縮合（水の分子H$_2$Oが1個取れて結合する）し，**ジペプチド**となる（図1-49）．そして，2番目のアミノ酸のOHが3番目のアミノ酸のHと結合する．こうして，アミノ酸が次々に結合していき，アミノ酸はカルボキシ基の方向に伸びて

ペプチド結合
ペプチド鎖の伸長の方向は，RNAを鋳型にして蛋白質が合成される方向である．

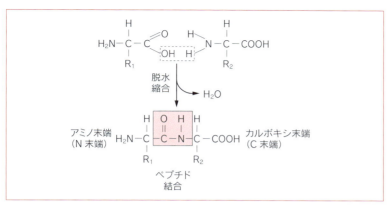

図 1-49 アミノ酸のペプチド結合

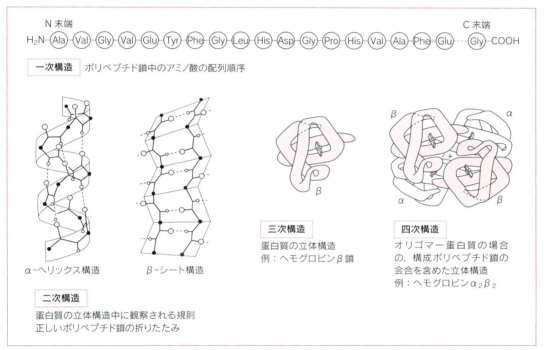

図 1-50 蛋白質の高次構造
二次〜四次構造を高次構造という．

いって，大きな分子になる．

2〜100個程度のアミノ酸が結合したものを**オリゴペプチド**または単に**ペプチド**といい，それ以上のアミノ酸が連なったものが**ポリペプチド**，すなわち**蛋白質**となる．アミノ酸の平均分子量は110なので，蛋白質の分子量は10,000以上ということになる．

(3) 蛋白質の高次構造（図 1-50）

直鎖状のポリペプチドがもつアミノ酸の配列順序を**蛋白質の一次構造**という．

> **蛋白質の分子量**
> 生体にある蛋白質の分子量は多くは15,000〜60,000の範囲にあり，10万以上の分子量の蛋白質は複数個のサブユニットから構成されていることが多い．

Ⅱ 遺伝子 41

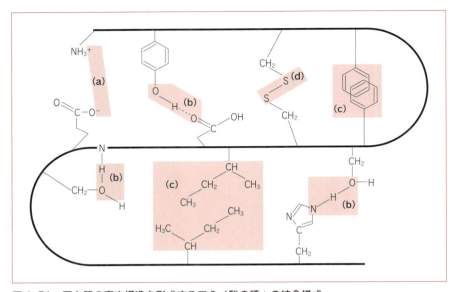

図 1-51　蛋白質の高次構造を形成するアミノ酸の種々の結合様式
a：静電作用によるイオン結合，b：側鎖間および側鎖と主鎖の間の水素結合，c：非極性側鎖間の疎水結合，d：ジスルフィド結合．

　線状に連なったアミノ酸は近傍のアミノ酸同士で結合して折りたたまれ，比較的狭い範囲のペプチド間で規則性のある構造をとる．これらは**二次構造**と総称され，らせん状のα-ヘリックス，β-ストランドが平面上でヒダ状に（逆）平行に並んだβ-シート，逆平行β-シートを結合させるβ-ターンなどがある（**図 1-50**）．

　蛋白質分子は，二次構造がいくつか集まり，疎水性アミノ酸を芯として全体が密に規則的に折りたたまれた複雑な構造をとる．これを**蛋白質の三次構造**とよぶ．

　さらに，三次構造をもったポリペプチド鎖が数個集まって非共有結合で会合し，特定の空間配置をとることがある．これを**四次構造**という．四次構造を組み立てる各ポリペプチド鎖を**サブユニット**という．

　蛋白質の二次・三次・四次構造を，**高次構造**と称する．高次構造は，側鎖間の水素結合，疎水結合，ジスルフィド結合（S-S結合），静電引力，その他の力による相互作用によって安定が図られている（**図 1-51**）．

　個々の蛋白質には，固有の一次構造と，それに規定される高次構造があり，これらの高次構造によって，それぞれの蛋白質に特有な機能が発揮される．

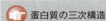

蛋白質の三次構造
三次構造は1本のポリペプチド鎖からなる塊で，機能領域（ドメイン）を形成する．

第2章 染色体の基礎

I 染色体とは

染色体（クロモソーム，chromosome）は細胞周期の分裂中期に高度に凝縮し，間期には弛緩する．この構造体は1842年にNägeliにより発見され，1888年にWaldeyerにより命名された．ヒトの染色体数が46本であることが明らかになったのは1956年であり，DNA二重らせんモデルの提唱（Watson & Crick 1953年）の3年後である．そして，ヒト染色体の命名と分類が1960年に制定された．

$6×10^9$塩基対のヒト全ゲノムDNAは46本に分かれて存在し，4種類の**コアヒストン蛋白**（H2A，H2B，H3，H4）からなる八量体に巻き付いて**ヌクレオソーム**を形成している．染色体は，DNAと蛋白からなる複合体といえる．ヌクレオソームがつながった集合体が**クロマチン**である（**図1-32**参照）．このクロマチンは，塩基性色素によってよく染まるという特徴から命名された．クロマチンがどのようなメカニズムにより高次構造をとり，ヒトゲノムDNA約2mが直径10μmの細胞核に収納されるかは，いまだに不明な点が多い．

染色体の凝縮と弛緩は，細胞分裂における母細胞から娘細胞へのゲノムDNAの正確な分配に不可欠であり，ゲノムDNAの複製やRNAの発現とも密接に関連する．また，染色体レベルでの構造や数的な変化は，多大な数のDNAの変化を伴っていることになる．

> **ヒトゲノムDNAの全長**
> 二倍体において$3.4Å(=10^{-10}m)$（塩基対間距離）$×6×10^9$（塩基対）＝約2m．

II 分裂中期核と間期核における染色体の構造

細胞周期の分裂期，特に分裂中期におけるクロマチンは，高度に凝縮して棒状の染色体として観察される（**写真2-1a**）．一方，細胞周期のG_1，S，G_2期である間期におけるクロマチンは，その凝縮度合いが緩んだ状態になっている（**写真2-1b**，**図2-5**）．染色体検査において，これらの分裂中期核と間期核が検査対象となり，構造異常や数的異常について分染法やfluorescence *in situ* hybridization（FISH）法を用いて検査が行われる．

1 分裂中期核（写真2-2）

ヒト染色体数は父方の23本と母方の23本の計46本である．これらの父親と母親由来の染色体同士を**相同染色体**という．相同染色体は，**染色分体（姉妹**

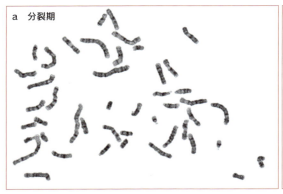
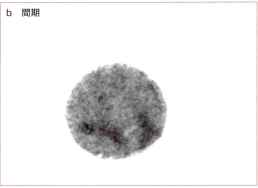

写真 2-1　クロマチン

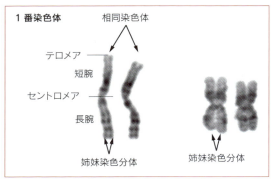
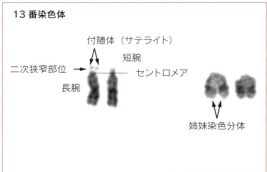

写真 2-2　分裂中期の染色体の形態

染色分体）からなっており，分裂期は複製期を経た後で DNA 量が 4C の状態にあることを反映している．姉妹染色分体がみえることもある（**写真 2-2**）．姉妹染色分体は**セントロメア**で束ねられており，セントロメアはくびれた狭窄部位として観察される．各姉妹染色分体の末端には**テロメア**という DNA 反復配列があり，蛋白とともに特徴的な構造になっている．セントロメアを境にして短腕と長腕とよぶ．また，セントロメア（一次狭窄部位）とは別に，くびれた二次狭窄部位がある．二次狭窄部位は**核小体形成域**（nucleolus organizer regions；NORs）であり，ヒトの NORs は 13，14，15，21，22 番染色体の 5 対の染色体に存在する（**写真 2-3**）．NORs の存在は 1930 年代に報告され提唱された．その後，NORs は 5 対の染色体上に反復して存在する 18S, 5.8S, 28S のリボソーム RNA（rRNA）をコードするリボソーム DNA であり，間期における核小体を形成していることが明らかになった．

> **核小体形成域（NORs）**
> 13，14，15，21，22 番染色体では，短腕が極端に短く，二次狭窄部位である細いクロマチン線維で連結した小さな構造体があり，これを**付随体（サテライト）**という．

1）セントロメアと動原体

染色体上でくびれて観察される部分は，① DNA（ヒストンとの複合体）部分を指すセントロメアと，② そのセントロメア上に集まる 100 種類以上の蛋白からなる大分子複合体，すなわち紡錘糸（動原体微小管）が結合する構造体を指

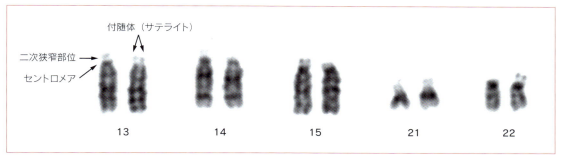

写真 2-3　短腕部に付随体（サテライト）をもつ染色体

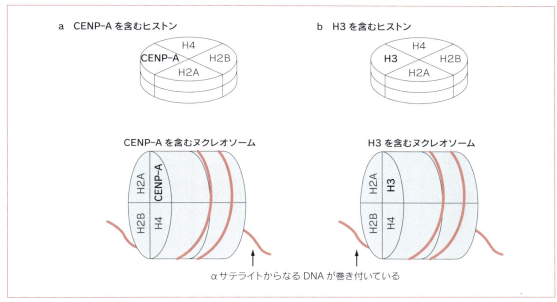

図 2-1　セントロメア領域に特徴的なヒストン

す動原体（キネトコア）に区別できる．

　セントロメアを構成するヌクレオソームには2つの特徴がある．一つは，H3とは別に，セントロメアに特徴的なコアヒストンであるセントロメア蛋白（CENP-A）が存在することで（**図2-1a**），H3を含むヒストン（**図2-1b**）とCENP-Aを含むヒストンが混在している．もう一つは，セントロメア領域のこれらの2種類のヒストン八量体に，αサテライトとよばれる171 bpの反復配列をなすDNAが巻き付いてヌクレオソームを形成していることである（**図2-1**）．ヒトにおける主なサテライトDNAファミリーを**表2-1**に示す．特に，セントロメアに存在する**αサテライト**を指標にすることで，FISH法（第5章参照）により，染色体の識別が可能となっている（**表2-2**）．ただし，αサテライトのみでは識別ができない染色体も存在する．

　分裂時の紡錘糸は約17本の動原体微小管からなり，これらの動原体微小管が動原体（キネトコア）に結合する．動原体を構成する一部の蛋白が，セント

サテライトDNA
サテライトDNAとは縦列する反復配列の総称であり，塩化セシウム密度勾配遠心法により得られる大部分のゲノムDNA分画とは異なる分画である．

表 2-1　ヒトにおける主なサテライト DNA ファミリー[1)2)]

サテライト名称	反復単位（bp）	ゲノム中の割合（%）
α サテライト	171	～3.1
β サテライト	68	0.02
γ サテライト	220	0.13
サテライト I	42	0.12
サテライト II, III	5	～2.1

表 2-2　セントロメアの α サテライトを用いた染色体の識別

識別が可能な染色体	1, 2, 3, 4, 6, 7, 8, 9, 10, 11, 12, 15, 16, 17, 18, 20
識別が不可能な染色体	5, 13, 14, 19, 21, 22 （5 と 19，13 と 21，14 と 22 は同一のプローブで認識される）

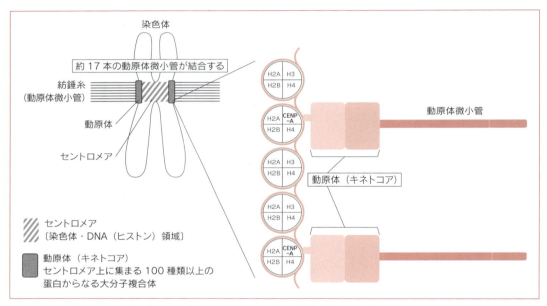

図 2-2　セントロメアと動原体（キネトコア），紡錘糸（動原体微小管）の結合

ロメア領域に特異的なコアヒストン CENP-A と結合している（図 2-2）．動原体微小管は分子量約 11 万で，α チューブリンと β チューブリンのヘテロダイマーからなる．ヘテロダイマーの重合と脱重合により伸長と短縮が起こる管状線維である（図 2-3）．染色体検査で用いられる紡錘糸形成阻害剤であるコルヒチンやコルセミドは，β チューブリンと結合し α チューブリンと β チューブリンのヘテロダイマー形成を阻害するため，重合できず微小管の形成を阻害する（第 5 章図 5-2，表 5-1 参照）．

2）テロメア：直鎖状ヒトゲノム DNA の末端の特徴的な構造（図 2-4）

テロメアは染色体の両末端にあり，「TTAGGG」の反復配列からなる．二本

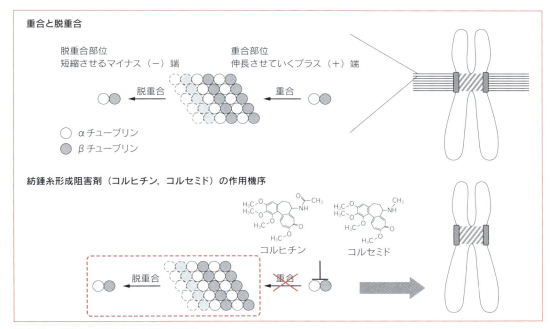

図 2-3 紡錘糸（動原体微小管）の構造

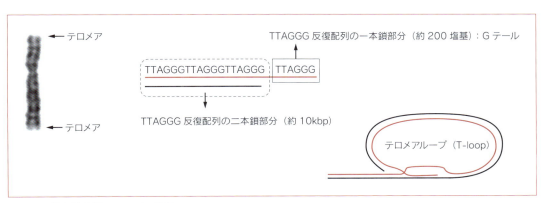

図 2-4 染色体末端のテロメア構造

鎖部分が約 10 kbp，それに続く一本鎖部位（G テール）が 200 塩基ほど存在する．そして，最末端はテロメアループ（T-loop）とよばれる特徴的なループ構造をとっており，DNA 二本鎖切断部位と認識されず物理的に保護されていると考えられている．また，テロメアは複製ごとに短縮するが（複製については第 1 章参照），T-loop の形成に不十分な長さまで短縮が進むと，DNA 二本鎖切断部位と認識され，細胞増殖が止まってしまう．生殖細胞，幹細胞やがん細胞には，テロメアの反復配列を伸長する**テロメラーゼ**が存在する．これらの細胞では，テロメラーゼによりテロメアが短縮しないように調整されるため，通常細胞のような細胞分裂回数の限界に伴う細胞増殖停止を回避することができる．

細胞分裂回数の限界

通常細胞の細胞分裂回数の限界を，ヘイフリック限界（Hayflick & Moorhead 1961 年）という．

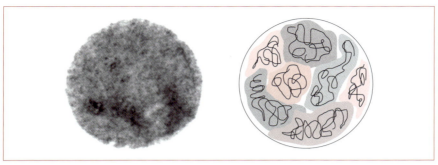

図 2-5　間期核における染色体の区画化（染色体テリトリー）

2　間期核

間期核において，各染色体のほどけたクロマチンは交じり合った状態ではなく，高度に区画化されている（**染色体テリトリー**，図 2-5）．

3　ユークロマチンとヘテロクロマチン

クロマチンはユークロマチンとヘテロクロマチンに区別することができる．ヘテロクロマチンは細胞周期を通して高度にクロマチンが凝縮している部分のことであり，遺伝子発現が抑制され，複製後期に複製される．ヘテロクロマチンは，さらに構成的（constitutive）ヘテロクロマチンと条件的（facultative）ヘテロクロマチンに分類される．構成的ヘテロクロマチンは，反復配列 DNA から構成されてセントロメアやテロメア領域にある．条件的ヘテロクロマチンは，通常であれば遺伝子発現が生じる領域が発生・細胞分化過程で調節を受け，凝縮度が高まり遺伝子発現が抑制される部分である．後述の不活化 X 染色体がその例である．一方，ユークロマチンはクロマチン凝縮度が低く，転写因子が接触・結合しやすい構造をとるために遺伝子発現が活発に起こり，複製早期に複製される部分のことである．

> **染色体テリトリー**
> 染色体テリトリーという言葉は，1909 年 Boveri により使用された．その後，Cremer らの一連の研究（1982 年，1984 年）により，実験的に証明された．

Ⅲ 体細胞分裂と減数分裂における染色体の分離様式の違い

体細胞分裂と減数分裂における染色体の分離様式については第 1 章を参照．
2 つの分裂様式の大きな違いは，体細胞分裂でははじめから姉妹染色分体の分離が起こるが，減数分裂ではまず相同染色体同士が対合した後に相同染色体が分離し（減数第一分裂），その後続けて姉妹染色分体の分離が起こる（減数第二分裂）ことである．

1　体細胞分裂における染色体の凝縮と姉妹染色分体の分離（図 2-6）

コヒーシンは複製時に姉妹染色分体をつなぎ合わせ，**コンデンシン**はクロマチンを凝縮させる機能をもつ．コヒーシンの結合と解離およびコンデンシンの

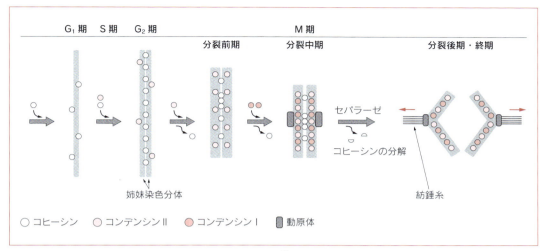

図2-6 体細胞分裂時の染色体凝縮と姉妹染色分体の分離[3]

結合により，ほどけたクロマチンが分裂中期に向けて姉妹染色分体としてまとまって高度に凝縮する．そして，分裂中期から後期にかけて動原体が形成されるとセパラーゼによるコヒーシンの分解が始まり，両極からの紡錘糸の張力で姉妹染色分体の分離が生じる．

2　減数分裂における相同染色体の対合・分離（図2-7）

　減数分裂においても，コヒーシンとコンデンシンによって，姉妹染色分体の接着と高度な凝縮が生じる．減数第一分裂時には，相同染色体の対合という現象が起こるが，減数分裂時のコヒーシンはこの相同染色体の対合にも必要な分子である．この対合部分は，コヒーシンやさまざまな蛋白が結合した**シナプトネマ複合体**が形成され，相同染色体同士を接着している．

　相同染色体対合の後に分離が起こるが，姉妹染色分体の分離が同時に起こらない理由は，セントロメア領域のコヒーシンが分解されていないこと，姉妹染色分体上の動原体が同一方向に向いて紡錘糸に引っ張られることによると考えられている．その後，減数第二分裂において，セントロメア領域のコヒーシンも分解され，体細胞分裂と同様に，姉妹染色分体上の動原体が両極を向いて反対方向に紡錘糸に引っ張られて分離される．

3　減数分裂による多様性の獲得

　ヒトの体細胞は基本的に父方と母方の相同染色体を1対有する．しかし，配偶子（精子や卵子）では，減数分裂によって，父方あるいは母方の相同染色体のどちらか1本が分配されている．ヒトの23種類の染色体の分配だけでも 2^{23} の組み合わせとなり，約800万通りの多様性が生まれることになる（**図2-8**）．そして，精子で約800万通り，卵子で約800万通りあるとすると，受精の組み合わせによっても多様性が高くなることがわかる．さらに，減数分裂において

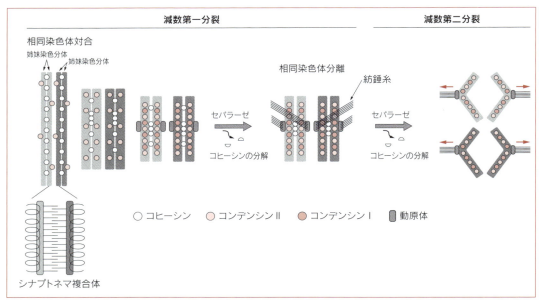

図 2-7　減数分裂時の相同染色体の対合，凝縮と分離[3) 4)]

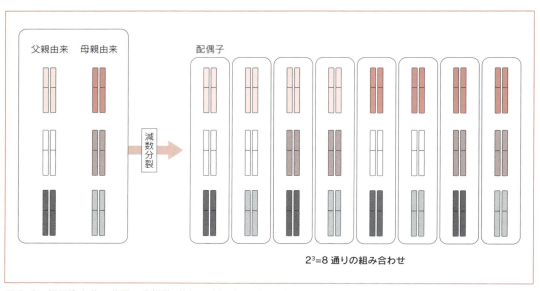

図 2-8　相同染色体の分配の多様性（例：3 対の相同染色体）

は交差による組換えが生じて，多様性が広がる．

1）減数分裂時の対合・交差・キアズマ

　減数第一分裂の前期，中期，後期，終期のうち，分裂前期は，細糸期，接合期（合糸期），太糸期（厚糸期），複糸期，移動期の 5 つに区分される（**図 2-9**）．
　接合期（合糸期）において，相同染色体が対合し，シナプトネマ複合体を形成し**二価染色体**となる．続く太糸期（厚糸期）にかけて，相同染色体の姉妹染

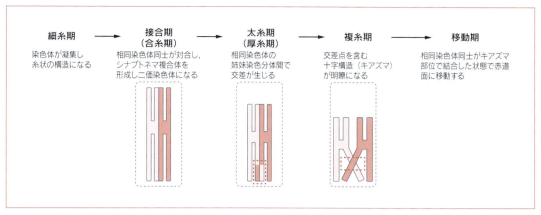

図 2-9 減数第一分裂前期における対合・交差・キアズマ

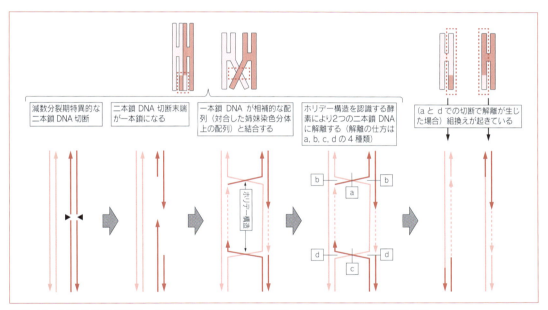

図 2-10 減数分裂時の交差・キアズマ・組換えの分子基盤：二本鎖 DNA 切断修復モデル

色分体間で**交差**が生じる．この交差点を含む十字構造（**キアズマ**）が複糸期に明瞭になる．

2）交差・組換えのメカニズム

前述のシナプトネマ複合体を形成して二価染色体となった後に起こる染色体部分の入れ替わり（**組換え**）のメカニズムが明らかにされている（図 2-10）．二本鎖切断修復モデル（Szostak ら 1983 年）によると，減数分裂期特異的な二本鎖 DNA 切断が起こり，その修復過程で一本鎖 DNA が相補的な配列（対合した姉妹染色分体上の配列）と結合する．このときできる構造は**ホリデー構造**とよばれる．その後，ホリデー構造を認識する酵素によって二本鎖 DNA に解離

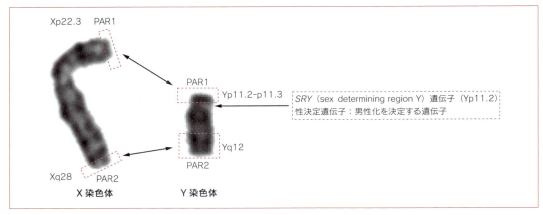

写真 2-4　X 染色体と Y 染色体の偽常染色体領域（PAR）

することで，組換えが起こる．

3）X 染色体と Y 染色体の対合

　常染色体や女性の性染色体（X 染色体同士）については，染色体の全長にわたって相同であり対合する．しかし，男性の性染色体である X 染色体と Y 染色体については別である．X 染色体と Y 染色体の短腕および長腕の末端部には，偽常染色体領域（pseudo autosomal region；PAR）とよばれる相同領域がある（**写真 2-4**）．PAR 間で X 染色体と Y 染色体が対合し，交差，組換えも生じる．短腕末端の PAR を PAR1，長腕末端の PAR を PAR2 とよぶ．PAR1 には 25 個の遺伝子が，PAR2 には 10 個の遺伝子がある．

4）配偶子形成と減数分裂の進行

　減数分裂時の相同染色体の組み合わせと交差・組換えによる多様性の獲得は，精子と卵子でともに生じているが，配偶子形成過程と減数分裂の進行をみると男性と女性で違いがある（**図 2-11**）．男性の精子形成過程では，胎生期の始原生殖細胞は分化せずに休止した状態にある．出生後，性成熟に伴って精原細胞，一次精母細胞へと分化していく．一次精母細胞で減数第一分裂が始まり，対合，交差（キアズマ），組換えが生じ，二次精母細胞となる．続けて減数第二分裂が始まり，染色体数が半分になった精子が形成される．その後，持続的に一次精母細胞からの減数分裂が生じ，精子形成が行われる．

　一方，女性の卵子形成過程では，胎生期に始原生殖細胞から卵原細胞，そして一次卵母細胞まで分化が進む．一次卵母細胞は胎生期に減数第一分裂を始め，相同染色体が対合した状態で休止し出生に至る．思春期まで分裂を休止していた一次卵母細胞は，排卵期の黄体形成ホルモンによる分裂刺激を受け，減数第一分裂は排卵の直前に完了し，二次卵母細胞になる．排卵後，二次卵母細胞は減数第二分裂の中期で再び休止する．そして，受精開始により分裂が再開し，受精完了とともに，二次卵母細胞は，減数第二分裂を完了する．

> **X 染色体と Y 染色体の対合**
> X 染色体は，もともと昆虫において対合しない染色体として発見された．X 染色体や Y 染色体が性別に関連する染色体として認識されたのは，Stevens と Wilson による．

> **偽常染色体領域（PAR）**
> Y 染色体 PAR1 の近位部には男性化を決定する性決定遺伝子（sex determining region Y：SRY）がある．そのため，誤って SRY 遺伝子も含めて組換えが起きてしまうと，父方の X 染色体に SRY 遺伝子を含む領域が入れ替わり，性分化異常（46,XX 性分化疾患）の原因になる．

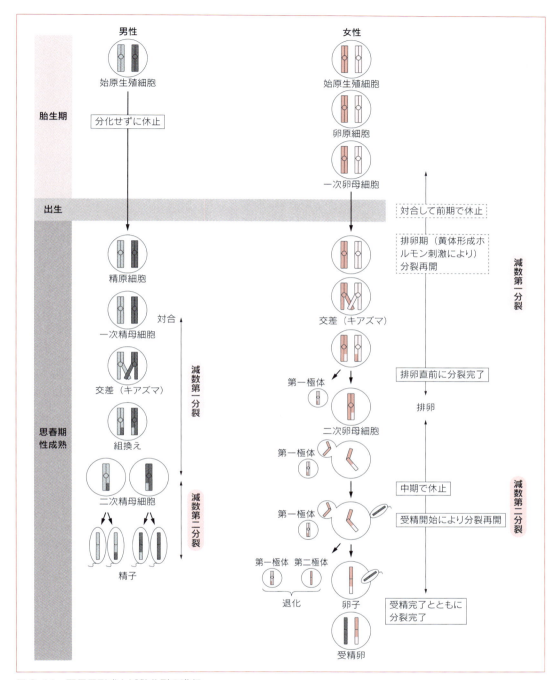

図 2-11　配偶子形成と減数分裂の進行

IV 染色体の分類

　染色体検査では，最終的に**核型（カリオタイプ，karyotype）**を記載する．核型は，細胞の全染色体構成について，正常か異常か，構成的な変化か後天的な

変化かを記載するものである．核型記載のためには，染色体の分類と命名が必要である．

1 染色体分類・命名に関する規約

1956年にヒト染色体数が46本であることが報告された後，染色体分類・命名に関する国際規約が提案された（1960年デンバー会議，1963年ロンドン会議，1966年シカゴ会議，1971年パリ会議）．1971年までは規約に会議の開催地名がつけられていた．1978年以降は，ヒト染色体に関する国際命名規約（An International System for Human Cytogenomic Nomenclature；ISCN）として改訂年がつけられている（第5章Ⅱの3「2）核型表記」参照）．

 ISCN の改訂年
ISCN（1978），ISCN（1981），ISCN（1985），ISCN（1991），ISCN（1995），ISCN（2005），ISCN（2009），ISCN（2013），ISCN（2016），ISCN（2020）．

2 核型分析

1）分染法開発以前

単染色に基づく規約（1966年シカゴ会議まで）では，常染色体は最も大きい染色体を1番として大きさ順に22番まで番号を付し，性染色体はXとYとすることが決められた．実際には22種類の常染色体とXおよびY染色体をすべて明確に分類できなかったため，AからG群の7つのグループに分けられた．A群が1～3番，B群が4,5番，C群が6～12番とX染色体，D群が13～15番，E群が16～18番，F群が19, 20番，G群が21, 22番とY染色体である．

2）分染法開発以降

分染法とは，前処理を行い，蛍光色素やギムザ（Giemsa）などの染色液で染色することで染色体上に縞模様（バンド）を染め出す染色法や，特定部位を濃染する染色法の総称である（分染法の処理方法や実践法については，それぞれ第5章と第6章を参照）．

主な分染法は，染色体全体のバンドパターンを染め出す方法としてQ, G, R分染法，特定領域を濃染する方法としてC, NOR分染法などがある．

最初に報告された方法が，染色液に蛍光色素であるキナクリンマスタード（Quinacrine mustard）を用いたQ分染法（キナクリンマスタードの頭文字Qに由来した名称）である．キナクリンマスタードがアデニン（A）とチミン（T）に結合するため，AT優位部が濃染される．同様にAT優位部が濃染されるバンドパターンを染め出す方法が，染色液にギムザを用いたG分染法（ギムザの頭文字Gに由来した名称）である．前処理にトリプシンを用いたG分染法がよく用いられる方法である．

前述した1971年の命名規約（パリ会議）では，Q分染法に基づく，バンドパターンによる全染色体の分類とバンドの名称が付された模式図（イデオグラム）が示された．その後の規約改定のなかで，G分染法など精度よくバンドを識別できる分染法に基づいて，各染色体のバンドの数やパターンが明確になっ

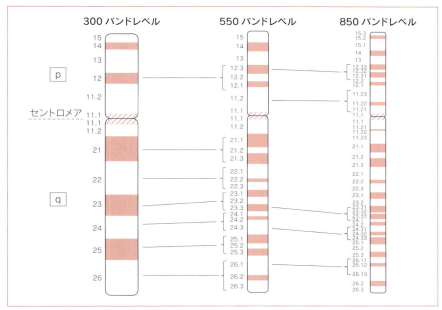

図 2-12　バンドパターン・バンドレベル（例：10 番染色体イデオグラム）
ISCN2020 に基づいて作図（バンドの濃淡は省略）．

ている．

　染色体上に表出できるバンドの数は，ハプロイド（23 本の染色体）あたりのバンド数の総計に基づいて，300 バンド，400 バンド，550 バンド，700 バンド，850 バンドが ISCN2020 に示されており，バンドレベルとよばれる．図 2-12 に 10 番染色体のイデオグラムを示す．まず，バンドの命名は，短腕であれば小文字の p，長腕であれば小文字の q で表現し，各腕においてセントロメアからテロメアに向かって，11，12，などと数字で示される．読み方は，10p12 であれば，「じゅう，ぴー，いち，に」である．また，分裂中期染色体が長くなるほど，300 バンドから 850 バンドとバンドレベルも上がり，バンドをより細かく観察することができる．300 バンドレベルで 10p12 のバンドは，550 バンドレベルでは 10p12.1〜10p12.3 に分かれ，さらに，550 バンドレベルで 10p12.3 のバンドは，850 バンドレベルでは 10p12.31〜10p12.33 に分かれて観察できる．10p12.31 の読み方は，「じゅう，ぴー，いち，に，てん，さん，いち」となる．

> **染色体の塩基数**
>
> 染色体上に表出されるバンド，1 バンドあたりの塩基対数（bp）は，300 バンドレベルで約 10 Mbp〔ハプロイドあたり 3×10^9（3 G）bp/300 バンド＝約 1×10^7（10 M）bp/バンド〕であり，550 バンドレベルでは，1 バンドが約 5 Mbp を表していることになる．M（メガ）は 10^6 を示す．

Ⅴ　染色体地図と遺伝子マッピング

　現在，染色体ごとの総塩基数が公表されている．常染色体および性染色体の各塩基数を染色体イデオグラム（300 バンドレベル）の長さで示した（図 2-13）．形態的な観察に基づく大きさ順でみた場合と，塩基数での大きさが逆転している染色体もある（19 番と 20 番，21 番と 22 番）．

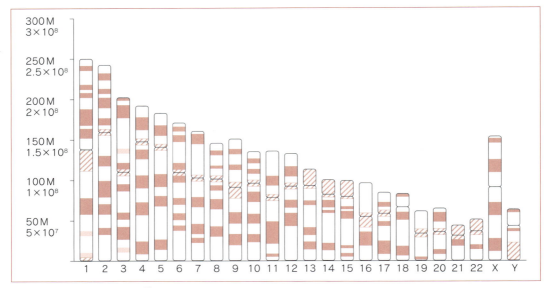

図 2-13　各染色体の塩基数[5]

1　遺伝子マッピング

　染色体上に縦列に並んでいる遺伝子の位置（座位）を決めることを，**遺伝子マッピング**という．遺伝子マッピングの代表的な方法が，ファンクショナルクローニングとポジショナルクローニングである．単一遺伝子疾患における責任遺伝子のマッピングを例にして**図 2-14** に示す．まず，ファンクショナルクローニングでは，表現型から予想される蛋白の異常があり，特定の責任遺伝子が候補になる．そして，細胞雑種法により FISH 法を用いて染色体上にマッピングする．機能（ファンクション）に基づいてマッピングする方法である．このようにマッピングされた遺伝子の例が，フェニルケトン尿症の責任遺伝子であるフェニルアラニンヒドロキシラーゼ（*PAH*）遺伝子（染色体座位 12q23.2）である．

　一方，ポジショナルクローニングでは，特定の表現型を示す家系を用いて連鎖解析を行い，既知の多型（たとえば制限酵素断片長多型である RFLP など）と連鎖する領域を絞り込み責任遺伝子を特定し，マッピングする．位置（ポジション）の情報に基づいてマッピングする方法である．このようにマッピングされた遺伝子の例が，Huntington（ハンチントン）病の責任遺伝子である *HTT* 遺伝子（染色体座位 4p16.3）である．

　上記以外にも，染色体構造異常（転座，欠失，重複など）に基づいて，責任遺伝子が同定される場合もある．また，1990 年に始まったヒトゲノムプロジェクトによるヒト全ゲノム配列の解読（2003 年完了）に基づいて，エクソン検索などさまざまな手法を用いて新規の遺伝子がクローニングされている．

　臨床検査で測定される主な蛋白をコードする遺伝子について，座位を**写真 2-5** に示す．「○○遺伝子は，○○番染色体○○に座位する」と表現できる．23

> **細胞雑種法**
> ヒトの細胞とマウスの細胞を融合させた雑種細胞をつくり，培養を継続的に行うと，培養過程で雑種細胞からヒト染色体が選択的に消失していくため，最終的にヒトの染色体が 1～数個残った安定した雑種細胞ができる．これらの安定した雑種細胞を用いて，FISH 法により遺伝子がどの染色体上に位置するかを特定することができる．

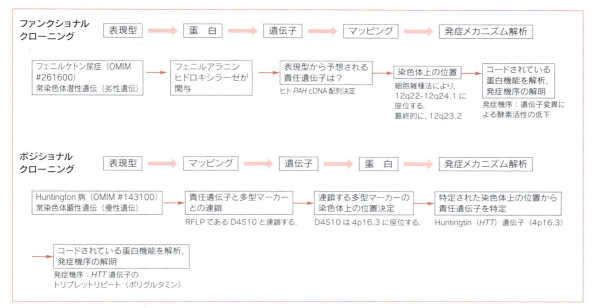

図 2-14 遺伝子マッピング

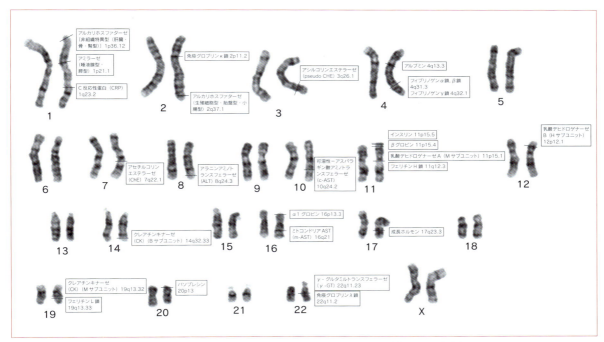

写真 2-5 臨床検査で測定される主な蛋白をコードする遺伝子の染色体上の位置（表示は蛋白名）

種類の各染色体上に座位する蛋白をコードする遺伝子の数が公表されているが，もっとも遺伝子数が少ないものがY染色体であり，常染色体では，13番，18番，21番染色体の遺伝子数が少ない（第5章Vの1「1) トリソミー」参照）．

表 2-3　OMIM に登録された遺伝子と遺伝形質の数

	常染色体	X 連鎖性	Y 連鎖性	ミトコンドリア	合計
塩基配列が判明している遺伝子	16,165	767	51	37	17,020
塩基配列と表現型が判明している遺伝子	23	0	0	0	23
分子機構が判明している遺伝形質	6,234	375	5	34	6,648
分子機構が不明の遺伝形質	1,391	112	4	0	1,507
その他，メンデル遺伝形質と判断される表現型	1,644	102	3	0	1,749
合計	25,457	1,356	63	71	26,947

(OMIM Entry Statistics, Number of Entries in OMIM (updated May 24th, 2023))

ヒト遺伝子と遺伝子異常によって規定される遺伝形質（表現型・疾患）のデータベースとして，**OMIM**（Online Mendelian Inheritance in Man）（https://www.omim.org/）がある．McKusick により編纂されてきた書籍（Mendelian Inheritance in Man）がもとになっている．OMIM には遺伝子と遺伝形質が登録されており，随時更新されている（**表 2-3**）．

2　染色体地図（遺伝子地図）

染色体地図（遺伝子地図）は，座位について遺伝子間の相対的な距離を示したものである．染色体地図は距離の表し方で 2 つに分類できる．遺伝子間の相対的距離を塩基対数で表したものが**物理的地図**である．ヒトゲノムプロジェクトによるヒト全ゲノム配列の解読により，物理的地図を全塩基配列として表示できるようになった．遺伝子間の相対的距離を表すもう一つの地図が，減数分裂 100 回あたり 1 回の組換えを起こす距離と定義されるセンチモルガン（cM）で表した**遺伝地図（連鎖地図）**である．

Ⅵ　遺伝子発現量の補正：X 染色体の不活化

1　X 染色体の不活化現象

22 対の常染色体は，父方と母方の一対の相同染色体を有するため，男性でも女性でも遺伝子量（発現量）に違いはない．しかし，性染色体については，女性は父方 X 染色体と母方 X 染色体の 2 本を有しており，男性は母方 X 染色体と父親由来の Y 染色体を有するため，X 染色体が 1 本のみである．一見すると女性の細胞では X 染色体上の遺伝子の発現量が 2 倍になってしまう．しかし，女性の細胞では，2 本の X 染色体のうち 1 本からは遺伝子発現が起こらない状態になっている．この現象を **X 染色体の不活化**とよび，実験的に証明した Lyon（1961 年）にちなんでライオニゼーションともよばれる．X 染色体を 3 本有する場合は，1 本を除いて，つまり 2 本の X 染色体が不活化する．この X 染色体の不活化は遺伝子発現量の補正になっている．

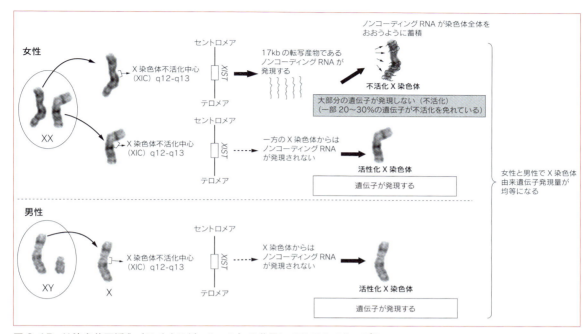

図2-15 X染色体不活化（ライオニゼーション）の分子レベルでのメカニズム

2 X染色体の不活化のメカニズム（図2-15）

X染色体のq12-q13にはX染色体不活化中心（X inactivation center；XIC）とよばれる領域があり，その中に *XIST*（X inactive specific transcript）とよばれる遺伝子が存在する．X染色体の不活化は *XIST* 遺伝子から発現する蛋白質に翻訳されない約17kbのノンコーディングRNAにより制御される．ノンコーディングRNAは，それを発現したX染色体の全体をおおうように蓄積し，同時に集積するさまざまな蛋白質を介してそのX染色体のほとんどの遺伝子が発現しないように制御する（不活化する）．

3 X染色体不活化の時期（図2-16）

X染色体不活化は発生初期（胚盤胞期）の女性の細胞で生じる．母方，父方由来の2本のX染色体についてランダムに不活化が生じ，その後不可逆的に維持される．したがって，女性の身体は母方のX染色体が不活化している細胞と父方のX染色体が不活化している細胞が混在した状態にあり，**モザイク**である（第5章図5-3参照）．

4 X染色体の不活化とXクロマチン，ドラムスティック（図2-16）

不活化X染色体は，間期核上で高度に凝縮して核膜周辺に観察される．これをXクロマチン〔バー小体（Barr body）〕という．

● X染色体の不活化

たとえば，46,XXの正常女性核型を示す細胞では，2本のX染色体のうち1本のX染色体上のXIC内の *XIST* 遺伝子からノンコーディングRNAが発現し不活化が起こると，もう一方のX染色体のXIC内の *XIST* 遺伝子からはノンコーディングRNAは発現せず，そのX染色体上の遺伝子は通常どおりに発現する．46,XYの正常男性核型を示す細胞では，X染色体のXIC内の *XIST* 遺伝子からはノンコーディングRNAの発現はないため，不活化は起こらない．

● Xクロマチン

特に好中球の間期核では，分葉核に小突起（ドラムスティック）として観察される．

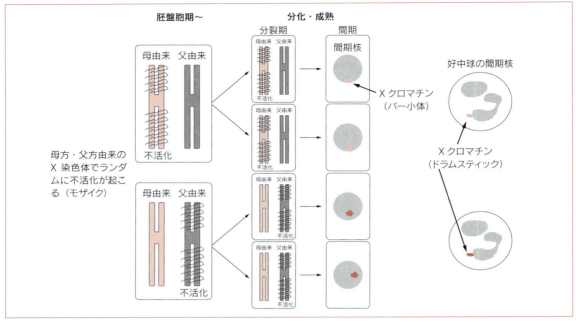

図 2-16　X 染色体不活化の時期・X クロマチン

5　X 染色体不活化を免れる遺伝子

　不活化 X 染色体では，20〜30％の遺伝子（*PAR* 遺伝子も含む）は，不活化せずに発現していると考えられている．不活化を免れている遺伝子は，常染色体上の遺伝子と同様に，父方，母方の X 染色体上から均等に発現が起こっている．したがって，男性と女性，正常男性と Klinefelter（クラインフェルター）症候群，正常女性と Turner（ターナー）症候群においては，これらの不活化を免れた遺伝子からの遺伝子発現量に違いがある．これらの遺伝子発現量の差が，*SRY* 遺伝子以外で性差に影響する可能性や疾患発症の原因となる可能性が考えられている（**図 2-17**）．

6　不活化 X 染色体と複製時期

　不活化 X 染色体は遺伝子発現が抑制されている状態にあり，高度に凝縮しているため複製後期に複製される（本章Ⅱの「3 ユークロマチンとヘテロクロマチン」参照）．R 分染法により，活性化 X 染色体との区別ができる（第 5 章 **図 5-5** 参照）．

Ⅶ　染色体異常

　染色体異常は発生による区別として，先天性（構成性）異常と後天性異常に分類でき，さらに異常の構成によって数的異常と構造異常に区別される．

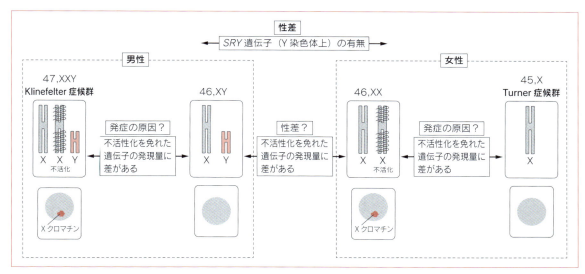

図2-17　X染色体の不活化を免れる遺伝子の発現量の差：性差，Klinefelter症候群・Turner症候群

1　先天性異常と後天性異常

先天性異常は，染色体異常症のように精子や卵子などの配偶子や発生初期での異常が原因であり，体を構成するあらゆる細胞で同様の異常を示すものである．一方，後天性異常は腫瘍細胞のみに出現する染色体異常で，一時的に特定の細胞（群）に認められる異常である．腫瘍細胞のみに限定した染色体異常は，次世代には引き継がれない．

2　数的異常

1）倍数性の異常

単数性（haploidy）である23本の染色体数をnとして，二倍体が2n，三倍体が3n，四倍体が4nとなり，三倍体以上を多倍体（polyploidy）という．三倍体の原因は主に2精子受精である．

2）異数性の異常

正倍数性（euploidy）から染色体数が増加・減少した場合，**異数性**（aneuploidy）という．異数性の異常として，47〜57本の染色体数を示す場合，二倍性（diploidy）を基本に考えて，hyperdiploidyと表現する．また，58〜68本の染色体数を示す場合，三倍性（triploidy）を基本に考えて，hypotriploidyと表現する．この時，二倍性（diploidy）の染色体について相同染色体が2本を基本に考えて，相同染色体が1本になっている場合をモノソミー，3本になっている場合をトリソミー，4本になっている場合をテトラソミーと表現する．また，相同染色体が2本とも欠失している場合をヌリソミーという．

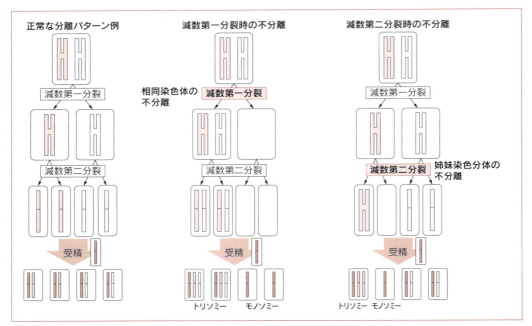

図2-18 減数分裂時の不分離と異数性 (aneuploidy)

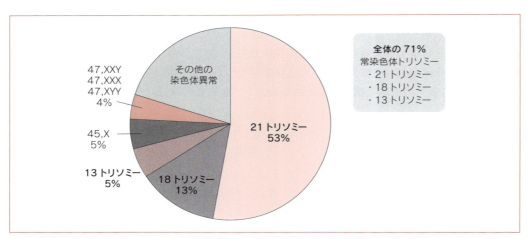

図2-19 出生児における染色体疾患の種類[6]

　トリソミーとモノソミーの原因は，体細胞分裂時あるいは減数分裂時の染色体の不分離である．減数分裂時の不分離（図2-18）には，減数第一分裂時の相同染色体の不分離と減数第二分裂時の姉妹染色分体の不分離がある．それぞれ正常な配偶子と受精すると，特定の染色体についてトリソミーあるいはモノソミーとなる．出生児における染色体異常のなかで，(性染色体の数的異常を含めて) 異数性異常は全体の80％を占める．なかでも21番染色体のトリソミー（21トリソミー）が最も多い（図2-19）．主なトリソミーを示す染色体の起源については，母親の減数分裂時の不分離が多く，特に減数第一分裂時の不分離

表 2-4 各種染色体トリソミーの起源と割合（%）[7]〜[10]

	父親		母親		不明・解析不可
	減数第一分裂	減数第二分裂	減数第一分裂	減数第二分裂	左記以外
13トリソミー	1	3	40	23	33
18トリソミー	—	—	33	56	11
21トリソミー	4	4	63	20	9
XXY	44	—	30	10	16
XXX	—	4	52	22	22

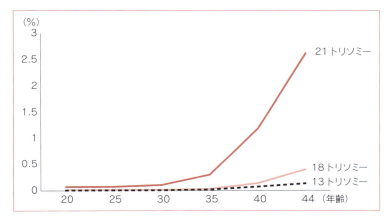

図 2-20 母体年齢（出産時）と各種トリソミーの発生率[11]

が多い（表 2-4）．これは，卵子形成過程において胎生期に減数第一分裂を始めた一次卵母細胞が，相同染色体が対合した状態で排卵期まで分裂を休止していることも一因であると考えられている（図 2-11 参照）．母体年齢（出産時）が高いほど休止期間が長くなるため，13 番，18 番，21 番染色体トリソミーの発生率は高くなっている（図 2-20）．

3）核内倍加と多倍体化

細胞分裂を伴わず，複製と染色体の核内分裂を起こす現象が巨核球や肝細胞の一部で認められる．巨核球の例では染色体の多倍体化に伴って，前駆細胞から巨核球へとその細胞の大きさも大きくなり，染色体の多倍体化が起こっている（図 2-21）．

4）片親性ダイソミー（uniparental disomy；UPD）

相同染色体は父方，母方の2本が正常である．しかし，一方の親に由来する2本の相同染色体が認められる場合を片親性ダイソミー（uniparental disomy；UPD）という．相同染色体が両方とも父方であれば父性ダイソミー，母方であれば母性ダイソミーという．UPD の原因は，モノソミーレスキュー，トリソミーレスキュー，配偶子補填と受精後分裂時エラーによる（図 2-22）．

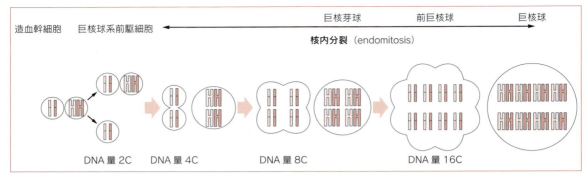

図 2-21　巨核球における染色体の倍数性（多倍体化, polyploidy）

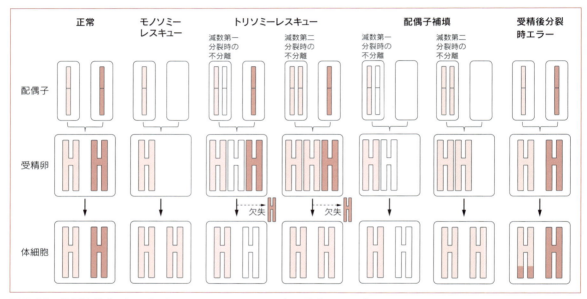

図 2-22　片親性ダイソミー（uniparental disomy；UPD）の発生メカニズム

　モノソミーレスキューでは，ある相同染色体がヌリソミーである配偶子と，正常な配偶子が受精すると，その受精卵は当該の相同染色体がモノソミーとなるが，一方の親に由来するモノソミーの染色体が倍加することで相同染色体が片親性になる．

　トリソミーレスキューでは，減数第一分裂や減数第二分裂で不分離を起こした配偶子と正常な配偶子が受精すると，その受精卵は当該の相同染色体がトリソミーになるが，その後，一方の親に由来する染色体の欠失が起こる．この時，不分離を起こした親ではない親に由来する相同染色体が欠失した場合，相同染色体が片親性になる．

　配偶子補填では，減数第一分裂や減数第二分裂で不分離を起こした配偶子とヌリソミーの配偶子が受精すると，その受精卵は当該の相同染色体が片親性になる．

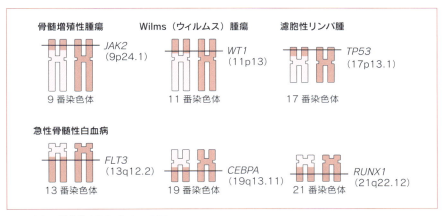

図 2-23 部分的 UPD とホモ変異

　また，体細胞分裂時のエラーによっても，染色体の一部が片親性（部分的 UPD）になることがある．白血病や腫瘍において，異常（変異など）が起きている責任遺伝子を含む領域が部分的 UPD を起こし，ホモ変異になっていることが知られている（**図 2-23**，5 章 p.160 も参照）．

　UPD については，染色体（分染法）検査では同定できない．DNA 多型マーカー〔一塩基多型（SNP）など〕を用いた検査（SNP アレイについては第 5 章参照）により確認する．

3　構造異常

　染色体構造異常は，基本的に切断と再結合によって形成されるさまざまな異常である（**図 2-24**）．いずれの異常でも，その結果生じた異常染色体を**派生染色体**（derivative chromosome）という．

1）転座（相互転座）(translocation, ISCN に基づく核型記載時の記載：t)

　2 本以上の複数の染色体間でその一部が入れ替わる．相互の染色体上に切断点があり，切断点での切断と再結合により生じる．転座では，ある染色体領域が別の染色体に移動していても染色体量に過不足がない場合を**均衡型転座**といい，過不足が生じる場合を**不均衡型転座**という．均衡型転座で切断点に遺伝子が含まれない場合は無症状の**相互転座保因者**となり，次世代に転座を継承する場合がある．相互転座保因者における配偶子形成時の減数第一分裂の分離様式を**図 2-25** に示す．相互転座保因者では相同染色体の対合の際に，正常および派生染色体の計 4 本がかかわり，四価染色体を形成する．四価染色体の分離様式には 2：2 分離と 3：1 分離があり，2：2 分離はさらに交互分離，隣接 I 型分離，隣接 II 型分離に区別される．2：2 分離の交互分離以外は，3：1 分離を含めて不均衡型となる．

　相互転座の結果，切断点の位置や結合様式によっては，セントロメア（動原体）を 2 つ有する派生染色体である**二動原体染色体**（dicentric chromosome,

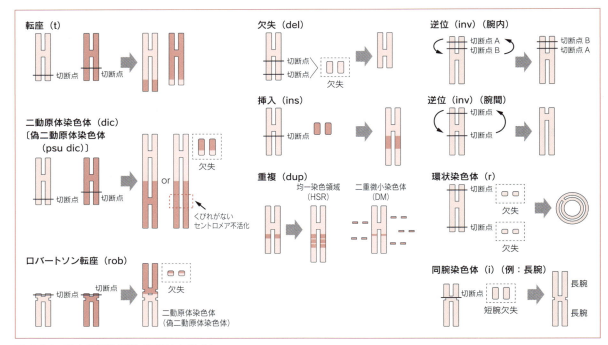

図 2-24 染色体構造異常（切断と再結合）

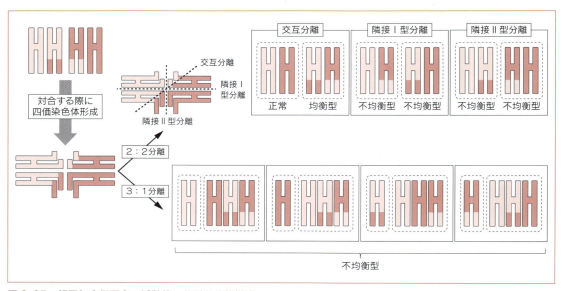

図 2-25 相互転座保因者の減数第一分裂の分離様式

dic）が生じる．この時，セントロメアがない派生染色体は欠失する．二動原体染色体では，セントロメア（動原体）が1つになり，くびれた構造を形成しないこと（セントロメア不活化）があり，偽二動原体染色体（pseudodicentric chromosome, psu dic）とよばれる．

　相互転座はいずれの染色体間でも生じうるが，特に13〜15番，21番と22

表 2-5 ロバートソン転座の染色体の組み合わせの頻度（%）

13q13q	2%	14q14q	0%	15q15q	0%	21q21q	3%	22q22q	0%
13q14q	**74%**	14q15q	5%	15q21q	0.5%	21q22q	0.5%		
13q15q	2%	14q21q	8%	15q22q	1%				
13q21q	1%	14q22q	2%						
13q22q	2%								

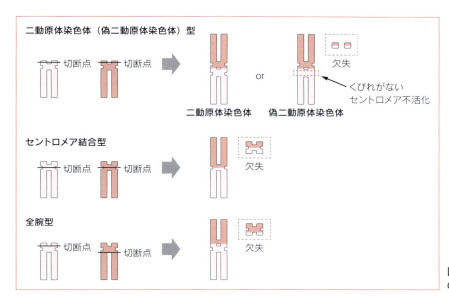

図 2-26　ロバートソン転座の転座様式

番の端部着糸型とよばれる染色体間で転座が生じるものを，**ロバートソン転座**（Robertsonian translocation, rob）という．ロバートソン転座を生じうる端部着糸型の染色体の組み合わせのうち，13 番と 14 番の組み合わせが最も多い（**表 2-5**）．ロバートソン転座では，切断点の位置によって，二動原体染色体（偽二動原体染色体）型，セントロメア結合型，全腕型に分類される（**図 2-26**）．いずれのパターンでも非常に短い短腕（近傍領域）同士からなる派生染色体は欠失し，長腕同士からなる派生染色体のみが観察される．したがって，細胞全体では 45 本を示す．ロバートソン転座保因者における配偶子形成時の減数第一分裂の分離様式を**図 2-27**に示す．ロバートソン転座保因者では，相同染色体の対合の際に正常および派生染色体の計 3 本がかかわり，三価染色体を形成する．三価染色体は，2：1 分離として交互分離，隣接Ⅰ型分離，隣接Ⅱ型分離となる．交互分離以外は不均衡型となる．

2）欠失（deletion, del）

1 本の染色体内に 1 カ所ないし 2 カ所の切断点が生じ，端部や中間部が失われる．

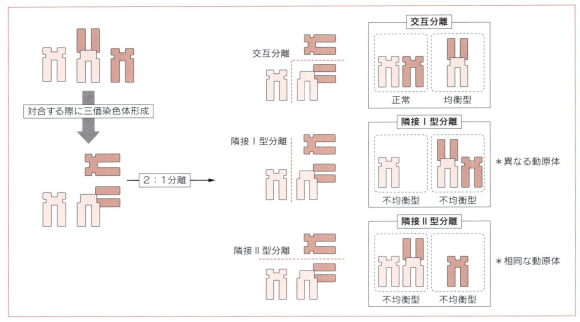

図 2-27　ロバートソン転座保因者の減数第一分裂の分離様式

3）挿入（insertion，ins）
1本の染色体の切断点に，ほかの染色体の切断断片が入り込んでいる．

4）重複（duplication，dup）
染色体の一部が当該の染色体上に連続して反復している．この場合，均一染色領域（homogeneously staining region；HSR）として観察される．がん細胞では，増幅した遺伝子（を含む染色体）が，二重微小染色体（double minute chromosome；DM）とよばれる染色体外DNA断片として存在することがある．

5）逆位（inversion，inv）
1本の染色体に2カ所の切断が生じ，その間の断片が逆転する．腕内で生じるもの（セントロメア領域を含まない場合）を腕内逆位，腕間で生じるもの（セントロメア領域を含む）を腕間逆位という．腕間逆位の例である inv（9）（p12q13）は，正常人で1〜2％認められる正常変異である．また，inv（16）（p13q22）は，白血病で認められる融合遺伝子（キメラ遺伝子）を形成する異常である（第5章表 5-9 参照）．

6）環状染色体（ring chromosome，r）
同じ染色体の短腕，長腕で切断が起こり，セントロメアを含む部分の短腕と長腕間で再結合が起こり生じる．

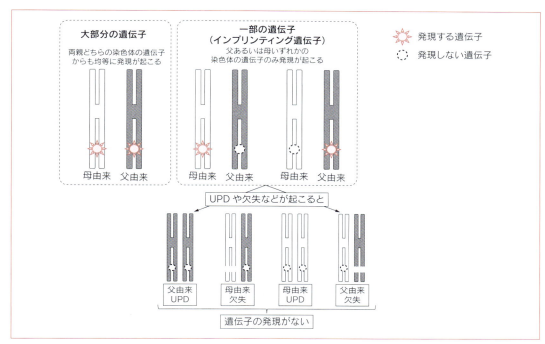

図 2-28　親の性差と遺伝子発現修飾：インプリンティング

7）同腕染色体（isochromosome, i）

短腕あるいは長腕のみからなる．セントロメア付近の反復配列の組換えや相同染色体のセントロメア付近での相互転座による．

4　親の性差による遺伝子発現の違い：ゲノムインプリンティング（刷り込み）

染色体上の大部分の遺伝子は，両親のどちらの染色体上の遺伝子からも均等に発現が起こる．しかし，一部の遺伝子では，父方，母方の一方の染色体上の遺伝子のみから発現が起こる（**図 2-28**）．この現象を**ゲノムインプリンティング（刷り込み）**という．インプリンティングのメカニズムは，遺伝子発現を調節するプロモーター領域の CG の反復配列（CpG アイランド）中のシトシンの**メチル化**である．メチル化など塩基配列以外の修飾により遺伝子発現を調節するメカニズムを**エピジェネティクス**という．そのメチル化パターンが親の性差によって異なる．全体として2本の相同染色体が存在していても，UPD や部分的な欠失，あるいはインプリンティング異常などにより，結果的に遺伝子発現がなく，疾患発症の原因となる場合がある．このことから，2本の相同染色体が両親に由来していることの重要性が認識できる．

発生段階と配偶子形成・次世代でのゲノムインプリンティングのメカニズムを**図 2-29** に示す．精子と卵子をスタートとして考えると，それぞれにインプリンティングを受けない遺伝子（遺伝子発現に性差がない）とインプリンティ

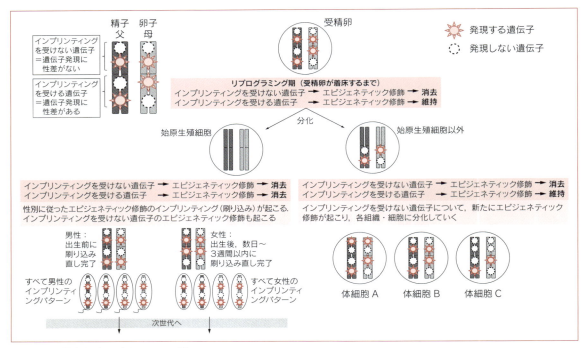

図 2-29　発生とインプリンティング

ングを受ける遺伝子（インプリンティング遺伝子，遺伝子発現に性差がある）がある．リプログラミング期（受精卵が着床するまでの期間）において，発現に性差がない遺伝子の発現調節に関与するエピジェネティックな修飾は一度消去される．しかし，インプリンティング遺伝子（発現に性差がある遺伝子）では，エピジェネティックな修飾は消去されず維持され，刷り込まれる（インプリンティングされる）．

次に，分化段階では始原生殖細胞とそれ以外の細胞を考える必要がある．始原生殖細胞以外の細胞では，リプログラミング期と同様に，インプリンティング遺伝子のエピジェネティック修飾は維持され，インプリンティングを受けない遺伝子は性別に従わない新たなエピジェネティック修飾がどちらの染色体上の遺伝子にもなされ，各組織や細胞に特有の発現を起こす．

一方，始原生殖細胞は次世代への配偶子を産生する細胞である．始原生殖細胞は特殊であり，リプログラミング期に維持されていたインプリンティング遺伝子のエピジェネティック修飾さえも消去される．そして，性別に従ったエピジェネティック修飾のインプリンティング（刷り込み）が起こる．この刷り込みは男性では出生前に完了し，女性では出生後，数日〜3週間以内に完了する．このようにして，次世代では性別に従った発現を起こすインプリンティング遺伝子が生じる．もちろん始原生殖細胞でも，それ以外の細胞と同様に，大多数の遺伝子は，性別に従わない新たなエピジェネティック修飾がどちらの染色体上の遺伝子にもなされ，分化段階に特有の遺伝子発現を起こす．

第3章 遺伝子関連検査の基本

I 遺伝子関連検査の種類

　種々の疾患の分子レベルでの病態解明や，遺伝子解析技術の進歩に伴い，臨床検査にさまざまな遺伝子関連検査が取り入れられてきた．特に，感染症，白血病などの悪性腫瘍，先天性疾患では，遺伝子関連検査が診断に必須となっている疾患が少なくない．遺伝子関連検査は疾患や病型の診断だけでなく，予後の予測，適切な薬剤の選択，治療効果の判定にも用いられる．遺伝子関連検査は，病原体核酸検査，体細胞遺伝子検査，生殖細胞系列遺伝子検査（遺伝学的検査）の3つに分類される（**表3-1**）．本章では，病院や衛生検査所での検査業務や診療に広く用いられる遺伝子関連検査の種類を概説する．次に，これらに用いられる検査の手法を説明し，さらに，診療でどのような疾患に遺伝子関連検査が用いられているかについて具体例を示す．

> **遺伝子関連検査**
> 遺伝子関連検査にはさまざまな検査法があるが，本章では臨床検査として広く行われているPCR（polymerase chain reaction）法によるDNA解析，RT（reverse transcription）-PCR法によるRNA解析を中心に解説する．研究目的の遺伝子解析法や，限られた施設で行われる特殊な検査法は，原理の解説にとどめる．

1 病原体核酸検査

　感染症において病原体核酸検査は，その高い感度と特異度，迅速性という利点により，病原体の核酸レベルでの検出と同定，抗菌薬耐性の遺伝子レベルでの予測，病原体の遺伝子型解析による院内感染の疫学調査などに用いられている．

表3-1　遺伝子関連検査の分類

分類	内容と検査項目の例	検体
病原体核酸検査	感染症を起こす細菌やウイルスなどの病原体の核酸（DNA，RNA）を検出する． 例：結核菌DNA検査，C型肝炎ウイルスRNA定量検査など	喀痰，血清など
体細胞遺伝子検査	がん細胞のみでみられる遺伝子の変異や発現異常を解析する．診断だけでなく，分子標的治療薬の選択などにも用いる． 例：慢性骨髄性白血病の*BCR::ABL1*融合mRNA定量検査など	腫瘍細胞を含む検体（生検組織片や血液など）
生殖細胞系列遺伝子検査（遺伝学的検査）	遺伝性疾患や家族性腫瘍の確定診断，保因者診断，発症前検査や出生前検査として行う．薬剤代謝酵素の遺伝子多型や，移植医療のHLA検査などの個体識別にも用いられる． 例：筋ジストロフィーのジストロフィンDNA検査など	白血球，口腔粘膜など

> **遺伝子記号の表記**
> ヒトの遺伝子名はHUGO（Human Genome Organization）のHGNC（HUGO Gene Nomenclature Committee）という組織が管理している．これまで遺伝子再構成や融合遺伝子は2つの遺伝子名をハイフン（–）でつなげていたが，ダブルコロン（::）でつなげることを2021年にHGNCが提唱した．そのため，*BCR-ABL1*は*BCR::ABL1*が正しい表記となった．なお，これまでどおり，ヒト遺伝子の略号は大文字の斜字体で記載する．

細菌の大半の検出と同定は，寒天培地での培養により可能である．一方，ウイルスやマイコプラズマなどは培養が不可能もしくは困難であり，イムノクロマトグラフィによる抗原検出や，病原体に対して産生された抗体の測定によって診断される．しかし，抗原検出が可能な病原体はインフルエンザウイルスなど限られており，抗体測定は患者側の免疫能などの要因によって影響を受け，感染してから抗体産生までに日数を要するという短所がある．病原体の核酸（DNAやRNA）の塩基配列は病原体ごとの特異性が高く，目的とする病原体に特異的な塩基配列をもった核酸を検体から検出すれば，その病原体が存在するといえる．ただし，検体中に死菌が存在していた場合でも核酸が検出されるため，たとえば結核菌の核酸検査では結果の判断に注意が必要である．さらに，1つのウイルスに複数種の**遺伝子型（genotype）**が存在する場合には，それらの塩基配列の違いにより，遺伝子型を同定することができる．また，抗原や抗体と異なり，核酸はPCR法などを用いて容易に増幅できるため，ごく微量の核酸を高感度かつ迅速に検出することが可能である．核酸の量（検査目的とする遺伝子のコピー数）を定量検査できる場合には，たとえば，B型慢性肝炎では，抗ウイルス薬の投与開始後，血清中のB型肝炎ウイルスのDNA量の経時的な推移を調べることにより，治療効果を判定できる．

　抗菌薬の薬剤感受性は，種々の抗菌薬を段階希釈して96穴プレートに入れ，ここに菌液を入れて培養し，発育阻止濃度を調べることで判明するが，結果が出るのは翌日になる．一方，検出された黄色ブドウ球菌から**薬剤耐性遺伝子**である*mecA*を検出すれば，メチシリン耐性黄色ブドウ球菌（MRSA）であることが短時間で判明し，薬剤耐性の機序も明確になる．

　同じ細菌が同じ病棟の複数の患者から検出された場合，それが医療従事者の手指や洗面所などの院内環境を介した院内感染か，それぞれ無関係の感染かを区別することは，感染制御上重要である．従来は，各患者の細菌の薬剤感受性パターンの類似性から起源の同一性を類推するしかなかった．現在では細菌の遺伝子型を解析することによって，複数の患者の細菌が同一起源か否かを明確に判定することができる．

　細菌の遺伝子型解析として，パルスフィールドゲル電気泳動（PFGE）法が標準的であるが，検査に日数を要するため，MRSAや緑膿菌の解析では，数時間で結果が得られるPOT法が用いられる（**写真3-1**）．

 治療効果の予測
たとえば，C型肝炎ウイルスは，RT-PCR法で検査される遺伝子型によって治療反応性が異なるため，治療効果の予測に用いられている．

PFGE：pulsed-field gel electrophoresis

POT：PCR-based open reading frame typing

2　体細胞遺伝子検査

　悪性腫瘍は，細胞増殖やその制御にかかわる遺伝子に，さまざまな変異が後天的に生じ蓄積して発症する．なお，一部の腫瘍では，先天的な遺伝子変異を素地としてもち，これに後天的な変異が加わって発症することもある．特に，白血病をはじめとする血液腫瘍では，疾患や病型に特異的な遺伝子変異が次々と解明され，発症や細胞の異常増殖の分子機序が明らかとなってきた．この傾向は，次世代シークエンサの普及に伴い，腫瘍細胞の全エクソンシークエンス

 遺伝子と発がん
がん抑制遺伝子である*TP53*に先天的変異があると，若年から複数のがんに罹患しやすくなる．また，種々のがんの進展の過程で*TP53*に変異が加わると，悪性度が増して治療抵抗性になる．がん抑制遺伝子*RB1*に変異が生じると網膜芽細胞腫を発症する．がん抑制遺伝子の両アレルの機能が失われると発がんするという理論を2ヒット説という．先天的に一方のアレルに変異があり偶然にもう一方のアレルに変異が生じてがんを発症する場合と，元々には変異がなく2回の変異によってがんを発症する場合とを比較すると，前者の方が若年で発症することになる．

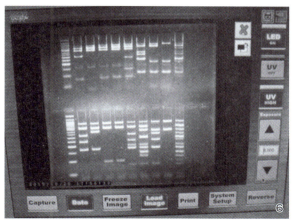

写真 3-1　POT 法の実際
1：細菌の培養，2：DNA 抽出，3：PCR，4：電気泳動，5：紫外線で観察，6：遺伝子型の判定．
バンドのパターンが同じであれば，同一起源といえる．

が広く行われるようになって以降，加速している．これに伴い，病名のなかに，変異遺伝子の名称が組み入れられたり，診断基準に変異遺伝子の存在が明記される疾患も少なくない．そのため，疾患や病型の診断に，染色体検査や遺伝子関連検査が必須となる疾患や病型がある．

　腫瘍細胞の異常増殖の分子機序の解明に伴い，その治療薬にも大きな変化が生じている．すなわち，あらゆる細胞の DNA 複製などを非選択的に阻害して殺細胞効果をもたらす従来型の抗悪性腫瘍薬から，患者ごとの変異遺伝子が産生した異常分子の働きを阻害する**分子標的治療薬**による，個別化治療への変化である．薬の有効性や副作用の予測，治療効果のモニタリングのために行う検査を**コンパニオン診断**というが，この領域でも遺伝子関連検査が重要な役割を果たす．たとえば，肺がんに対する分子標的治療薬である EGFR チロシンキナーゼ阻害薬（ゲフィチニブなど）は，PCR 法を用いたコンパニオン診断によって肺がん細胞の *EGFR* 遺伝子変異が確認されて有効性が期待できる症例が，投与の適応となる．適切な分子標的治療薬を選択するには，その患者の腫瘍細胞の遺伝子変異を解析する必要があり，遺伝子関連検査が重要となっている．

3　生殖細胞系列遺伝子検査

　変異を有する疾患責任遺伝子の遺伝に起因する**遺伝性疾患**の診断には，遺伝

病名に変異遺伝子の名称が組み入れられている疾患
たとえば，血液腫瘍の WHO 分類における「*NPM1* 変異を伴う急性骨髄性白血病」などがある．

遺伝子の正式名称
遺伝子の正式名称や正式な略号は，しばしば変更されることがある．Web の NCBI (National Center for Biotechnology Information) の Gene のページ (https://www.ncbi.nlm.nih.gov/gene) を確認することが望ましい．

コンパニオン診断
治療薬の効果を期待できる患者や有害事象が生じるリスクが高い患者を選別し，その薬の投与量や投与終了を決定するための検査である．より狭義には，腫瘍に対する分子標的治療薬と一体になって開発された，投与対象となる患者の標的分子を調べるための検査を指し，個別化医療における治療選択のための検査である．遺伝子変異や蛋白発現などを，遺伝子関連検査や病理標本の免疫染色などによって検査する．
なお，この検査は companion diagnostics の直訳として，コンパニオン診断という用語が広く用いられているが，厳密には診断とは医師が行う判断であるため，コンパニオン診断検査もしくはコンパニオン検査という用語を用いることもある．

子関連検査が必須である．Huntington（ハンチントン）病や筋ジストロフィーなどの神経筋疾患，遺伝性難聴，Fabry（ファブリー）病などの先天性代謝異常症，先天性QT延長症候群などの心臓疾患などで遺伝子関連検査が行われている．発症者の診断だけでなく，**保因者診断**が行われることもある．生殖細胞系列遺伝子検査はその結果が生涯不変であり，本人だけでなく血縁者にも影響しうるため，検査に際しては倫理に配慮した対応が必要である．また，**家族性腫瘍**である遺伝性乳癌卵巣癌症候群を診断するための*BRCA1/2*遺伝子変異の検査や，Lynch（リンチ）症候群を診断するためのマイクロサテライト不安定性検査が保険診療で行われるようになった．

疾患の診断ではないが，抗悪性腫瘍薬イリノテカンの副作用を予測する*UGT1A1*遺伝子多型などの**ファーマコゲノミクス（PGx）検査**も生殖細胞系列遺伝子検査である．また，個人識別のための検査として，白血病に対する造血幹細胞移植後の血球や骨髄細胞の，患者由来の細胞と提供者由来の細胞の比率を調べるためのキメリズム解析がある．ヒト白血球抗原（HLA）検査も，従来の血清学的タイピングから，PCR法を用いたDNAタイピングに移行した．

> **Lynch症候群**
> Lynch症候群とは，若年発症する大腸がんや子宮内膜がんなどが多発する患者が家系内で認められる症候群で，ミスマッチ修復遺伝子の生殖細胞系列の病的変異に起因する．

> **ファーマコゲノミクス検査**
> ファーマコゲノミクス検査とは，薬剤代謝に関連する遺伝子の，遺伝子型に起因する有害事象の発生の軽減を目的とする検査である．抗悪性腫瘍薬の代謝が遅延する遺伝子型であれば，高度の白血球減少が予測されるため，投与量を減らすなどの対応をする．

II 遺伝子関連検査の手法

遺伝子関連検査にはさまざまな検査手法が用いられる．おもな検査手法の概略を説明する．

1 サザンブロット法

リンパ系腫瘍細胞での免疫グロブリン遺伝子やT細胞受容体遺伝子の単クローン性の再構成や，成人T細胞白血病/リンパ腫の腫瘍細胞におけるHTLV-1プロウイルスDNAの単クローン性の組み込みを検出する検査などで用いられる手法である．単クローン性の細胞集団が含まれることを示すことで，反応性増殖ではなく，腫瘍性であることの証拠となる．臨床で用いられる遺伝子関連検査の古典的な手法であり，1980年代には慢性骨髄性白血病の*BCR::ABL1*遺伝子再構成や，急性前骨髄球性白血病の*PML::RARA*遺伝子再構成の検出にも用いられていた．しかし，サザンブロット法は手間がかかり，より簡単に実施できるFISH法やRT-PCR法で検査できるようになったため，これらの検出にサザンブロット法は用いられなくなった．

1) サザンブロット法の原理

サザンブロット法の原理を示す（**図3-1**）．細胞から抽出したDNAに制限酵素を作用させると，種々の長さのDNA断片の集合体になる．これをアガロースゲルで電気泳動すると，各断片が長さに応じて分離される．このゲル内に分離されたDNA断片をメンブレンに転写する．

次に，調べようとする遺伝子に特異的に結合するDNA断片（**プローブ**とい

> **サザンブロット**
> 厳密には，DNAの転写操作をサザンブロットという．サザン（Southern）氏が開発したことに由来する．

> **メンブレン**
> DNA断片やRNAを吸着する膜．ナイロン膜またはニトロセルロース膜を用いる．

> **熱変性**
> プローブ液を100℃に熱した後に急冷して，プローブDNAを二本鎖から一本鎖にする操作．

> **アルカリ変性**
> 泳動後のゲルをNaOHを含む変性溶液に浸すことにより，ゲル内の二本鎖DNAを一本鎖にする操作．

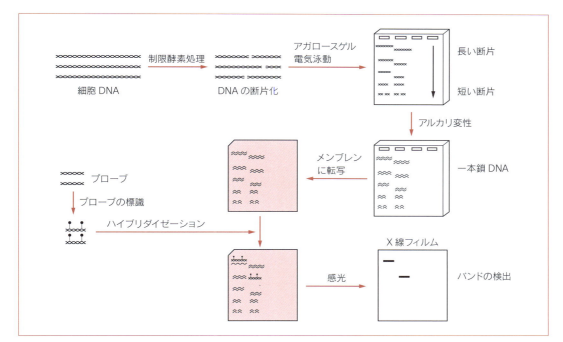

図 3-1　サザンブロット解析の流れ

う）を標識する．標識されたプローブを熱変性により一本鎖にしてメンブレンにかけると，目的とする遺伝子のDNA断片にプローブが結合する．プローブを化学発光させる処理を行い，X線フィルムをあてがうと，目的の断片に結合したプローブから発する光により，フィルム上にバンドが現れる（**図 3-1**）．

　目的とする遺伝子に異常のない検体では，ある制限酵素処理によって生じるバンドの位置（DNA断片長）は一定である．その遺伝子に再構成などの変異が起きている検体では，断片の長さが異なってくるため，バンドが異なった位置に現れる．また，その遺伝子が完全に欠失している検体ではバンドが認められない．こうした所見により，その遺伝子の異常が検出される．

2）制限酵素処理

　制限酵素とは，4〜8塩基対の特定の塩基配列の二本鎖DNAを認識して切断する酵素である．100種類以上あるが，EcoRIやHindIIIなどがよく用いられる（**図 3-2**）．文献や成書に基づき，目的とする解析に適切な制限酵素を決める．変異を見逃さないようにするため，通常は2種類以上の酵素を用いる．2種類の酵素で二重に処理すると明瞭な結果が出ることもある．各制限酵素に適したバッファー（制限酵素に10倍濃度バッファーが添付されている）を用いる必要がある．

3）プローブの標識

　プローブとは，調べようとする遺伝子の特定の領域に特異的に結合する二本

> **ハイブリダイゼーション**
> 一本鎖にしたプローブDNAが，それに相補的な塩基配列をもつメンブレン上の一本鎖のDNA断片と結合することをハイブリダイゼーション（hybridization）という．

> **制限酵素処理①**
> 制限酵素は失活を防ぐため−20℃で保存し，使用時はフレークアイス中や4℃に設定した保冷バケットにおく（**写真 3-2**）．DNA 1 μgあたり1〜5単位の制限酵素を加える．1単位の定義は，37℃で1時間に1 μgのλファージDNAを完全に分解する酵素量である．

> **制限酵素処理②**
> DNA濃度が濃すぎると制限酵素の作用が弱まり，DNAが切断されにくくなる．制限酵素の量（単位ではなく μL）は総量の1/10以下にする．これ以上にすると，制限酵素液に含まれるグリセロールにより反応が影響を受ける．

写真3-2 保冷バケットとフレークアイスを入れた発泡スチロール箱

図3-2 おもな制限酵素のDNAの切断の仕方

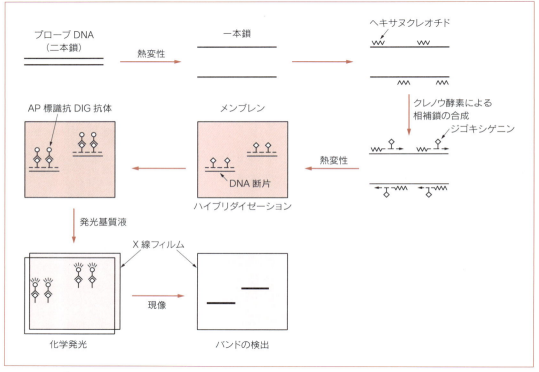

図3-3 ジゴキシゲニン法の原理

鎖DNAであり，メンブレン上のその領域のDNA断片を検出するために用いられる．プローブの標識には，以前は放射性同位元素（RI）を用いたが，現在は**非RI標識法**が広く用いられる．多様な標識キットが試薬メーカーから市販されているが，ここではジゴキシゲニン（DIG）法を説明する（**図3-3**）．

この方法の原理は，プローブDNAを熱変性で一本鎖にし，ランダムプライマー（ヘキサヌクレオチド）を結合させ，これを足場としてクレノウ酵素により相補鎖を合成する．このとき，ジゴキシゲニン標識デオキシウリジン三リン酸（DIG-dUTP）が取り込まれてプローブが標識される．メンブレン上の目的

クレノウ酵素

クレノウ酵素とはクレノウ断片ともいい，大腸菌DNAポリメラーゼから5'→3'エキソヌクレアーゼ活性をもつ部分を除いた断片で，報告者の名に由来する．

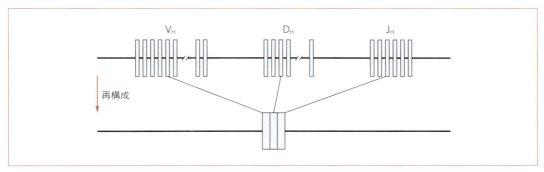

図 3-4　*IGH* 遺伝子（免疫グロブリン重鎖遺伝子）の再構成
縦長の四角はエクソンを示す．

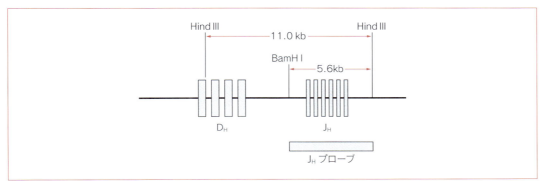

図 3-5　J_H 領域の制限酵素地図

DNA 断片にプローブが結合し，このプローブにアルカリホスファターゼ（AP）標識抗 DIG 抗体が結合し，さらにアルカリホスファターゼの発光基質が作用すると化学発光が起こり，あてがわれた X 線フィルムにバンドとしての像が得られる．

4）サザンブロット法の応用

　サザンブロット法の臨床での応用例を示す．リンパ節腫脹やリンパ球増加が，腫瘍性か反応性かを細胞形態や細胞表面抗原解析などで判断できない場合に，免疫グロブリン遺伝子やT細胞受容体遺伝子の**単クローン性**の再構成の存在をサザンブロット法で示すことで，腫瘍性を証明できる．

　IGH 遺伝子は，B リンパ球以外の細胞では受精卵以降，変わることはない．しかし B リンパ球では，多様な抗原に対して抗体を産生する必要性から，この遺伝子に再構成が起こる．**図 3-4** に示すように，*IGH* 遺伝子の V_H，D_H，J_H とよばれる領域は複数個の単位からなるが，B リンパ球の成熟過程でこれらから 1 つずつが選ばれて結合し，残りの部分は切り出される．この選ばれた部品の組み合わせの多様性によって，多様な抗体が産生される．

　ゲノム DNA を HindⅢ で切断して泳動し，**図 3-5** で示す J_H プローブを結合させると，B リンパ球以外の細胞では 11.0 kb の断片がバンドとして検出され

> **プローブの直接標識**
> DIG 法以外に，アルカリホスファターゼでプローブ DNA を直接に標識して，抗体反応を行わずに短時間で検出する方法もある．ただし，プローブの保存性や再利用の点では DIG 法が勝っている．

> *IGH*遺伝子：免疫グロブリン重鎖遺伝子，immunoglobulin heavy locus

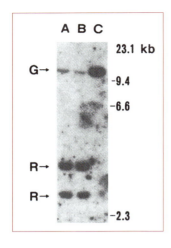

写真 3-3　B リンパ球性腫瘍の IGH 遺伝子のサザンブロット解析の例
B リンパ球性白血病患者の血液（レーン A）と骨髄液（レーン B），および健常人の血液（レーン C）から抽出した DNA を HindⅢで切断して泳動し，J_H プローブを用いてサザンブロット解析を行った．G：germline，R：再構成バンド．

表 3-2　IGH 遺伝子再構成をみるサザンブロット解析

細胞	IGH 遺伝子再構成	サザンブロットでのバンド
正常 B 細胞	多様な再構成	スメア状（バンドはみえない）
腫瘍性 B 細胞	同一の再構成	再構成バンド
B 細胞以外の細胞	再構成しない	胚細胞型バンド

る（germline という）．正常 B リンパ球ではこの領域の遺伝子配列が細胞ごとに異なり（多クローン性という），また J_H プローブに結合する HindⅢの切断断片の長さも多様であるためスメア状となり，バンドとして検出されない．一方，B リンパ球性腫瘍では再構成を受けた一細胞が単クローン性に増殖するため，germline とは異なった長さの断片がバンドとして検出される（再構成バンドという）．よって，J_H プローブのサザンブロット解析で再構成バンドを認めるということは，B リンパ球性腫瘍が存在することを示す（**写真 3-3，表 3-2**）．

2　PCR 法
1）PCR 法の意義

　PCR 法は，調べようとする遺伝子に特異的に結合する 2 つの**プライマー**（センスプライマー，アンチセンスプライマーとよぶ）に挟まれた DNA 領域を，プライマーを足場として働く **DNA 合成酵素**（ポリメラーゼ）を連鎖的に反応させることにより，指数関数的にその領域の DNA 断片量（PCR 産物）を増幅させる方法である．プライマーとは，増幅したい DNA 領域の両端の塩基配列に対し，相補的な塩基配列をもったオリゴヌクレオチド鎖（20 塩基前後）である．この方法で，微量の DNA 検体から調べようとする DNA 断片のみを増幅し，電気泳動後にエチジウムブロマイド染色して紫外線を照射することにより，目的とする DNA 断片の有無やその長さを肉眼で確認できる．

　プライマーは特定の塩基配列のみに結合するため，検体中に目的とする DNA が存在しなければ PCR 産物は生成されない．このことより，PCR 産物が認め

> **再構成バンドの検出限界**
> 検体の全細胞の約 5％以上を腫瘍細胞が占めれば，再構成バンドは検出可能である．

> germline：ジャームラインと読む

> **プライマー**
> センスプライマーとアンチセンスプライマーのほか，フォワードプライマーとリバースプライマー，5′ プライマーと 3′ プライマーと表記されることもある．

> **プライマーの長さ**
> DNA 断片の長さは 20 bp（base pair：塩基対）と記載するが，プライマーは一本鎖なので，20mer と記載する．mer（マー）は塩基配列 1 つに用いる単位．

> **PCR 産物の特異性の確認**
> PCR 産物が塩基配列から予想される長さと同じであることで，非特異的産物ではない根拠とする．より厳密に行う必要がある場合は，PCR 産物の制限酵素処理による断片化や塩基配列決定などにより確認する．定性 PCR 法では，検体中の目的 DNA のコピー数といった定量的な検査はできず，後述のリアルタイム PCR 法を必要とする．

られなければその DNA は存在せず，産物が生じれば存在することの証明となる．この原理は，喀痰や血液などの検体中の細菌やウイルスの存在を調べる検査に応用されている．

2）PCR 法の原理

PCR 法は，反応液の温度を変えることで起こる 3 ステップからなる DNA 合成反応の繰り返しによるものである（図 3-6）．

(1) 熱変性

反応液を 94～95℃に加熱することにより，DNA 合成の鋳型となる検体の二本鎖 DNA を一本鎖にする．これを熱変性という．

(2) アニーリング

反応液をおよそ 55℃（至適温度はプライマーの長さと GC 含量によって異なる）に下げると，増幅したい DNA 領域の両端にプライマーが結合する．これをアニーリングという．

(3) 伸長

反応液を 72℃に上げると，*Taq* ポリメラーゼ（耐熱性の DNA 合成酵素）がデオキシヌクレオシド三リン酸（dNTP：dATP, dCTP, dGTP, dTTP を混合したもの）を材料として，結合したプライマーの隣（3' 方向）に次々と相補鎖を合成し二本鎖を延ばす．これを伸長という．

(4) 増幅

再び熱変性に戻って 94～95℃に加熱し，伸長で形成された二本鎖を一本鎖にし，55℃でプライマーを結合させ，72℃で DNA を合成させる，という反応を繰り返す．1 サイクル目では，図 3-6 のように，目的とする領域を超えた長さの DNA 鎖が合成されるが，2 サイクル目以降になると，プライマーに挟まれた長さの断片が 2 倍ずつ増えていくことになる．通常，30 サイクル前後行う．

(5) PCR 産物の電気泳動と検出

PCR 反応液のアガロースゲル電気泳動を行う．アガロースゲルをエチジウムブロマイド染色し，トランスイルミネータで紫外線を照射して観察し，写真撮影する．バンドの有無とそのサイズ（PCR 産物が何 bp の長さであるか）を確認する．PCR 産物が短い（100 bp 以下）場合は，アガロースゲルで電気泳動すると，バンドが太くなり，サイズのわずかに異なる 2 つのバンドの区別がつかないことがある．こうした場合，ポリアクリルアミドゲルで泳動を行うと，バンドが明瞭な細い線として観察される．

3）定性 RT-PCR 法

(1) RT-PCR 法の意義

RT-PCR 法とは，メッセンジャー RNA（mRNA）を鋳型として，**逆転写酵素**（reverse transcriptase）によって**相補的 DNA**（complementary DNA；cDNA）を合成し，この cDNA を鋳型として PCR を行う方法である．RNA は PCR で

2 ステップ PCR

2 ステップ PCR（シャトル PCR）という，94～95℃と 60～68℃の 2 つの温度で PCR を行うことで時間の短縮を図る方法もある．これは，60～68℃でも伸長反応が起こるためである．ただし，プライマーを長めにし，GC 含量を高めにすることで，アニーリング温度がこの範囲に入るように設計する必要がある．

ヌクレオシドとヌクレオチド

ヌクレオシド（塩基と糖が結合）にリン酸基が結合したものがヌクレオチドである．

PCR 産物の量

理論的には，PCR 産物量は，サイクルごとに 2 倍，4 倍，8 倍，16 倍……2^n 倍と増えるはずであるが，実際には，ある程度反応が進むと dNTP やプライマーが枯渇したり，*Taq* ポリメラーゼが失活してくるなどの理由で，頭打ちになる．

RT-PCR：reverse transcription-polymerase chain reaction

相補的 DNA

RNA のウラシル（U）の相補塩基はアデニン（A）である．

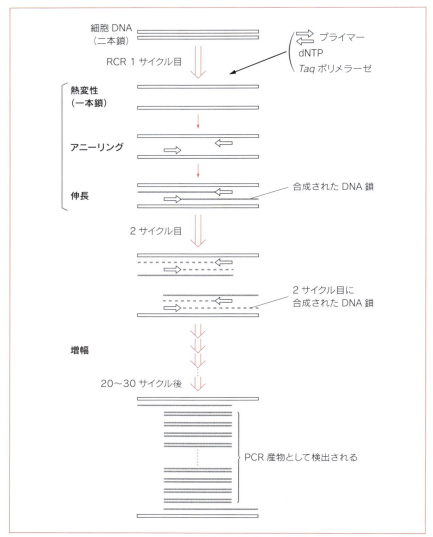

図 3-6　PCR 法の原理

増幅されないため，DNA に変えてから増幅するのである．これによって，微量の mRNA，すなわち遺伝子発現を高感度に検出することができる．

RT-PCR 法は，造血器腫瘍などでの染色体転座によって形成される**融合遺伝子**（キメラ遺伝子）の検出によく用いられる．異なる染色体上の 2 つの遺伝子にプライマーを設定すると，融合遺伝子が存在すれば，PCR の反応が起こるはずである．しかし実際には，両者の遺伝子のエクソンの間には長いイントロン（mRNA ができあがる前に切り出される部分）が介在することが多く，通常のPCR は生成物が 1,000〜2,000 bp を超えるとかからなくなる．そこで解析の対象を mRNA にすれば，イントロンに相当する部分が切り出され，2 つのプライマー間の距離が短くなるため，PCR が良好にかかるわけである（図 3-7）．

> **ゲノム DNA と cDNA の区別**
> RNA 抽出時に DNA 分解酵素を使用しないと，合成した cDNA にゲノム DNA が混在する可能性があるが，プライマー間にイントロンが介在するようにプライマーを設計するため，混在するゲノム DNA による PCR 産物は生じなかったり，生じたとしてもその長さが著しく異なる．そのため，cDNA からの PCR 産物とは区別することができる（図 3-7）．

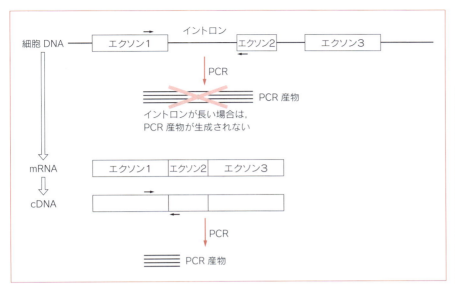

図3-7 cDNAを鋳型としたPCR産物と，細胞DNAを鋳型としたPCR産物

> **ハウスキーピング遺伝子**
> ハウスキーピング遺伝子とは，あらゆる細胞で常にほぼ一定量のmRNAを発現している遺伝子であり，これらのPCR産物が認められなければ，①検体RNAが分解され適切に抽出できていなかった，②逆転写反応が正しく行われなかった，③PCRが正しく行われなかったなどの可能性が考えられる．GAPDH遺伝子やβ-アクチン遺伝子が用いられることが多い．

表3-3 RT-PCRの1ステップ法と2ステップ法の比較

	方法	RT用プライマー	用いる酵素	特徴
1ステップ法	RTとPCRを1チューブで続けて行う	配列特異的プライマー	RT活性を有するTth DNAポリメラーゼ，もしくは，逆転写酵素とTaqポリメラーゼ*を混合	手間がかからない
2ステップ法	RTの後に，別のチューブでPCRを行う	ランダムヘキサマーが一般的	逆転写酵素とTaqポリメラーゼ*を各々のステップで使用	cDNAを内部コントロールを含めた複数の遺伝子のPCRに使用できる

RT：逆転写反応（cDNA合成），*Taqポリメラーゼ以外の目的に応じたPCR用酵素でもよい．

RT-PCRには1ステップ法と2ステップ法があり，**表3-3**のような特徴がある．
　RT-PCR法には定性法と後述の定量法がある．いずれの方法もごく微量のmRNAを検出できるため，融合mRNAをつくる腫瘍細胞の，治療後の微小残存細胞の検出による治療効果判定や，再発の早期発見に役立っている．RT-PCR法は臨床検査では融合遺伝子の発現，すなわち，それを産生する腫瘍細胞の検出のために行われるが，研究では遺伝子発現を調べる目的で用いられる．

(2) 定性RT-PCR法の原理

　細胞から抽出したRNA（mRNAを含む）に，プライマーとしてランダムヘキサマー（ランダムな配列の6つの塩基からなるオリゴヌクレオチド）を添加すると，ランダムにRNA鎖上に結合する．逆転写酵素とDNA合成の材料であるdNTPにより，結合したプライマーを足場として逆転写酵素がRNAを鋳型としたcDNAを合成する．このcDNAを鋳型として，発現を調べようとする遺伝子の配列に特異的なプライマーを用いて，前項で述べた方法でPCRを行う（**図3-8**）．

> **逆転写反応のプライマー**
> 逆転写反応のプライマーとして，mRNAの尾部にあるポリA配列に結合するオリゴdTプライマーを用いることもある．ランダムヘキサマーと異なりmRNAのみが逆転写される利点はあるが，mRNAの上流に相当する領域でPCRを行う場合は，検出効率が悪くなる．特定のmRNAに対する配列特異的プライマーを用いてcDNA合成を行うこともある．

II　遺伝子関連検査の手法

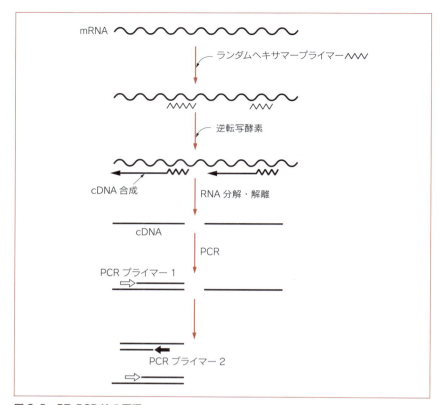

図 3-8　RT-PCR 法の原理

　電気泳動により予想されるサイズの PCR 産物が検出されれば，その mRNA が発現していたことを示す．融合遺伝子の検出では，PCR 産物が検出されれば，その融合遺伝子が存在していることを示し，その融合遺伝子に特異的な疾患や病型の細胞があることの証拠となる．また，PCR 産物の長さの違いによって，遺伝子の融合の様式（遺伝子の切断点）の違いを検出できる場合もある．

(3) 定性 RT-PCR 法の応用

　慢性骨髄性白血病（CML）の *BCR::ABL1* 融合 mRNA を定性 RT-PCR 法によって検出する例を示す．CML の 9 割以上の症例では，9 番染色体長腕と 22 番染色体長腕の相互転座によるフィラデルフィア染色体（Ph 染色体）が認められる．9 番染色体の切断点には *ABL1* 遺伝子が，22 番染色体の切断点には *BCR* 遺伝子があり，染色体転座によって遺伝子再構成が起こり，*BCR::ABL1* 融合遺伝子が生じる（図 3-9）．CML 症例では，*BCR* 遺伝子内の切断点は，major breakpoint cluster region（M-BCR）に集中している．ほとんどの症例では *BCR* 遺伝子の M-BCR のイントロン 13，もしくはイントロン 14 で切断され，*ABL1* 遺伝子と融合している．この融合遺伝子から，イントロン 14 で切断された症例では図 3-10a のような，またイントロン 13 で切断された症例では図 3-10b のような融合 mRNA が転写される．

> **フィラデルフィア染色体（Ph 染色体）**
> Ph 染色体とは相互転座によって長腕の短くなった 22 番染色体のことである．これを初めて検出した施設の都市名に由来する．急性リンパ性白血病（ALL）でも Ph 染色体を認めることがあるが，この切断点は，図 3-9 に示す minor-BCR（m-BCR）であることが多く，図 3-10c のような mRNA となる．

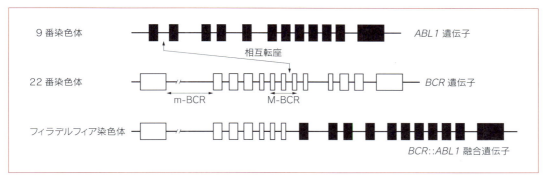

図 3-9 CML における *BCR::ABL1* 遺伝子再構成
M-BCR：major breakpoint cluster region, m-BCR：minor breakpoint cluster region.

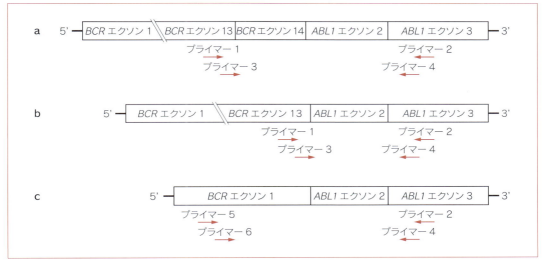

図 3-10 CML とフィラデルフィア染色体陽性 ALL における *BCR::ABL1* 融合 mRNA の構造
a, b：CML タイプ，c：ALL タイプ．
プライマーの塩基配列は van Dongen らの論文（*Leukemia*, 13：1901～1928, 1999）を参照．

　CML 患者の末梢血の白血球から抽出した mRNA から cDNA を合成し，**図 3-10** に示した論文のプライマー 1 と 2 を用いて PCR を行い，その PCR 産物を鋳型とし，プライマー 3 と 4 を用いて 2 ラウンド目の PCR を行い（nested PCR），電気泳動を行う（**写真 3-4**）．M-BCR で再構成する *BCR::ABL1* 融合遺伝子があれば，切断点に応じて 360 bp（**図 3-10a, 写真 3-4**）あるいは 285 bp（**図 3-10b**）の PCR 産物が検出される．1 ラウンドのみの PCR では約 1,000 個に 1 個の白血病細胞を検出する程度の感度であるが，nested PCR では 10^5〜10^6 個に 1 個の白血病細胞を検出できる．

4）PCR を応用した解析法
(1) AS-PCR 法と PCR-RFLP 法
　遺伝子の特定の塩基の**一塩基置換**を検出する場合，後述するシークエンス解

 nested PCR
PCR を行い，その PCR 産物を鋳型とし，その内側に設定したプライマーを用いて 2 回目の PCR を行うことを，nested PCR という．検出限界と特異度が増す．

急性リンパ性白血病（ALL）の*BCR::ABL1* minor-BCR（m-BCR）で再構成する ALL では，プライマー 5 と 2 を用いて 1 ラウンド目の PCR を行い，プライマー 6 と 4 を用いて 2 ラウンド目の PCR を行うと，381bp（図 3-10c）の PCR 産物が検出される．

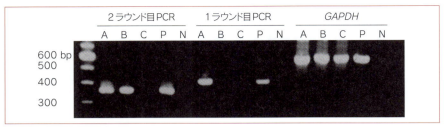

写真3-4　CMLの症例のnested RT-PCR法による*BCR::ABL1*融合mRNAの検出
A：治療開始前の症例，B：イマチニブ6カ月投与後の症例，C：イマチニブにより分子生物学的完全寛解となった症例，P：ポジティブコントロール（K562細胞株），N：ネガティブコントロール（蒸留水）．

析を用いるのが標準的であるが，より簡便で検出感度を高くする場合に用いられる代替法である．AS-PCR法は，実際にはいろいろと工夫された検査法があるが，簡潔にいえば，変異を有する塩基配列に結合するプライマーを用いてPCRを行うことで，アガロース電気泳動でPCR産物が認められれば，この変異があることになる．

AS-PCR：allele specific（アレル特異的）-PCR

　PCR-RFLP法は，特定の変異が知られている塩基を挟む領域でPCRを行い，PCR産物を制限酵素で処理してアガロースゲル電気泳動を行いPCR産物の断片長を確認する．塩基に変異がなければ制限酵素で切断されて2本のバンドになり，塩基に変異があると制限酵素で切断されなくなって1本のバンドになることを利用して変異を検出する方法である．目的とする塩基配列が特定の制限酵素の認識配列になっている必要がある．

PCR-RFLP：PCR-restriction fragment length polymorphism，制限酵素断片長多型解析

(2) MLPA法

　遺伝子変異の解析において，数塩基程度の短い領域の欠失や重複は後述のシークエンス解析で検出されるが，エクソン単位など長い領域の欠失や重複はシークエンス解析では検出できないため，MLPA法が用いられる．目的とする複数の遺伝子領域に対して，それぞれ特異的に結合する2本のプローブを結合させる．2本のプローブはDNAリガーゼによって連結される．それぞれのプローブの端に，共通の蛍光標識PCRプライマー結合部位があり，PCRによって，鋳型DNAではなくプローブを増幅する．目的とする領域によってPCR産物の長さが異なることで区別できるよう設計されている．PCR産物を蛍光キャピラリー電気泳動で分離する．それぞれの目的領域の蛍光ピークの面積を，健常対照検体のピークと比較することで，欠失や重複を評価する．後述の遺伝性乳癌卵巣癌症候群の*BRCA1/2*遺伝子の変異の検出などに用いられている．

MLPA：multiplex ligation-dependent probe amplification

 DNAリガーゼ
DNAリガーゼとは，DNA連結酵素のことで，2本のDNA鎖の末端同士をつなぐ酵素である．

3　リアルタイムPCR法
1）リアルタイムPCR法の原理

　リアルタイムPCR法は，DNA増幅装置と分光蛍光光度計を一体化した装置を用いて，PCR増幅産物量をサイクルごとにリアルタイムに検出し，解析する方法である．これにより，目的とするDNA（RT-PCRの場合はRNA）の元の

 DNA結合色素法
DNA結合色素法は特殊なプローブは不要で，定性PCR用のプライマーをそのまま用いて定量PCRを実施できるが，非特異なPCR産物やプライマーダイマー（プライマー同士がアニーリングして伸長反応が生じたもの）も蛍光シグナルを生じるという欠点がある．

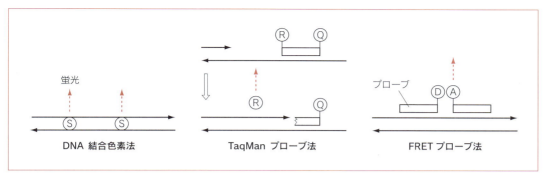

図 3-11　リアルタイム PCR 法の発光の原理
S：SYBR Green I, R：リポーター色素, Q：クエンチャー色素, D：ドナー色素,
A：アクセプター色素.

検体中のコピー数を推測することができる．PCR 産物量は蛍光強度として測定されるが，蛍光を発する原理として次の 3 つの方法がある（**図 3-11**）．

リアルタイム PCR 法は，臨床検査領域では血液中のウイルスの DNA や RNA の定量，白血病の融合 mRNA の定量などで多用されており，用いられる方法は後述の TaqMan プローブ法が多い．

(1) DNA 結合色素（インターカレーション）法

蛍光物質 SYBR Green（サイバーグリーン）は二本鎖 DNA の塩基対間に結合すると，励起光によって蛍光を発する．SYBR Green I を反応液に混ぜて PCR を行い，各サイクルでの伸長反応の終了時の蛍光強度を測定することで，そのサイクル時点での PCR 産物量がわかる．

(2) ハイブリダイゼーションプローブ法

原理の異なる 2 種類があるが，①の TaqMan プローブ法が広く用いられている．

① **TaqMan プローブ法**：TaqMan プローブとは，PCR で増幅する領域内の配列に特異的に結合するプローブで，その一端に**リポーター色素**が，他端に**クエンチャー色素**（消光物質）が結合している．この状態ではリポーター色素の蛍光はクエンチャー色素によって抑制される．このプローブを混ぜて PCR を行うと，PCR のアニーリング期にプローブが PCR 産物に結合し，伸長期に *Taq* ポリメラーゼによる伸長反応に伴って，結合しているプローブの分解が起こり，リポーター色素がクエンチャー色素から遊離して蛍光を発するようになる．その強度がそのサイクル時点での PCR 産物量を示すことになる．サイクルごとに蛍光強度が増し，その後，頭打ち状態となるが，蛍光強度のグラフの立ち上がり期のデータで計測されるため問題はない．

② **FRET プローブ法**：増幅する DNA 領域内の塩基配列に特異的で，隣接する 2 つのプローブを作製し，一方には**ドナー色素**，他方には**アクセプター色素**を結合させておく．両色素が近接すると，蛍光共鳴エネルギー転移によって蛍光を発する．PCR プライマーに加えて，これら 2 つのプローブを混ぜて

融解曲線（melting curve）
DNA 結合色素法でのリアルタイム PCR の増幅反応が終わった後，温度を 58℃前後に下げて PCR 産物をすべて二本鎖にした後，95℃まで温度を徐々に上げていくとき，ある温度に達すると一本鎖に解離するため，SYBR Green I の蛍光シグナルが急に低下する曲線が得られる．横軸に温度を，縦軸に蛍光強度の一次微分の負の値をとるグラフに変換すると，PCR 産物が目的とするものだけであれば，同一の温度のピークが一つだけできる．

ハイブリダイゼーションプローブ法
ハイブリダイゼーションプローブ法は，目的遺伝子に応じた標識プローブを作製する必要があり高コストとなるが，PCR プライマーとプローブの両者によって塩基配列が認識されるため，得られる結果の特異性が高いという長所がある．

TaqMan
TaqMan は登録商標だが，現状は普通名詞のように用いられている．

蛍光共鳴エネルギー転移
蛍光共鳴エネルギー転移（fluorescence resonance energy transfer；FRET）とは，ドナー色素に励起光を当てると励起状態となり，そのエネルギーは蛍光にはならずに，共鳴により隣接するアクセプター色素に転移して励起させ，蛍光を発する現象をいう．

PCRを行うと，各サイクルでのアニーリング期に，PCR産物に両プローブが近接してハイブリダイズすることによって蛍光を発する．この強度を測定することで，そのサイクル時点でのPCR産物量がわかる．

2) リアルタイムPCR法による定量解析

リアルタイムPCR法を行うときは，検体とともに，目的とするDNAもしくはcDNAの濃度既知（コピー数/μL）の標準サンプルを10倍希釈系列で3〜5段階に希釈したサンプルも合わせて測定する．PCRを開始すると，横軸にPCRサイクル数，縦軸に蛍光強度（すなわち，PCR産物量）をとった，すべての検体の蛍光強度の推移を示すグラフが色分けして現れる（**図3-12**）．目的とするDNAを多く含むサンプルほど，少ないサイクル数でグラフが立ち上がる．PCR完了後，段階希釈した標準サンプルの各グラフにおいて，増幅が指数関数的に起きている領域（グラフが右上方に直線的に立ち上がっている領域）で，一定の蛍光強度に達するサイクル数（**閾値サイクル数：Ct値**）を求める．この標準サンプルの結果を，濃度を対数目盛で横軸にとり，閾値サイクル数を縦軸にとってプロットして**検量線**を作成する．測定したい検体のグラフから閾値サイクル数を求め，検量線にあてがうことにより，この検体の濃度（コピー数/μL）を求める．この一連の解析は，装置に組み込まれたソフトウェアによって自動的に行われる．

リアルタイムPCR法では，PCR後にゲル電気泳動をする必要がない．DNA結合色素法では，目的とするPCR産物のみが増幅していることは，PCR産物の**融解曲線**が同一温度で一つのピークを形成することで確認されるが，疑わしい場合はゲル電気泳動を行い，バンドが1本で予想されるサイズであることを確認する．

Ct値
Ctとは threshold cycle の略である．Cp値（crossing point），Cq値（quantification cycle）と記載されることもある．

2次微分最大値法によるCt値
Ct値の算出方法には，閾値と増幅曲線の交点をCt値とする方法のほかに，増幅曲線の2次微分値（増幅速度の変化率）が最大となるサイクル数をCt値とするsecond derivative maximum 法がある．

絶対定量と相対定量
リアルタイムPCR法による定量解析には，コピー数既知の標準サンプルによる検量線を用いて検体を定量する絶対定量と，検体間の相対的な比較をする相対定量がある．臨床検査で用いられるのは前者である．後者は研究分野で検体間の遺伝子発現の比較などに用いられ，比較Ct法/ΔΔCt法（Δはデルタと読む）などが用いられる．

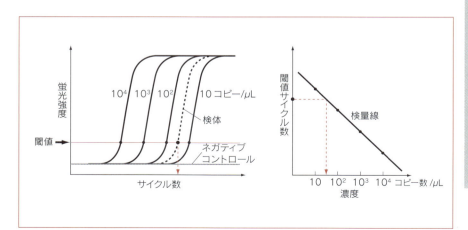

図3-12 リアルタイムPCR法の定量の原理
蛍光強度の推移のグラフ（左）と検量線（右）．

3）定量 RT-PCR 法

　前述の定性 RT-PCR 法には定量性がないという欠点がある．たとえば，慢性骨髄性白血病（CML）に対するチロシンキナーゼ阻害薬の効果判定として，*BCR::ABL1* 融合 mRNA の RT-PCR 法による検査が定期的に行われる．定性法の場合，陽性が続いていた患者が陰性化すると，分子学的完全寛解と判定される．しかし，陽性が続いている間は，白血病細胞が減りつつある陽性か（有効），増えつつある陽性（無効）かは判断できない．PCR 産物は最終サイクルまで 2 倍ずつ増え続けることはなく，途中で頭打ちとなるため，PCR 産物量の多寡（泳動でのバンドの濃さ）は当初の cDNA 量とは比例しない．そのため，検体 RNA を逆転写反応で cDNA にし，リアルタイム PCR を行う定量 RT-PCR 法が治療の効果判定に用いられている．

4）高解像度融解曲線解析

　リアルタイム PCR 法は，定量解析だけでなく一塩基置換などの変異の検出にも用いられる．高解像度融解曲線解析（HRM）用の色素を用いて前述の DNA 結合色素法の PCR を行った後，融解曲線を描くと，一塩基置換のある PCR 産物は，変異のない PCR 産物よりも低い温度で，二本鎖が一本鎖に解離して蛍光シグナルが低下するため，変異の存在が確認できる．

　Q プローブ（QP）法も，同様の原理で一塩基置換などを簡便に検出する検査法である．Q は quenching の頭文字であり，蛍光消光現象を意味する．Q プローブは蛍光標識したシトシンを末端にもち，PCR 産物に結合すると，PCR 産物側のグアニンによって消光する．低温から温度を徐々に上げると，プローブの配列と不一致のある変異型 PCR 産物は，完全一致している正常型 PCR 産物よりも先にプローブが解離して発光する．この現象を解離曲線で示すことにより，変異を検出する．臨床検査として *UGT1A1* 遺伝子多型解析（図 3-13）や血液腫瘍の一塩基置換をきたす遺伝子変異解析に用いられている．

4　デジタル PCR 法（図 3-14）

　デジタル PCR 法の反応原理は従来の PCR 法と同じであるが，従来型の多数の鋳型 DNA を含む数十 μL の反応液の入ったマイクロチューブ内ではなく，反応液を数万の微細分画に分け，1 本の鋳型 DNA を含む分画内で独立して PCR の反応を行う方法である．リアルタイム PCR 法の定量で用いられる検量線が不要であり，高感度な絶対定量が可能である．たとえば，正常細胞の中に混在する，遺伝子変異を有する少数の腫瘍細胞の定量に有用であり，変異箇所を挟んで増幅するプライマーと，変異型の配列に結合する FAM 蛍光色素標識プローブ，野生型（正常）の配列に結合する VIC 蛍光色素標識プローブを用いて PCR を行い，一つ一つの分画の蛍光を検出する．このデータを解析することで，変異アレルが何％あるかが判明する．1 つの分画に複数本の DNA が入ってしまうなどの影響は，統計学的に補正される．

測定結果の標準化

リアルタイム PCR 法で求めた濃度（コピー数/μL）から，cDNA 合成に用いた RNA 量（μg）と作製した cDNA 液の量（μL）とを勘案して，コピー数/μg RNA として測定結果を示す．しかし，この値は RNA 濃度測定の誤差や cDNA 合成の効率に影響を受ける．そのため，同じ cDNA 検体を用いて，内部標準としての *GAPDH* や β-アクチン遺伝子などといったハウスキーピング遺伝子の cDNA 濃度をリアルタイム PCR 法で測定し，目的遺伝子濃度/内部標準遺伝子濃度の比を結果としたり，内部標準遺伝子の濃度によって補正したコピー数/μg RNA の値を示したりする．定量 RT-PCR 法の結果の単位表記や，内部標準として用いる遺伝子は施設ごとに異なっており，統一が望まれる．

HRM：high resolution melting

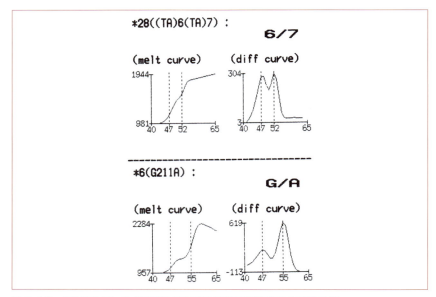

図 3-13　QP 法を用いた *UGT1A1**28*6 遺伝子多型解析の結果の例
*28 は 6/7（野生型 / 変異型）ヘテロ接合，*6 は G/A（野生型 / 変異型）ヘテロ接合の複合ヘテロのパターンであることを示している.

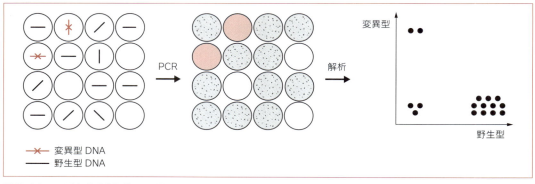

図 3-14　デジタル PCR 法の原理

5　PCR 以外の核酸増幅法

1）LAMP（loop-mediated isothermal amplification）法

　PCR 法と同様に，ある特定の塩基配列を有する DNA を増幅して検出する，日本で開発された検査法である．標的遺伝子の 6 つの領域に対する 4 種類のプライマー，鎖置換活性をもつ DNA ポリメラーゼ，dNTP，反応バッファーに検体 DNA もしくは RNA（検体が RNA の場合は逆転写酵素も加える）を混合し，65℃で 1 時間保温することにより DNA の増幅反応が進む．増幅過程で生じるピロリン酸マグネシウムによる白濁や蛍光の目視によって検出できるが，濁度測定装置を用いてリアルタイムに測定することもできる．2 つのプライマーを用いる PCR 法と異なり，LAMP 法は 4 つのプライマーを用いるため塩基配列特異性が高く，増幅効率が高いためより短時間で検出できる．さらに，3 ステ

LAMP 法の臨床応用

結核菌，マイコプラズマ，レジオネラ，百日咳菌などを検出する LAMP 法のキットを購入すれば，陽性コントロールもついており，陽性検体や特別な装置がなくても実習として実施できる．LAMP 法の原理は複雑で，栄研化学社の web サイト（https://loopamp.eiken.co.jp/lamp/）に詳細な解説がある．

ップの温度変化が必要なPCRと異なり，LAMP法は等温で反応が進むため，特殊な温度制御装置を必要としない利点がある．

2) TMA (transcription-mediated amplification) 法

淋菌やクラミジアのrRNAの検出などに用いられており，等温でRNAを増幅する方法である．T7プロモーター配列を付加したプライマーが標的RNAに結合し，逆転写酵素によってcDNAを合成し，酵素のRNase H活性により標的RNAを分解し，1本鎖cDNAとなる．続いて，もう一つのプライマーがこのcDNAの3'側に結合し，逆転写酵素のDNAポリメラーゼ活性により2本鎖DNAが合成される．これにT7 RNAポリメラーゼが作用してRNAが転写される．合成されたRNAが鋳型となって，上記の反応が繰り返されてRNAが増幅する．

増幅したRNAに相補的なアクリジニウムエステル標識一本鎖DNAプローブをハイブリダイゼーションさせ，二本鎖RNA–DNAハイブリッドを形成させる．これを加水分解すると，ハイブリッドを形成しなかった未反応のプローブのアクリジニウムエステルが失活する．ハイブリッドを形成したプローブの，アクリジニウムエステルの化学発光強度が，増幅したRNAの量を反映する．

3) TRC (transcription reverse transcription concerted reaction) 法

結核菌群のrRNAの検出などに用いられており，等温でRNAを増幅する方法である．切断用プローブが標的RNAに結合し，5'側が切断される．そのRNAの3'側にアンチセンスプライマーが結合し，逆転写酵素が作用してcDNAが合成され，酵素のRNase H活性により標的RNAを分解し，1本鎖cDNAとなる．T7プロモーター配列を付加したプライマーがこのcDNAに結合し，逆転写酵素のDNAポリメラーゼ活性により2本鎖DNAが合成される．これにT7 RNAポリメラーゼが作用してRNAが転写される．合成されたRNAが鋳型となって，逆転写酵素が作用し，上記の反応が繰り返されてRNAが増幅する．このRNAにインターカレーター性蛍光色素を標識したプローブが結合し，RNA量に応じた蛍光強度がリアルタイムに測定される．

4) NASBA (nucleic acid sequence based amplification) 法

肺炎球菌やレジオネラのrRNAの検出などに用いられており，等温でRNAを増幅する方法である．標的RNAにT7プロモーター配列を付加したプライマー1が結合し，逆転写酵素によってcDNAが合成され，標的RNAが分解されて1本鎖cDNAとなる．これにプライマー2が結合し，逆転写酵素のDNAポリメラーゼ活性により2本鎖DNAが合成される．T7 RNAポリメラーゼがT7プロモーター配列を認識して，アンチセンス配列をもつRNAが合成される．このRNAにプライマー2が結合し，逆転写酵素によってcDNAが合成され，RNAが分解されて1本鎖cDNAになる．このcDNAの3'末端にプライマー1が結

> **TMA法，TRC法，NASBA法の原理の図**
> TMA法，TRC法，NASBA法の原理は非常に複雑であるため，一連の反応を示した図を見ながら左記の解説文を読まないと理解が困難である．
> TMA法の原理を示した図は，この方法を用いた検査試薬を販売しているホロジック社のwebサイト (https://hologic.co.jp/products/diagnostics/apparatus/panther/abouttma.html) に掲載されている．
> TRC法の原理は開発元の東ソー社のwebサイト (https://www.diagnostics.jp.tosohbioscience.com/trc/trc-principle) に掲載されている．
> NASBA法の原理はカイノス社のwebサイト (http://www.kainos.co.jp/jp/products/gene/gene_02.html) に掲載されている．これらの原理は複雑だが，試薬はキット化されているため，検査手順や手技は容易である．等温増幅であるため，高価で厳密な温度制御を要するPCR装置が不要という利点がある．

図 3-15　シークエンス解析の種類

合し，逆転写酵素によって伸長して 2 本鎖 DNA となる．これによって再びアンチセンス RNA が増幅される．この NASBA 増幅産物を標識プローブによって検出する．

6　ノザンブロット法

　DNA を転写するサザンブロット法に対比して，RNA を転写する手法をノザンブロット法という．検体から抽出した RNA をアガロースゲルで電気泳動し，メンブレンに転写して，標識 DNA プローブとハイブリダイゼーションさせることで，目的とする遺伝子の mRNA 発現の有無，相対的な発現量の多寡，mRNA のサイズを解析する．ノザンブロット法は手技が煩雑なため，研究など限られた目的で使用される．mRNA 発現の検査には定量 RT–PCR 法が広く用いられる．

7　シークエンス解析（図 3-15）

　DNA の塩基配列（A, G, C, T の並び方）を決めていくことをシークエンス解析という．たとえば，白血病などでの *RAS* 遺伝子は，特定の塩基の置換（点変異）をきたすため，変異を同定するのにシークエンス解析が標準的な検査法となる．シークエンス法には，発明者の名前をとって **Sanger 法（ジデオキシ法）** と **Maxam-Gilbert 法（化学分解法）** があるが，後者は現在では行われない．Sanger 法は以前は，調べようとする DNA 断片を組み込んだプラスミドを大腸菌に入れて増やしてから解析されていた（サブクローニング後シークエンス法）が，現在は，調べようとする領域を PCR 法で増幅した産物を，同じプライマーを用いて直接，塩基配列を決める方法（**ダイレクトシークエンス法**）が用いられている．ダイレクトシークエンス法には，4 種のジデオキシヌクレオチド（dideoxynucleotide）をそれぞれ異なる蛍光色素で標識する**ダイターミネーター（dye-terminator）法**と，プライマーを標識する**ダイプライマー（dye-primer）法**があるが，前者が主流である．なお，従来は，放射性同位元素で標識したプライマーを用いて，ポリアクリルアミドゲルを流し込んだガラス板を用いて泳動し，X 線フィルムに感光させて塩基配列を決めていたが，この方法は用いられなくなった．現在は，蛍光標識されたダイターミネーターを用いたシークエンス反応を行った産物を，ゲルが装填されたキャピラリーの中を通過

> **核酸増幅をせずに核酸プローブを用いる検査法**
> サザンブロット法やノザンブロット法のほかに，核酸増幅をせずに核酸プローブを用いる検査法として，抗酸菌群を同定するアキュプローブ法や DDH 法，ヒトパピローマウイルスを検出するハイブリッドキャプチャー法，*UGT1A1* 遺伝子多型を判定するインベーダー法などがある．

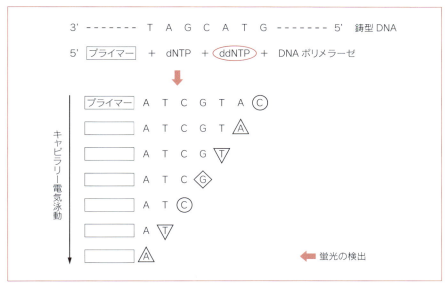

図3-16 Sanger法（ダイターミネーター法）によるシークエンス解析の原理
囲み文字は蛍光標識されたddNTPを示す．

させて，蛍光をCCDカメラで自動的に読み取って，塩基配列が決定される．Sanger法のなかのダイターミネーター法の原理と手順を以下に示す．

1）ダイターミネーター法の原理

　調べようとするDNA領域を増幅したPCR産物である鋳型DNAに，プライマーが結合し，そこから鋳型に対応したdNTP（deoxynucleoside triphosphate：dATP, dGTP, dCTP, dTTP）を次々と取り込んでDNAを合成し伸長していく．このdNTPの中に，ターミネーターであるddNTP（dideoxynucleoside triphosphate：ddATP, ddGTP, ddCTP, ddTTP）を適度に混ぜておく．伸長の過程でddNTPが取り込まれると，3'OH基をもたないため，反応がそこで停止する．4種のddNTPにそれぞれ異なる蛍光色素を標識してあるので，ターミネーターの塩基（A, G, C, T）に対応する蛍光を発するさまざまな長さのDNA断片が生じる．これをキャピラリーで電気泳動すると，断片長に応じて分離される．キャピラリーの末端にレーザー光を当て，生じた蛍光をCCDカメラで自動的に検出して塩基配列に変換する（図3-16）．

2）ダイターミネーター法の手順

① 検体から抽出したゲノムDNAを鋳型とし，変異を挟んだ領域の両側に設定したプライマーを用いてPCR法で増幅する．
② PCR反応液から，未反応のプライマーとdNTPを，精製キットを用いて除去する．
③ 精製したPCR産物を鋳型とし，①で使用したプライマーの一方と，シークエ

> **Sanger法に用いるPCR産物**
> PCR産物の一部をアガロースゲルで電気泳動して，目的とするDNA断片が1つだけであることを確認するとよい．もし，非特異バンドがあれば，目的とする断片だけを含むゲルを切り出して精製したものを鋳型とする．

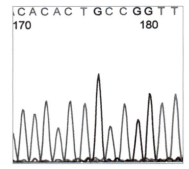

写真 3-5　シークエンサによって得られた塩基配列の結果画面の一部分

ンス用キット（各社）の反応液を混合して，PCR装置を用いてサイクルシークエンス反応を行う．
④専用の精製キットを用いて，シークエンス反応液から未反応の蛍光ターミネーターを除去して精製する．
⑤精製したシークエンス反応液をシークエンサにアプライして解析する．装置に組み込まれた解析ソフトによって塩基配列が得られる（**写真 3-5**）．A，G，C，T ごとに異なった色の波形として画面に表示される．

8　マイクロサテライト解析

マイクロサテライト配列とはゲノム上に散在する2〜数塩基の繰り返し配列であり，**short tandem repeat**（縦列型反復配列）ともよばれる．リピート数に個人差があり多型性が高いため，個人識別マーカーとなり，造血幹細胞移植後の白血球や骨髄細胞のキメリズム解析に用いられる．遺伝子の翻訳領域でリピート数が異常に多いと，その遺伝子産物である蛋白に異常をきたし，遺伝性疾患の原因となることがある．Huntington 病を例にあげると，*HTT* 遺伝子の第1エクソンでの CAG のリピート数は健常人では26以下だが，患者では36以上である．CAG はグルタミンをコードし，患者では HTT 蛋白のグルタミンが異常に長く連なることで発症する．顕性遺伝（優性遺伝）し，世代を経るごとにリピート数は増加する傾向がある．この反復領域を挟むプライマーを用いて PCR を行い，電気泳動により PCR 産物長を調べ，リピート数が異常に多いか否かで診断される．

9　DNA マイクロアレイ法

DNA マイクロアレイ法は，スライドガラスなどの基盤上に膨大な種類の DNA プローブを高密度に配置してある器具で，蛍光標識した患者 DNA や cDNA をハイブリダイゼーションさせ，そのシグナル強度を専用の検出器で検出し，以下のような解析を行う検査である．

塩基配列の確認作業
塩基配列が明確に決められなかった場合は，もう一方のプライマーを用いて反対側から，もしくは，内側に設定した新たなプライマーを用いて，シークエンスをやり直す．

Huntington 病
Huntington 病は舞踏病運動などの不随意運動，精神症状，認知症をきたす常染色体顕性遺伝（優性遺伝）する慢性進行性神経変性疾患である．Huntington 病患者の家系内の無症状者に対してこのリピート数を検査することで，将来の発症を予測できる．しかし，発症予測はできても有効な治療法はないため，検査に際しては倫理的な配慮を要する．

DNA マイクロアレイ法
1枚のアレイに1検体の標識 cDNA をハイブリダイゼーションさせて蛍光強度を測定し，複数ごとのアレイの結果を比較する1色法が近年では多く用いられる．なお，臨床検査としての遺伝子発現解析では定量 RT-PCR 法などが用いられ，DNA マイクロアレイ法が使用されることはない．

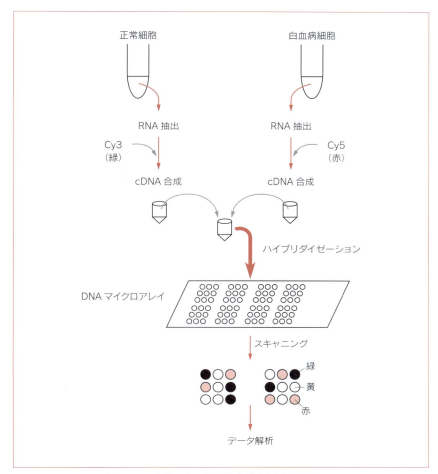

図 3-17　DNA マイクロアレイ法による網羅的な遺伝子発現解析
緑：白血病細胞で正常細胞より低発現する遺伝子．
黄：白血病細胞と正常細胞で同等に発現する遺伝子．
赤：白血病細胞で正常細胞より高発現する遺伝子．

1）網羅的な遺伝子の発現解析

網羅的な遺伝子発現解析を，**2色法**を例にあげて示す（**図 3-17**）．ある白血病細胞検体で高発現あるいは低発現している遺伝子を網羅的に調べたい場合，白血病細胞と対照の正常細胞から RNA を抽出し，cDNA を合成する際に，前者には赤の蛍光色素 Cy5 を，後者には緑の Cy3 を取り込ませる．両者の cDNA を混合してアレイ上のプローブと競合的にハイブリダイゼーションさせ，各スポットの蛍光をスキャニングすると，白血病細胞のほうが正常細胞より高発現している遺伝子は赤いスポットとして，低発現の遺伝子は緑，同等であれば黄色のスポットとして検出され，あらゆる遺伝子の発現プロファイルを解析する．

2）遺伝子多型解析

SNP（一塩基多型）遺伝子型による**ゲノムワイド関連解析**（GWAS）に，マ

SNP：single nucleotide polymorphism，スニップと読む．

イクロアレイが用いられる．たとえば，ある疾患の患者群と健常人群を対象として，ゲノム全領域にわたる数百万の SNP をマイクロアレイを用いて調べ，両群を統計学的に解析することで，その疾患に関連する遺伝子を探索する．

3）アレイ CGH（comparative genomic hybridization）法

全染色体において，あるゲノム DNA 領域の欠失，過剰，増幅などの量的な異常を検出する方法である．患者 DNA を Cy5 で，対照の正常細胞 DNA を Cy3 で蛍光標識して混合し，アレイ上のプローブと競合ハイブリダイゼーションを行い，スキャナーで各スポットの蛍光シグナルを読み取り，両者のシグナル強度を比較することで細かい領域のコピー数の変化を解析する．

10　FISH（fluorescence in situ hybridization）法

FISH 法は，蛍光標識された DNA プローブを，スライドガラス上の細胞の DNA と結合させて，蛍光顕微鏡で観察することにより，対象とする遺伝子の融合，分離，重複，欠失などの情報を得る検査法である．**間期核 FISH** は G 分染法と異なり，分裂能を有する細胞を必要としないため，分裂像が得られず核型解析が実施できない検体でも実施できる．

11　次世代シークエンス法

従来のシークエンス解析では DNA1 本ずつの塩基配列を決定していたが，2005 年以降，次世代シークエンス法（NGS）とよばれる塩基配列の解析法が急速に進展した．検体 DNA を数百塩基の長さに断片化し，エマルジョン PCR やブリッジ PCR とよばれる方法で断片を増幅し，数千万以上の断片の塩基配列を同時並行的に解読する．塩基配列の読み取りにはメーカーごとに異なる原理が用いられており，一塩基ずつ合成される蛍光標識ヌクレオチドの蛍光を検出する方法や，dNTP を 1 種類ずつ送液して dNTP が取り込まれたときの水素イオンの変化を検出する方法などがある．

得られた莫大な数の断片の塩基配列情報（リードという）を，健常人の既知の参照配列にあてがっていき，検体 DNA の変異（塩基置換，挿入，欠失など）を検出する．1 つの塩基に対して，数十本以上の読み取り断片の情報の積み重ねとして表示されるので，変異を有する断片のパーセンテージも得られる．

さらに，検出された塩基配列の異常について，病的意義のあるものか意義不

> **FISH 法による臨床検査**
> FISH 検査の使用例として，CML に対するチロシンキナーゼ阻害薬の細胞遺伝学的効果の評価のため，骨髄検体でのフィラデルフィア染色体を有する細胞比率の代わりに，血液検体での FISH 法による *BCR::ABL1* 融合シグナル陽性細胞比率が用いられる．また，乳がんのパラフィン包埋組織の薄切切片標本を用いて，HER2（正式な遺伝子略号は *ERBB2*）の遺伝子増幅の有無を FISH 法で調べることにより，HER2 蛋白に対する抗体療法の適応が決定される．

NGS：next generation sequencing

> **NGS 解析**
> 表 3-4 に示した 3 種類のほか，細胞から抽出した RNA すべてを解析する RNA-seq や，血漿から抽出した DNA 断片に対してターゲットシークエンスを行う方法がある．前者は RNA の塩基配列情報に加え，あらゆる遺伝子の発現量の情報が得られる．後者は，がん細胞から血液中に漏れ出た DNA 断片を NGS 解析する方法（cell-free DNA 解析もしくはリキッドバイオプシーという）で，がん組織検体が入手できない症例で有用である．

表 3-4　NGS 解析の種類

種類	解析内容と目的
ターゲットシークエンス	調べようとする数十～数百程度のパネル遺伝子の塩基配列を解析する
全エクソームシークエンス	すべての遺伝子のエクソン領域の塩基配列を解析する（広義ではターゲットシークエンスに含まれる）
全ゲノムシークエンス	イントロンや遺伝子領域外を含めたゲノムすべての塩基配列を解析する

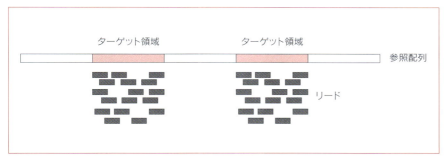

図 3-18　ターゲットシークエンスの模式図

明の変異かを，データベースの情報に照らし合わせて決定し，変異の意味付け（**アノテーション**という）を行う．

NGS 解析には**表 3-4**のような種類があるが，患者を対象とした臨床検査として行われるのは，**ターゲットシークエンス**である（**図 3-18**）．対象疾患に応じて，「がん遺伝子パネル」「先天性代謝異常遺伝子パネル」などさまざまな遺伝子パネルがある．

調べようとするターゲット遺伝子の断片を集める方法として，目的とする領域に対応するプライマーを用いた PCR を行うことで目的の断片を集める「アンプリコンシークエンス」と，目的とする DNA 断片に相補的な配列をもつキャプチャープローブを用いて断片を集めた後に PCR 増幅する「キャプチャーシークエンス」がある．

III 疾患と遺伝子関連検査

遺伝子関連検査のうち，研究目的ではなく実際の診療に広く用いられている検査について，保険適用となっている検査項目を中心に，おもな疾患ごとに概説する．

1　感染症
1）ウイルス性肝炎

B 型肝炎ウイルス（HBV）は血液感染を起こす DNA ウイルスである．HBV の種々の抗原と抗体の検査結果とトランスアミナーゼ値によって，B 型の急性肝炎，慢性肝炎，キャリア（感染はしているが無症候状態）の区別はできるが，HBV 持続感染者の治療適応の決定や抗ウイルス薬の治療効果の判定には，リアルタイム PCR 法を用いた血清中の **HBV DNA 定量検査**が行われる．

C 型肝炎ウイルス（HCV）は血液感染を起こす RNA ウイルスである．C 型の急性肝炎では急性期には HCV 抗体が陽性にならないこともあるため，リアルタイム PCR 法を用いた RT-PCR 法による **HCV RNA 定量検査**を行う．慢性肝炎の診断や抗ウイルス薬の治療効果の判定にも，血清中の HCV RNA 定量検

> **がん遺伝子パネル検査**
> 網羅的ながん遺伝子パネル検査は，健康保険の規定ではがんゲノムプロファイリング検査という項目名でよばれ，2023 年時点で 4 社 5 種類（うち 2 種類はリキッドバイオプシー用）の検査試薬が保険収載されている．対象は標準治療が無効となった固形がん患者などに限定されており，すべてのがん患者に実施されるわけではない．がんに関連する 74～737 の遺伝子の塩基置換，挿入，欠失や融合遺伝子を調べ，その患者に適する分子標的薬を見つけ出すことを目的とする．また，腫瘍変異負荷の多寡やマイクロサテライト不安定性の検出によって免疫チェックポイント阻害薬の効果が予測できる．検体は生検や手術で採取されたがん組織のホルマリン固定パラフィン包埋標本から抽出した DNA を用いるが，生殖細胞系列の変異を区別するため，腫瘍細胞を含まない血液細胞から抽出した DNA を用いることもある．なお，がん組織標本を利用できない患者では，血液中の循環 DNA でパネル検査を行う（リキッドバイオプシー）．なお，一部の分子標的薬に対するコンパニオン診断検査としても，NGS を用いたがん遺伝子パネル検査が用いられている．

> **HIV 感染症**
> HIV-1（ヒト免疫不全ウイルス 1 型）の RNA 定量検査でも，定量 RT-PCR 法が用いられる．

査が行われる．薬剤に対する治療効果の予測のため，RT-PCR 法による HCV 遺伝子型の検査が行われるが，保険適用外である．

2）新型コロナウイルス感染症

　新型コロナウイルス感染症（COVID-19）は，RNA ウイルスである SARS-CoV-2 による呼吸器系を中心とした感染症である．鼻咽頭ぬぐい液や唾液中のウイルス RNA を，リアルタイム PCR 法を用いた定量 RT-PCR によって検出することで診断される．PCR 法のほかに，LAMP 法，TMA 法，TRC 法，NGS 法も用いられる．また，ウイルス抗原に対するイムノクロマト法による抗原定性検査や化学発光酵素免疫測定法による抗原定量検査も診断に用いられる．

　いずれの検査においても，検出感度未満や検体不良などによる偽陰性と，非特異反応やコンタミネーションなどによる偽陽性の可能性を考慮して結果を判断する必要がある．一方，検出感度の高い PCR 法では，感染してから日数が経過し，すでに他者への感染性が消失している場合でも陽性になることがあり，患者への対応に注意が必要である．また，検査者は自身の感染防止や環境汚染防止を目的としたバイオセーフティに留意して検査を行う必要がある．

3）抗酸菌感染症

　抗酸菌感染症は結核と非結核性抗酸菌症からなる．前者であれば他者への空気感染の予防措置が必要であり，後者では感染は起こらないため，両者を迅速に区別する必要がある．喀痰の塗抹の抗酸菌染色で抗酸菌の存在が確認できても，それが結核菌であるか否かを区別することはできない．そのため，喀痰からDNAを抽出し，抗酸菌群DNAの16S-rRNA遺伝子領域を増幅するリアルタイムPCR法や，結核菌群DNAのgyrase subunit B 遺伝子領域などを増幅するLAMP法などを用いることにより，迅速かつ高感度に結核菌であるか否かを判定できる．

　検体を培養して増えた抗酸菌に対しては，**核酸プローブ法**を用いて菌種の同定を行う．代表的な方法としては，各種の抗酸菌標準株から抽出したDNAを一本鎖にしてマイクロプレートのウェルに固定しておき，被検菌株から抽出したDNAをビオチン標識して一本鎖DNAにし，各ウェルに入れてハイブリダイゼーションさせて，最も反応したウェルの菌種を被検菌株の菌種とすることにより，結核菌を含めた18種の抗酸菌を同定できる．

2　血液疾患（表 3-5, -6）

　血液疾患のうち血液腫瘍は，従来の形態所見に基づく分類から，形態，免疫学的表現形，染色体・遺伝子異常を統合した **WHO 分類** によって診断されるようになっている．そのため，疾患の名称のなかに染色体や遺伝子所見が組み込まれたり，診断基準のなかに染色体や遺伝子所見を含む疾患もあるため，遺伝子関連検査が重要となっている．遺伝子関連検査は疾患や病型の診断だけでな

> **血液腫瘍の WHO 分類**
> 血液腫瘍の WHO 分類は，2023 年に第 5 版として改訂された．遺伝子再構成はこれまで BCR-ABL1 のようにハイフンで表記されたが，第 5 版では BCR::ABL1 とダブルコロンで表記される．また，骨髄異形成症候群は骨髄異形成腫瘍に名称が変更された．

表 3-5 血液腫瘍でみられる主な染色体・遺伝子異常

病型	染色体異常	関与する遺伝子
急性骨髄性白血病		
顆粒球系分化を伴う急性骨髄性白血病	t(8;21)(q22;q22)	RUNX1::RUNX1T1
急性前骨髄球性白血病	t(15;17)(q24;q21)	PML::RARA
好酸球増加を伴う急性骨髄単球性白血病	inv(16)(p13q22)	CBFB::MYH11
急性リンパ性白血病		
Bリンパ芽球性白血病	t(9;22)(q34;q11)	minor-BCR::ABL1
Tリンパ芽球性白血病	t(1;14)(p34;q11)	TAL1::TRD
慢性骨髄性白血病	t(9;22)(q34;q11)	major-BCR::ABL1
真性赤血球増加症	-	JAK2 の点変異
骨髄異形成腫瘍	del(5q)	RPS14 など
悪性リンパ腫		
びまん性大細胞型B細胞リンパ腫	t(3;14)(q27;q32)	BCL6::IGH
濾胞性リンパ腫	t(14;18)(q32;q21)	IGH::BCL2
Burkitt（バーキット）リンパ腫	t(8;14)(q24;q32)	MYC::IGH
マントル細胞リンパ腫	t(11;14)(q13;q32)	IGH::CCND1
MALTリンパ腫	t(11;18)(q22;q21)	BIRC3::MALT1
未分化大細胞リンパ腫	t(2;5)(p23;q35)	ALK::NPM1
多発性骨髄腫	t(11;14)(q13;q32)	IGH::CCND1

表 3-6 血液腫瘍における染色体・遺伝子関連検査の利点と欠点

方法	利点	欠点	使い分け
染色体検査（G分染法）	・網羅的に染色体異常がわかる ・低コスト	・分裂期細胞のみが対象 ・検出感度は分裂期20細胞に1細胞以上 ・解析に日数と熟練を要する	・診断時，再発時，CML 急性転化時の付加的異常，効果判定
間期核 FISH	・分裂能を有する細胞が不要 ・簡便に数日で結果が出る ・転座相手が不明でも検査できる（例：KMT2A の分離 FISH） ・細胞形態と対応できる	・特定の遺伝子異常しかわからない ・数％の偽陽性が出ることがあるため，MRD 検出に不適	・診断時（予想する核型が得られない，結果を急ぐ），効果判定
定性 RT-PCR	・分裂能を有する細胞が不要 ・高感度に検出（10^{-5}） ・産物長により切断点を区別できる	・定量性がない ・ゲル作製や写真撮影の手間がかかる	・MRD 検出，診断時（予想する核型が得られない，結果を急ぐ，切断点を知りたい）
定量 RT-PCR	・分裂能を有する細胞が不要 ・高感度に短時間で検出 ・定量性あり ・ゲル作製が不要	・切断点を区別できない ・定性のような nested-PCR ができない	・MRD 検出，効果判定，診断時
サザンブロット	・分裂能を有する細胞が不要 ・ATLL などで診断に不可欠	・手技が煩雑で日数を要する ・検出感度は 5〜10％以上 ・定量性がない	・ATLL 診断時，リンパ球のクローン性解析

ATLL：成人T細胞白血病/リンパ腫，MRD：微小残存病変．

く，予後が不良か否かの予測，分子標的治療薬の適応の有無の決定，治療の分子レベルでの効果判定，再発の検出にも用いられている．

　ヘモグロビン異常症などの先天性溶血性貧血，血友病やプロテインS欠乏症

などの先天性凝固・線溶異常も遺伝子異常による疾患であるが，種々の血液学的検査によって診断は可能であるため，日常診療で遺伝学的検査を行うことはまれである．

1）慢性骨髄性白血病

慢性骨髄性白血病（CML）は造血幹細胞において，9番染色体と22番染色体の相互転座により，*BCR*遺伝子と*ABL1*遺伝子が融合遺伝子を形成し，これによって産生されるBCR::ABL1融合蛋白が強いチロシンキナーゼ活性をもつことで，成熟顆粒球を主体とした細胞増殖を起こす疾患である．染色体検査のG分染法でt(9;22)(q34;q11)を認めることで診断が確定する．末梢血に芽球がみられず，分裂能を有する細胞がないと考えられる場合には，G分染法ではなくFISH法を行い，*BCR*と*ABL1*の融合シグナルを確認する．従来は，BCRプローブを用いたサザンブロット法による*BCR::ABL1*遺伝子再構成を調べていたが，サザンブロット法は煩雑であるため，現在は行われなくなった．末梢血からRNAを抽出して，RT-PCR法（定性もしくは定量）で，*BCR::ABL1*融合mRNAを検出することでも診断は確定する．大半のCMLでは*BCR*遺伝子のmajor-BCR領域に切断点があり，そこを挟むプライマーを用いるが，まれに，minor-BCR領域に切断点がある症例があり，それに応じたプライマーを用いる必要がある．

チロシンキナーゼ阻害薬などによる治療効果の判定として，治療開始早期には染色体検査やFISH法が行われる．血液中のCML細胞がさらに減少すると，これらの検査法では検出できなくなるため，**微小残存病変**（MRD）の検出のために，現在では高感度の定量RT-PCR法が用いられる．*BCR::ABL1* mRNA/*ABL1* mRNAの定量値を，検査施設ごとの誤差要因を勘案した係数で調整し，結果をIS%（international scale%）として表示する．これが減少し，検出感度以下になることで分子学的完全奏効が判定され，再度の上昇により再発が検出される．

2）その他の血液腫瘍

急性骨髄性白血病，急性リンパ性白血病，悪性リンパ腫，骨髄腫，骨髄異形成腫瘍，骨髄増殖性腫瘍でも，それぞれの疾患に特異的な遺伝子所見に応じて，FISH法，RT-PCR法，PCR法が診断や効果判定に用いられている．染色体検査による核型解析は，血液腫瘍の診断時には，原則として全例で行われる．

3 固形腫瘍

固形腫瘍は血液腫瘍と異なり，診断のために染色体検査や遺伝子関連検査を行うことは少ないが，今後は，血液腫瘍と同様，遺伝子変異の所見に基づく分類が行われる可能性がある．近年，固形腫瘍では**分子標的治療薬**投与の適応を決めるための**コンパニオン診断**として，遺伝子関連検査が広く行われるように

MRD：minimal residual disease

 慢性骨髄性白血病の治療の効果判定
CMLの治療の効果判定のMRD検出として，従来は定量RT-PCR法を行い，これで検出感度以下（0.1%程度）になったらより検出感度の高い定性RT-nested PCR法を行い，これで検出できなくなったら分子学的完全奏効としていた．現在は，CMLに対しては高感度の定量RT-PCR法（ISとしての検出限界0.0007%）が用いられている．IS% 0.01%をMR[4]，0.001%以下をMR[5]と表す．

なってきた．また，親族内で若年発症の腫瘍が多発する**家族性腫瘍**の診断には遺伝学的検査が必要となる．また，イリノテカンなどの抗悪性腫瘍薬の有害事象を予測するため，遺伝的に各個人がもつ薬剤を代謝する能力を遺伝子型で判定するファーマコゲノミクス検査も日常診療で行われている．

> **ファーマコゲノミクス検査**
> イリノテカンに対する*UGT1A1*遺伝子多型や，メルカプトプリンに対する*NUDT15*遺伝子多型の検査が保険収載されている．

1）乳がん，肺がん，大腸がん（図3-19）

乳がんなどに対して，HER2（*ERBB2*遺伝子が産生する細胞表面の受容体蛋白）に対する抗体薬が用いられるが，これが有効であるのは，細胞表面にHER2蛋白が過剰発現している症例である．こうした症例を選別するために，がんの病理組織標本に対して，HER2蛋白を染める抗体で免疫染色を行ったり，*ERBB2*プローブを用いたFISH法で遺伝子増幅を調べる．

肺がんに対して，EGFR（上皮成長因子受容体）チロシンキナーゼ阻害薬が用いられるが，これが有効であるのは，*EGFR*遺伝子に特定の変異がある症例である．こうした症例を選別するために，がん組織のパラフィンブロックの切片からDNAを抽出して，リアルタイムPCR法を用いて，遺伝子変異解析が行われる．

大腸がんに対して，EGFRに対する抗体薬が用いられるが，EGFRのシグナル伝達の下流にある*KRAS*や*NRAS*遺伝子に変異がある症例には無効である．そのため，がん組織のパラフィンブロックの切片からDNAを抽出してリアルタイムPCR法を行い，これらの変異がない症例を選別する．

治療抵抗性になったがん患者に対して，がん組織のパラフィンブロックの切

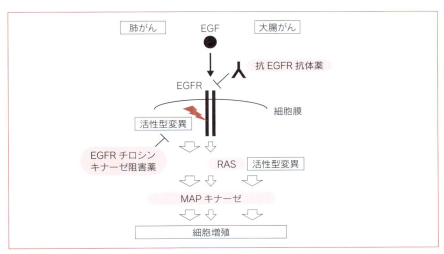

図3-19　肺がんと大腸がんに対する分子標的治療薬とコンパニオン診断
EGF：上皮成長因子，EGFR：上皮成長因子受容体．
肺がんでEGFRに活性型変異がある症例では，EGFがEGFRに結合しなくても恒常的に細胞増殖シグナルが核に伝わっており，このシグナルを止める阻害薬が有効である．大腸がんではEGFがEGFRに結合するのを阻害して増殖シグナルを止める抗EGFR抗体薬が有効だが，RASに活性型変異がある症例では，RASから恒常的な増殖シグナルが生じるため，抗EGFR抗体薬は無効になる．

片から抽出したDNAを検体として，次世代シークエンサを用いたがん関連遺伝子のパネル検査を行い，みつかった変異遺伝子に対応する分子標的治療薬があればそれを投与するという個別化医療もしくは精密医療が，保険診療として行われている．

2）家族性腫瘍

遺伝性乳癌卵巣癌症候群は，*BRCA1*または*BRCA2*遺伝子の変異を生まれつきもっていることにより，若年で発症する乳がんや卵巣がんが家系内に多発する疾患である．*BRCA1*と*BRCA2*遺伝子の変異の有無を調べるために，シークエンス解析による変異の同定や，MLPA法による欠失や重複の検出を行う．この遺伝子変異をもっていることがわかれば，こまめに検診を受けたり，予防的な乳房切除術を行うという対応が可能となる．

Lynch症候群は，ミスマッチ修復遺伝子の変異を遺伝的に受け継ぐことにより，大腸がん，子宮内膜がん，胃がんなどが若年で発症したり重複して発症する症例が家系内でみられる疾患である．5種類のマイクロサテライト（数塩基対の反復配列）をそれぞれマルチプレックスPCR法で増幅し，PCR産物をキャピラリー電気泳動することにより，それぞれのマイクロサテライトの反復回数にばらつきがある（マイクロサテライト不安定性）か否かをみることによって，ミスマッチ修復遺伝子の変異の存在を調べる検査が行われる．

4　遺伝性疾患

さまざまな遺伝性疾患，特に疾患責任遺伝子が単一である疾患では，発症者の診断，**発症前診断**，**保因者診断**に遺伝学的検査が必要となる．検査を実施するにあたり，常染色体顕性遺伝（優性遺伝）やX連鎖潜性遺伝（劣性遺伝）などの遺伝形式や，その遺伝子型をもつ人に実際に異常が現れる割合（**浸透度**）を考慮するとともに，倫理や患者心理への影響も配慮しなくてはならない．

神経疾患であるHuntington病や脊髄小脳変性症は，責任遺伝子のグルタミンをコードするCAG配列の繰り返し数の増加に起因する．そのため，PCR法を用いて，このCAG反復回数を解析することによって診断する．このほか，先天性難聴，突然死の原因となる先天性QT延長症候群，特発性心筋症などで，責任遺伝子の変異の解析が行われる．

5　個人識別

白血病に対する造血幹細胞移植や腎不全に対する腎移植を行う場合などに，患者と提供者の適合性を調べるために**HLA検査**が行われる．従来は，免疫学的検査法を用いた血清学的タイピングが行われていた．現在は，血液や口腔粘膜細胞から抽出したDNAを検体とするPCR法やシークエンス解析を用いたDNAタイピングが，より細かい型の分類が可能であるため主流となっている．

また，白血病患者に対して，造血幹細胞移植後，血液や骨髄の白血球の，患

BRCA遺伝子
この遺伝子からつくられるBRCA蛋白は，DNAに生じた変異を修復する機能をもつ．BRCA蛋白に異常があると，DNA変異を修復できず，がんが発生しやすくなる．

マルチプレックスPCR法
目的とする複数の領域に対するそれぞれのプライマーを，1つのチューブに混ぜてPCRを行う方法である．アニーリング温度などのPCR条件が合うようプライマーを設計する必要があり，それぞれのPCR産物が区別できるよう産物の長さを変えるなどの工夫が必要である．

顕性遺伝
遺伝形式を表す用語として，優性遺伝と劣性遺伝がこれまで使われてきたが，誤解や偏見を招くため，それぞれ，顕性遺伝と潜性遺伝に置き換わりつつある．

HLA：human leukocyte antigen，ヒト白血球抗原

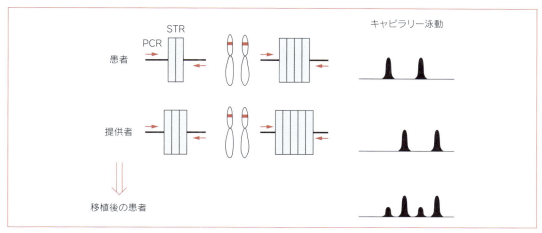

図3-20　STR-PCR法によるキメリズム解析の模式図

者由来と提供者由来の細胞比率を調べるために**キメリズム解析**が行われる．患者と提供者の性別が異なっていれば，白血球中のXとY染色体を染めるFISH法で患者由来か提供者由来かを区別できる．しかし，同性の場合はこれができないため，**STR-PCR法**を行う（図3-20）．STRとは2〜4塩基の繰り返し配列である．個人ごとに繰り返し数が異なるため，血液や骨髄液から抽出したDNAに対して，その領域をPCRで増幅し，キャピラリー電気泳動することによって，それぞれに由来する血球の比率がわかる．ただし，移植の前に，患者と提供者のそれぞれの血液で同じ解析を行い，それぞれの繰り返し数が異なっていることを確認しておく必要がある．

IV 遺伝子関連検査の精度管理

1　精度管理の考え方

遺伝子関連検査においても，生化学検査などと同様，検査の精度管理が必須である．しかし，遺伝子関連検査では**体外診断用医薬品**（IVD）として公的に承認されている検査試薬は感染症検査を除けば少なく，自施設で開発した測定系（LDT）を用いて行われている現状があり，適切な精度管理は容易ではない．

精度の確保にあたり，3つの工程，すなわち，検体の採取，保存，前処理を行う**測定前プロセス**（プレアナリシス），測定や検出を行う**測定プロセス**（アナリシス），結果の解釈や報告を行う**測定後プロセス**（ポストアナリシス）を適切に管理する必要がある．測定結果に対する施設内での定期的な**内部精度管理**は必須である．遺伝子関連検査の**外部精度管理調査**は日本ではまだ十分には普及していないが，積極的に受審することが望まれる．さらには，ISO15189認定やCAPサーベイ受審による国際的な評価も受けることが望ましい．

2018年の臨床検査技師等に関する法律や医療法の一部改正により，検体検査の分類が見直された．従来，遺伝子関連検査は3つの一次分類（微生物学的

キメリズム
キメリズムとは患者由来細胞と提供者由来細胞の混合の程度を示す．

STR：short tandem repeat

IVD：*in vitro* diagnostics

LDT：laboratory developed test

外部精度管理
外部精度管理とは，自施設と他施設の検査結果を比較する外部精度評価によって，自施設の検査の信頼性を確認するものである．日本臨床衛生検査技師会や日本医師会によって実施される精度管理調査が，臨床検査のさまざまな分野で広く利用されている．

ISO：International Organization for Standardization，国際標準化機構

CAP：College of American Pathologists，米国病理医協会

検査，血液学的検査，病理学的検査）にまたがっていたが，改正により「遺伝子関連・染色体検査」として独立した一次分類となった．これに伴い，遺伝子関連検査・染色体検査の精度の確保のために設けるべき基準が定められた．また，医療機関，衛生検査所ともに，精度の確保に係る責任者の配置と種々の**標準作業書**，台帳，作業日誌の作成と管理が必須となった．

2　精度管理の方法

　測定プロセスにおける内部精度管理はさまざまな観点から行われるが，最も重要な方法は，患者検体と同時に管理試料に対しても検査を行い，測定系に異常がないことを確認することである．管理試料には，**陽性コントロール**，**陰性コントロール**，**試薬ブランク**がある．陽性コントロールは確実に陽性となる試料（人工物のこともある）で，検出下限域の試料が望ましい．これが陽性にならなければ，試薬の劣化や装置の異常などの可能性がある．陰性コントロールは確実に陰性となる試料（健常人検体を用いることもある）で，これが陽性になると測定系の特異性に問題がある．試薬ブランクとは，検体の代わりに滅菌精製水などを用いて測定するもので，これで陽性になる場合は，試薬類の中に陽性検体が混入（コンタミネーション）している可能性がある．試薬ブランクを陰性コントロールと兼ねて行うこともある．

　RNAを用いたRT-PCR検査では，検体から適切にRNAが抽出されて，cDNAに逆転写されていることを証明するため，発現を調べようとする遺伝子だけでなく，内部コントロール（**内部標準遺伝子**）として，**ハウスキーピング遺伝子**の発現も測定する．ハウスキーピング遺伝子は，あらゆる細胞で発現量が安定している *GAPDH* や *β-アクチン* 遺伝子が用いられることが多い．

　遺伝子発現の定量検査では，目的とする遺伝子の発現量と内部コントロールの発現量の相対定量を行うことで，検体や測定系の誤差要因の影響を減らすことができる．定量的な検査では，管理試料の測定を毎日行い，データのばらつきを許容できる許容範囲（管理限界）をあらかじめ定めておき，統計学的な精度管理を行う．

　測定前プロセスと測定後プロセスについても，医療機関や衛生検査所では，標準作業書に従い，適切な精度管理を行う必要がある．

> **ハウスキーピング遺伝子**
> ハウスキーピング遺伝子とは，細胞の維持や増殖に不可欠な蛋白をコードする遺伝子のことをいい，あらゆる組織や細胞で安定した量のmRNAを発現している．p.81 側注も参照．

第4章 遺伝子関連検査の実践

❶ 遺伝子関連検査に用いる試薬

　遺伝子関連検査では，Tris-HCl，NaCl，EDTA などを組成として含む溶液が多く用いられる．そのため，あらかじめこれらの濃いストック溶液をつくっておき，これらを混合，希釈して種々の溶液をつくると効率的である．以下，この章で頻出する主な試薬の作り方を説明する．特定の目的で用いる試薬はそれを用いる項目で説明する．

(1) 1M Tris-HCl（pH 7.5）

　ビーカーに超純水 200 mL と Tris（hydroxymethyl）aminomethane（Tris base ともいう）30.3 g を入れ，スターラーで混ぜて溶かす．HCl を滴下して pH を 7.5 に合わせる．HCl 滴下により発熱するので，溶液が室温に戻ってから pH を調整し直す．メスシリンダーに移し，超純水を加えて 250 mL にメスアップする．オートクレーブ滅菌（121℃，20 分）後，室温保存．pH 8.0 に合わせた 1M Tris-HCl もつくっておく．

(2) 5M NaCl

　NaCl 146.1 g を超純水に溶かし，500 mL にメスアップ．オートクレーブ滅菌後，室温保存．

(3) 0.5M EDTA

　$Na_2EDTA \cdot 2H_2O$ 46.5 g を超純水 200 mL に入れ，スターラーで混ぜる（この段階ではあまり溶けない）．粒状 NaOH 約 5 g を加えて溶かし，さらに 5M NaOH を滴下して pH 8.0 に合わせ，超純水を加えて 250 mL にメスアップする．オートクレーブ滅菌後，室温保存．

(4) TNE 液

　10 mM Tris-HCl（pH 7.5 または 8.0），0.1M NaCl，1 mM EDTA．

　作り方は 1M Tris-HCl（pH 7.5 または 8.0）5 mL，5M NaCl 10 mL，0.5M EDTA 1 mL に超純水を加えて 500 mL にメスアップする．室温もしくは 4℃ 保存．

(5) 10% SDS 溶液

　sodium dodecyl sulfate 10 g を超純水に溶かし 100 mL にメスアップ．攪拌が強いと泡立って 100 mL の計測が困難になる．粉末を吸わないよう注意．滅菌不要．

遺伝子関連検査の実践

検査方法や手順は，解説書や施設ごとに若干の違いがあるが，本章は研究ではなく授業や実習を目的としているため，短時間で，かつ特殊な機器や試薬を使わなくても安価に実施できるよう，可能な範囲で簡略化した．また，原理を学ぶための標準的な方法に加えて，キットを使う方法も併記した．

遺伝子関連検査に用いる試薬

遺伝子関連検査では正確な酵素反応を必要とするため，高い純度の試薬を用いる必要がある．水は，電気泳動用バッファーなどには純水（蒸留水やイオン交換水などの総称）を，酵素反応にかかわるものには超純水（純水をさらに超純水装置に通して，比抵抗値 18 $MΩ \cdot cm$ 以上にした水）を使う．

試薬や器具などの取り扱い

溶液類はオートクレーブまたはフィルタによる滅菌を行う．器具類（ビン，ピペット，チップなど）はオートクレーブ滅菌または乾熱滅菌する．検体間や試薬間のクロスコンタミネーションが起こりうる操作ではディスポーザブル（使い捨て）のピペットやフィルタつきチップを用いる．さらに，遺伝子関連検査ではフェノールやエチジウムブロマイドなど有毒な薬品を用いるため，ディスポーザブルのグローブをはめて行い，これらの廃液の処理方法に関する施設での規則を確認する．

(6) フェノール（DNA用トリス飽和フェノール）

凍結保存してあるフェノール（特級）をビンごと65℃の湯に漬けて融解．8-ヒドロキシキノリンを0.1％になるように溶かす（フェノールが黄色になる）．フェノールと等量の1M Tris-HCl（pH 8.0）を加え振盪．静置後，水層（上層）を吸引除去．もう一度，等量の1M Tris-HCl（pH 8.0）を加え振盪し，静置後，水層を吸引除去．4℃遮光保存で数カ月有効．皮膚につくとただれるので，大量の流水と石鹸で洗い流す．

(7) PCI液

DNA用トリス飽和フェノール，クロロホルム，イソアミルアルコールを25：24：1の割合で混合．4℃遮光保存で1カ月有効．

(8) 3M酢酸ナトリウム溶液

NaOAc・$3H_2O$ 40.8 gを超純水80 mLに溶かし，氷酢酸でpH 5.2に合わせ，超純水を加えて100 mLにメスアップ．オートクレーブ滅菌後，室温保存．

(9) TE液

10 mM Tris-HCl（pH 8.0），1 mM EDTA，それぞれのストック溶液を混合，希釈してつくる．

(10) 10×ローディングバッファー

ブロモフェノールブルー（BPB）42 mg，キシレンシアノールFF（XC）42 mg，グリセロール5 mL，0.5M EDTA 167 μLに超純水を加えて溶かし，10 mLにする．4℃保存．

(11) エチジウムブロマイド液（10 mg/mL）

50 mLの超純水に0.5 gのエチジウムブロマイドを溶かし，室温で遮光保存．

(12) 50×TAE

150 mLの蒸留水にTris base 60.5 g，14.3 mL氷酢酸，0.5M EDTA 25 mLを加えて溶かし，純水を加えて250 mLにメスアップ．室温保存．

(13) 5×TBE

900 mLの蒸留水にTris base 54 g，ホウ酸27.5 g，0.5M EDTA 20 mLを加えて溶かし，純水を加えて1,000 mLにメスアップ．室温保存．

II 遺伝子関連検査用機器とその保守管理

1 クリーンベンチ

細胞培養を行う際には，血液などの検体から白血球や腫瘍細胞を無菌的に回収し，培養フラスコに入れる操作が必要となる．この操作はクリーンベンチ内で行われる（写真4-1）．クリーンベンチ内では，**HEPA（high efficiency particulate air）**フィルタを通過して無菌になった風が天井から吹き降りてくる．また，ピペットなどを滅菌するためのバーナーや，遠心した細胞浮遊液の上清を吸引する装置がついており，これらは足元のペダルで操作する．

> **エチジウムブロマイド液の注意点**
> 発がん性があるため，皮膚につけないよう注意．廃液は，100 mLあたり100 mgのactivated charcoal粉末（富士フイルム和光純薬社）を加え，室温で1時間撹拌し，濾紙でこしてから流しに捨てる．

> **クリーンベンチの使い方**
> クリーンベンチを使用するときは，送風スイッチを入れ，バーナーの種火をつけ，手をよく洗ったあと，両腕の肘から先が入るのに必要なだけガラス板を持ち上げ，ベンチ内に手を入れて操作を行う．ピペット缶やメディウム瓶の開閉時や，取り出したガラスピペットの先端は，バーナーの炎で軽くあぶって滅菌する．使用後はバーナーの種火を消し，ベンチ内を消毒用アルコールで拭き，ガラス板を下まで降ろし，送風を止め，紫外線灯をつける．

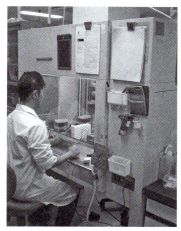
写真 4-1 クリーンベンチ

写真 4-2 安全キャビネット（クラスⅡ）

写真 4-3 炭酸ガス培養装置と炭酸ガスボンベ

2 安全キャビネット

　安全キャビネット（**写真 4-2**）は，作業台内部の空気を HEPA フィルタで濾過して排気し，内部を陰圧に保つことで，感染性病原体などをキャビネット外へ拡散させないための装置である．機能が異なるクラスⅠ，Ⅱ，Ⅲの 3 種類があり，クラスⅠは，ドラフトチャンバー（揮発性の有害化学物質を室外に排気する装置）に排気の病原体封じ込め機能がついたもので，内部は無菌状態ではないのでクリーンベンチの代わりには使えない．クラスⅡは吸気も滅菌される装置，クラスⅢはクラスⅡ装置に隔壁がついており，グローブボックス内で操作を行う装置で最高危険度の病原体を扱うことができる．

3 炭酸ガス培養装置

　炭酸ガス培養装置（**写真 4-3**）は，培養フラスコに入れた細胞を培養する装置である．内部は 37℃で炭酸ガス濃度 5% に設定されている．最下段には蒸留水を入れたバットを置き，湿度をほぼ飽和状態にする．この水がなくなると，フラスコ内の培養液が蒸発して細胞が死滅するので，水の残量に気をつける．培養フラスコを出し入れするときは素早く行う．装置内では培養フラスコのキャップは軽くゆるめて，空気が出入りできるようにする．きつく締めると細胞が死滅してしまう．

4 恒温水槽，恒温器

　恒温水槽（**写真 4-4**）はウォーターバスともいい，一定温度の湯の中にチューブなどを漬けて温度を保たせる装置である．チューブ立てが振盪するものもある．37℃，1 時間の酵素反応などのように，短時間でかつ正確に温度を保ちたいときに使う．

　恒温器（**写真 4-5**）はインキュベータのことであり，内部の空気の温度を一

> **炭酸ガス培養装置の注意点**
> 炭酸ガスボンベのメータを週に 1 回は確認し，圧の低下がみられたら，ボンベの交換を行う．装置内はカビや細菌が繁殖しやすいため，培養液などをこぼさないように注意する．月に 1 回程度，装置内の培養フラスコをクリーンベンチに移して，装置内を消毒用アルコールで拭き，最下段の蒸留水の交換を行う．

> **恒温水槽の注意点**
> 常に必要量の水が入っていることを確認する．水に雑菌が繁殖することがあるので，水をこまめに取り替える．

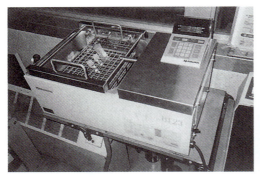
写真 4-4　恒温水槽

写真 4-5　恒温器

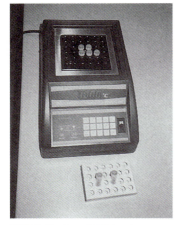
写真 4-6　ヒートブロック

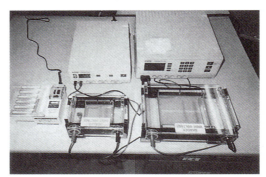
写真 4-7　サブマリン型電気泳動槽とパワーサプライ

定に保つ装置である．内部に旋回式の台がついているものもある．水の蒸発の心配がいらないため，長時間にわたるインキュベーションに用いる．

遺伝子関連検査では**ヒートブロック**（ドライサーモユニットなどともよばれる）をよく用いる（**写真 4-6**）．これは，金属のブロックにマイクロチューブがぴったり入る穴が空いており，ここにチューブを差し込んで一定温度を保つものである．湯を使用せずに温度を保つためコンタミネーションの心配がない．70～100℃のインキュベーションは湯や空気による恒温装置ではむずかしく，ヒートブロックが便利である．

5　電気泳動装置

アガロースゲル電気泳動では水平型の**サブマリン型電気泳動槽**（**写真 4-7**）を，**ポリアクリルアミドゲル電気泳動**では**垂直スラブ型電気泳動槽**（**写真 4-8**）を用いる．後者は蛋白質の電気泳動にも用いる．巨大なDNA断片を泳動する場合には**パルスフィールドゲル電気泳動装置**を用いて，一定時間ごとに電流の方向が120度変わることで，DNAをジグザグに進行させて泳動する．DNAを泳動液が充填された毛細管の中で泳動させて毛細管の末端で検出する**キャピラ**

> **保冷バケット**
> DNA変性後の冷却のため，マイクロチューブをフレークアイスに突き刺す操作を行う必要がある場合，ペルチェ素子で冷却されたビーズを満たした保冷バケット（タイテック社など）を用いると，氷からチューブへのコンタミネーションの心配がないので好都合である．PCR装置を恒温装置の代わりに使うこともできる．

> **電気泳動装置使用後の注意点**
> 使用後は，泳動バッファーを捨て，水道水で洗い純水ですすぐ．洗剤で洗う必要はない．電極の白金線は切れやすいので触れないよう注意．

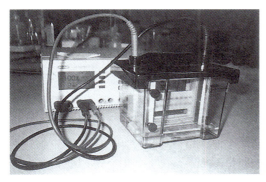

写真4-8　垂直スラブ型電気泳動槽

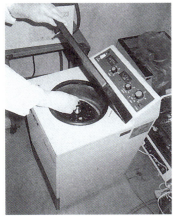

写真4-9　小型高速遠心機

写真4-10　中型遠心機

リー電気泳動装置は，PCR産物のフラグメント解析に用いられたり（図3-20, p.101），シークエンサに組み込まれている．

6　遠心分離装置

　遺伝子関連検査では，次の3種類の遠心分離装置を使う．いずれも冷却機能つきのものが望ましい．

　小型高速遠心機（写真4-9）は1.5 mLマイクロチューブを回すためのもので，回転数は15,000 rpmまで可能である．DNAのエタノール沈殿をはじめとして用途は広い．中型遠心機（写真4-10）は13 mLチューブや50 mLチューブを回すためのもので，回転数は3,500 rpm程度である．血液から単核細胞層を回収したり，細胞の沈渣を得るのに使う．高速遠心機（写真4-11）は，専用の遠心管を回したり，ローターにアダプターをつけて13 mLポリプロピレンチューブを回したりする．25,000 rpm程度まで可能である．透明なポリスチレンチューブは遠心力に耐えられず壊れてしまう．本章では，AGPC法でRNAを抽出するのに用いる（後述）．

　遠心機を使用する際は，チューブのバランスをとる必要がある．バケット式の遠心機では，対になるバケットごと天秤にのせてバランスをとる．1つのバ

> **回転数と遠心力の関係**
> 回転数は1分間あたりの回転数（rpm）で示すが，遠心力（g）で示されている実験プロトコルもある．両者の関係は，
> $RCF = 11.18 \times (N/1,000)^2 \times R$
> 〔RCF：遠心力（g），N：回転数（rpm/分），R：回転半径（cm）〕
> で表されるが，実際には，回転半径と遠心力と回転数が示されているノモグラム（遠心機の使用説明書に掲載）に定規をあてがって必要な回転数を求める．

写真 4-11　高速遠心機

写真 4-12　オートクレーブ

ケットに複数本のチューブを入れる場合は，バケット内でも，中心に対してなるべく対称になるようチューブを入れる．小型高速遠心機のアングルロータではマイクロチューブを天秤にのせてバランスをとる必要はないが，対称となるようにチューブを入れ，対になっているものはだいたい内容量が同じになるようにする．

7　滅菌装置
1）オートクレーブ（写真 4-12）

オートクレーブは，高圧にすることで比較的低い温度（121℃）で滅菌できるため，マイクロチューブやピペットのチップなどのプラスチック製品や液体の滅菌が可能である．オートクレーブ滅菌するものはアルミホイルでくるむ．マイクロチューブはガラスビーカーに入れ，アルミホイルでフタをする．液体は，オートクレーブ滅菌が可能である試薬ビンに入れ，フタをゆるく締め，フタの部分をアルミホイルで包む．液体はビンの容量の7割以下にしないとふきこぼれることがある．フタをきつく締めるとビンが割れる．アルミホイルにインジケータテープを貼っておくと，オートクレーブ済みのものはテープが変色し，未滅菌のものと区別できる．

滅菌するにあたっては，まずオートクレーブ内の基準レベルまで水を入れる．つぎに滅菌するものをかごに入れ，オートクレーブに入れる．オートクレーブのフタを締め，121℃，20分にセットし，スタートする．終了後すぐにフタを開けると，蒸気が噴出して危険である．圧が下がってからフタを開けて取り出す．ドレンバルブを開けて水を捨てる．

2）乾熱滅菌装置（写真 4-13）

乾熱滅菌は180℃以上に加熱して滅菌し，付着している酵素を変性させる．乾熱滅菌できるものは高温に耐えうるものに限られ，ガラス製，磁器製，金属

> **乾熱滅菌の注意点**
> 乾熱滅菌するものは，洗浄して乾燥後，アルミホイルでくるむ．ガラスピペットはピペット用滅菌缶に入れる．インジケータテープを貼っておく．通常の滅菌は180℃で2時間，RNAを扱う器具は，RNA分解酵素を失活させるため，200℃で4時間行う．

写真4-13　乾熱滅菌装置

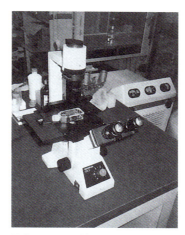
写真4-14　倒立顕微鏡

写真4-15　トランスイルミネータ

写真4-16　トランスイルミネータとCCDカメラ

製，テフロン製の器具などである．ガラスの試薬ビンの樹脂製のフタは乾熱滅菌できない．

8　顕微鏡

　通常の光学顕微鏡のほか，倒立顕微鏡（**写真4-14**），蛍光顕微鏡を用いる．倒立顕微鏡は培養フラスコや24穴プレートの中の培養細胞を，そのままのせて観察できる．蛍光顕微鏡はFISH法などに用いる．

9　写真撮影装置

　エチジウムブロマイド染色したゲルの写真撮影について説明する．ゲルはラップもしくは紫外線透過性の透明板の上にのせて，**トランスイルミネータ**（**写真4-15**）で紫外線を照射してDNAやRNAによるバンドを観察し，必要に応じカメラで撮影する．ゲルトレイが紫外線透過性になっているものもあり，ゲルにエチジウムブロマイドが含まれていれば，泳動中のゲルを泳動槽からトレイごと取り出してトランスイルミネータにのせて観察し，必要なら泳動を続けることもできる．**写真4-16**のように，トランスイルミネータとCCDカメラ

> **トランスイルミネータ使用時の注意点**
> 紫外線は直視すると目に障害をきたすため，紫外線用フェイスマスクをつける．皮膚にも有害であるため，短時間で観察を終える．紫外線を長い時間当てるとバンドが淡くなり，ゲル内のDNAに損傷が生じる．

写真 4-17　純水装置

写真 4-18　超純水装置

写真 4-19　核酸抽出装置

が組み合わされ，ゲルの像をディスプレイ上で観察し，明るさやコントラストを調整してプリントできる装置もある．

10　水の精製装置

　蒸留水などの純水をつくる装置は，実習室や検査室に常備されていると思われるので詳細は略す．現在は，電気の消費が少ない逆浸透と連続イオン交換による純水装置（**写真 4-17**）が普及している．

　超純水装置としては，Milli-Q 装置（メルク社）などが使われている（**写真 4-18**）．純水を活性炭やイオン交換樹脂などで精製して，比抵抗値 18 MΩ·cm 以上の**超純水**をつくる．細胞培養や遺伝子関連検査の酵素反応には超純水を使う．

11　核酸抽出装置（**写真 4-19**）

　血液検体などから DNA や RNA を自動的に抽出し精製する装置が，複数の会社から販売されている．検体と試薬キットやカートリッジを装置にセットするだけで，短時間で核酸検体が回収できる．抽出原理は装置ごとに異なるが，一般的には，細胞を溶解し，遊離した DNA や RNA をシリカメンブレンや磁性粒子に吸着させ，洗浄し，DNA や RNA を溶出して回収する方法である．

12　分光光度計

　分光光度計（**写真 4-20**）も常備されていると思われるので詳細は略す．DNA や RNA は波長 260 nm と 280 nm で測定するため，紫外線ランプを用いる．セルはガラスやプラスチック製は不適で，石英製を使う．

> **分光光度計**
> 試料節約のため，容量の少ないセルを使う．1～2 μL の核酸溶液を滴下するだけで測定できる機種もある．

13　核酸増幅装置

　PCR 装置，もしくは**サーマルサイクラー**ともいう．温度と時間を設定したプ

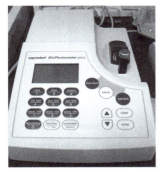
写真4-20 分光光度計

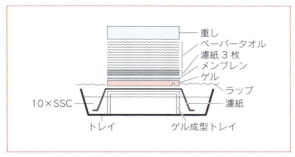
図4-1 サザンブロット法の模式図
SSCについてはp.179側注を参照.

写真4-21 ブロッティング装置

写真4-22 次世代シークエンサ

ログラムに従って,検体チューブをセットした金属ブロックの加温と冷却を繰り返すことによって,PCRを行う装置である.リアルタイムPCR装置は,DNA増幅装置と分光蛍光光度計を一体化した装置(**写真4-36**, p.128)で,PCR増幅産物量をサイクルごとにリアルタイムに検出する.

14 ブロッティング装置

ブロッティングとは,ゲルに泳動した核酸や蛋白をメンブレンに転写(トランスファーともいう)する操作で,サザンブロット法などで行う.アガロースゲルに展開した核酸をメンブレンに転写する場合は,紙の毛細管現象による転写液の吸い上げを利用した方法を用いる(**図4-1**).小型のポリアクリルアミドゲルに展開した核酸や蛋白のメンブレンへの転写には,ゲルとメンブレンを濾紙で挟んで転写液の中で電気的に転写する方法(**写真4-21**)や,少量の転写液で短時間で転写できるセミドライ式ブロッティング装置を用いる方法がある.

15 シークエンサ

DNAの塩基配列を読み取る装置である.4種の塩基を異なる蛍光色素で標識されたDNA断片をキャピラリーで電気泳動してレーザー光を当て,生じた蛍光を検出して塩基配列に変換する機種が広く用いられている.

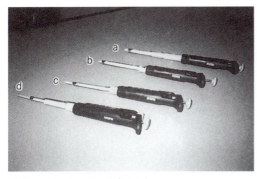

写真 4-23　マイクロピペット
a：1,000 μL用，b：200 μL用，c：100 μL用，d：20 μL用．

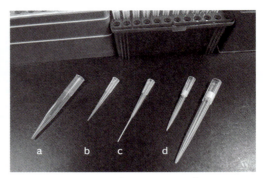

写真 4-24　マイクロピペット用チップ
a：1,000 μL用のチップ，b：200 μL用のチップ，c：ポリアクリルアミドゲル用，d：PCR用．

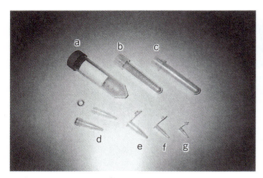

写真 4-25　チューブ
a：50 mL用，b：13 mL用（ポリスチレン製），c：13 mL用（ポリプロピレン製），d：1.5 mL用（ねじフタつき），e：1.5 mL用，f：0.5 mL用（PCR用など），g：0.2 mL用（PCR用）．

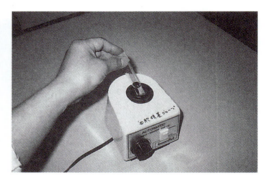

写真 4-26　ボルテックスミキサ

16　次世代シークエンサ

　従来型のシークエンサと異なる解析原理（第3章 p.94 参照）による次世代シークエンサを用いて，大量に並列化して解析することで，膨大な塩基配列情報を短時間で得られるようになった．次世代シークエンサを使えば，患者の全ゲノムあるいは全エクソン領域の塩基配列を決定することができる（**写真 4-22**）．

17　遺伝子関連検査に用いるその他の器具

　マイクロピペットは**写真 4-23**のように，1,000 μL用，200 μL用，100 μL用，20 μL用などがあり，正しい使い方に習熟する必要がある．マイクロピペット用チップも，1,000 μL用（**写真 4-24a**），200 μL用（**写真 4-24b**）など容量に応じたチップがある．**写真 4-24c**は，ポリアクリルアミドゲルにサンプルをアプライしやすいように先端が細長くなっている．**写真 4-24d**は，エアロゾルによるコンタミネーションを防ぐためチップの中にフィルタがついており，PCRにかかわる操作で用いる．

　チューブも用途に応じて使い分ける．**写真 4-25a**は50 mL用，**写真 4-25b**

は 13 mL 用（ポリスチレン製），**写真 4-25c** は 13 mL 用（ポリプロピレン製）である．ポリプロピレン製チューブは強い遠心力や有機溶剤に耐性をもつ．**写真 4-25d〜g** はマイクロチューブで，d は 1.5 mL 用（ねじフタつき），e は 1.5 mL 用，f は 0.5 mL 用（PCR 用など），g は 0.2 mL 用（PCR 用）である．

写真 4-26 はボルテックスミキサで，チューブの溶液を激しく攪拌するときに用いる．

チューブ
PCRでは0.2 mL用マイクロチューブが8連になったものや，96穴プレートのウェルをチューブの代わりに使うことがある．

III 検体の取扱い

1 検体採取と前処理

遺伝子関連検査に限らずあらゆる検査にいえるが，検査の精度を高めるには，検体の採取と保存，必要に応じて前処理を適切に行う必要がある．感染症の検査では病原体が，腫瘍の検査では腫瘍細胞が検体中に十分に含まれるように採取する．ヘパリンやヘモグロビンは PCR の反応を阻害するため，PCR 法を用いる検査の血液検体は，抗凝固剤としてヘパリンではなく EDTA を用いて採取し，検体から赤血球を除去する．細胞を放置すると，ヌクレアーゼにより核酸が分解されるため，目的とする細胞分画や血清を分取し，できるだけ早く核酸抽出を行う．RNA の抽出がただちにできない場合は，グアニジンチオシアン酸塩で変性処理をする．以下，検体の種類ごとに解説する．

1）血液の血球検体

必要量の血液を抗凝固剤（EDTA もしくはクエン酸ナトリウム）入り採血管にとり，転倒混和する．赤血球内容物により抽出操作が困難になったり，PCR の酵素反応を阻害することがあるため，下記の方法により赤血球を除去する．

（1）赤血球を溶血させて白血球を分離する方法

①全血の入ったチューブを 1,500 rpm で 5 分間遠心して血漿を吸引除去し，底の赤血球とその上にのっているバフィーコート（白血球の層）を残す．

②0.2% NaCl 溶液を加えて転倒混和．赤血球が溶血して紅色になる．2,500 rpm で 5 分間遠心し，沈渣を残して上清を吸引．1〜2 回繰り返す（赤血球が除去されて沈渣が白色になるまで）．

③沈渣に，核酸抽出の方法に応じて TNE 液や PBS を加え，細胞浮遊液とする．

（2）比重遠心法で単核細胞層を回収する方法

この方法は赤血球溶血法よりも良質の核酸が抽出でき，血液中の白血病細胞が少なく好中球の比率が多い場合に，好中球を除去し白血病細胞比率を高める利点がある．逆に，好中球の DNA を調べたい場合は，この方法は適さない．

準備

リンパ球分離溶液〔リンホプレップ（コスモ・バイオ社）など〕，PBS 液（い

全血からの核酸抽出
全血のままで核酸を抽出するキットもある．

バフィーコート（手順①）
①の後，バフィーコートをピペットで回収して別のチューブへ移して②へ進んでもよい．

PBS：phosphate-buffered saline．リン酸緩衝生理食塩水

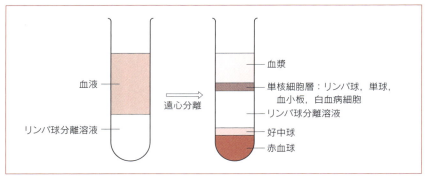

図 4-2　単核細胞層の分離

> **溶血操作**
> 溶血操作は4℃で行うのが望ましい．コストをかけないため低張食塩水法を示したが，実習室にあれば塩化アンモニウム溶液や市販の溶血剤を用いてもよい．

> **塩化アンモニウム溶血液**
> 10×塩化アンモニウム溶血剤（NH_4Cl 9 g，$KHCO_3$ 1 g，EDTA 4Na 37 mg/100 mL 蒸留水，4℃保存）を用時10倍希釈し，14 mLを血液1 mLに加えて転倒混和．

いずれも4℃保存）

手 順

① 13 mLチューブにリンパ球分離溶液3 mLを入れる．その上に血液5 mLを，ピペットを用いて混ざらないようにゆっくり重層．

② 1,500 rpmで15分間遠心（遠心機のブレーキはオフ）．図4-2のように，単核細胞層（リンパ球と単球，血小板，白血病検体では白血病細胞も含む）がみられる．

③ 最上層の血漿を吸引除去する．単核細胞層を吸わないよう注意．

④ 単核細胞層をパスツールピペットで吸い上げ，新たなチューブに入れる．PBSを加えてピペッティングし，1,500 rpmで5分間遠心．沈渣に核酸抽出の方法に応じてTNE液もしくはPBSを加え，細胞浮遊液とする．

2）骨髄穿刺液

骨髄穿刺液を検体とする場合は，骨髄液1 mLにPBS4 mLを加えて希釈し（骨髄有核細胞数に応じて調整），血液検体と同様に処理する．リンパ球分離溶液で単核細胞層を回収すると，リンパ球，単球，白血病細胞（白血病症例の場合）のほか，幼若細胞（赤芽球，骨髄芽球，前骨髄球など）も含まれる．

3）血清検体

肝炎ウイルス，HIVなどのウイルス核酸検査で用いる．血清分離剤入り採血管に必要量の血液をとり，血液の凝固が完了後，遠心分離して，血清を分取する．5日間程度の保存は冷蔵でよいが，長期保存する場合はRNA用検体は−70℃以下，DNA用検体は−20℃以下に冷凍する．

4）生検検体

リンパ節などの生検検体や手術の新鮮標本から核酸を抽出する場合は，検体容器を氷上に置いて細切し，少量の滅菌生理食塩水を加えてホモジナイザーなどで均一化して遠心し，PBSで洗浄して，その細胞沈渣を用いる．核酸が分解

しないよう素早く操作する．

5）ホルマリン固定パラフィン包埋検体

がん治療薬のコンパニオン診断やがん遺伝子パネルのターゲットシークエンスを行う場合は，ホルマリン固定した**パラフィン包埋**（FFPE）ブロックから切り出した切片からDNAを抽出する．生検検体や手術標本はすみやかに中性緩衝ホルマリン溶液（10%）で固定し，24時間以内に切り出しを行うことが望ましい．DNA抽出は専用のキットを用いる．ホルマリンによりDNAが400 bp以下に断片化されるため，サザンブロット解析など長いDNAを要する検査には不適である．ホルマリン固定時間が長いとさらに短く断片化されることがある．

> FFPE：formalin-fixed paraffin-embedded

6）喀痰

喀痰を滅菌容器に採取する．粘性の高い喀痰では，等量のNALC（N-アセチル-L-システイン）-NaOHなどを加えて，粘性を下げる前処理を行う．検体に生理食塩水やPBSを加えて遠心し，上清を除去して，細胞や菌体の沈渣を検体とする．

7）口腔粘膜細胞

HLAのDNAタイピングのような個人識別などに用いられる．うがい法と擦過法がある．うがい法は10〜15 mLの生理食塩水でうがいし，容器に入れて遠心し，PBSで洗浄した沈渣を検体とする．擦過法は婦人科細胞診用ナイロンブラシで頬粘膜を擦過し，ブラシについた細胞を生理食塩水の入った容器中で攪拌し遠心して，上清を除去し，PBSで洗浄した沈渣を検体とする．

2　DNA抽出

DNA抽出法はフェノール-クロロホルム法が標準的である．これに準じた各試薬メーカーのDNA抽出キットを使うと，試薬を調製する手間が省け，短時間で抽出できる．このほか，シリカメンブレン（スピンカラム）法の抽出キットもよく用いられる（QIAamp DNA Blood Mini Kit：キアゲン社など）．

1）フェノール-クロロホルム法

準備
10% SDS溶液，プロテイナーゼK溶液（小分けして-20℃に保存），フェノール（DNA用トリス飽和フェノール），PCI液，3M酢酸ナトリウム溶液，TE液，エタノール

手順
① 5 mL TNE液に浮遊させた検体に，10% SDS溶液150 μLとプロテイナーゼK溶液（10 mg/mL）50 μLを入れ，恒温槽内でときどき転倒混和し

> **血液検体からの核酸抽出**
> 血液1 mLからDNA 5〜10 μg，RNA約1 μgが得られる．PCR法には1回0.1〜1 μgのDNAを，RT-PCR法にはcDNA合成1回（このcDNAでPCRが数回施行できる）につき1 μgのRNAを用いる．収量は検体や抽出法により異なる．

> **フェノール-クロロホルム法**
> この方法の原理は，プロテイナーゼKによりDNA分解酵素を阻害しつつ蛋白分解を行い，分解しきれなかった蛋白とプロテイナーゼKをフェノールで変性させて除くことでDNAを抽出するものである．

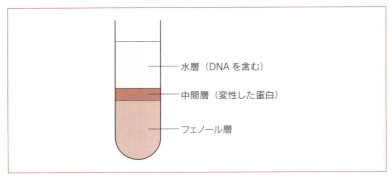

図4-3 フェノールによる除蛋白操作

ながら60℃で2時間，もしくは37℃で一晩インキュベート．細胞が溶解して粘稠になる．
② 5 mLのフェノールを加え，室温で20分間ゆっくり転倒混和．フェノールにより蛋白が除かれる．
③ 3,000 rpmで10分間，遠心．図4-3のように3層に分かれる．
④ ピペットで水層を回収し，別の13 mLチューブに入れる．水層は粘稠度が高いので，先の細いピペットでは吸えない．また，水層を残さず回収しようとすると，その下の層を吸い上げてしまうおそれがあるため，取り残しがあってもかまわない．
⑤ 5 mLのPCI液を加え，室温で20分間ゆっくり転倒混和．3,000 rpmで10分間，遠心．
⑥ ピペットで水層（上層）を回収し，別の13 mL用チューブに入れる．回収量の1/10容量の3M酢酸ナトリウム溶液と2.5倍量の100％エタノールを入れ，ゆっくり転倒混和．白色糸状のDNAが析出する．この操作をエタノール沈殿という．10分静置．
⑦ 3,000 rpmで10分，遠心．白色沈殿を吸わないように，上清を吸引除去．
⑧ 70％エタノール5 mLを入れ，軽く転倒混和し，3,000 rpmで5分間，遠心．
⑨ 上清を吸引除去し，残存するエタノールがおおよそ蒸発するまで風乾．乾燥させすぎると，次の操作で溶けにくくなる．
⑩ 50〜100 μLのTE液を加え，軽いピペッティングもしくは振盪により沈殿を溶かす．濃度が濃いと溶けきるのに1日かかることもある．薄すぎると以降の検査前に濃縮操作（エタノール沈殿して少量のTE溶液に溶かす）が必要となる．
⑪ 1.5 mL用マイクロチューブに移し替えて，4℃で保存（長期保存の場合は冷凍）．

DNA抽出の注意点
DNAは高分子であるため，激しくピペッティングしたりボルテックスをかけるとDNAが切断されてしまうので，行ってはならない．

フェノール-クロロホルム法に使用可能なチューブ
チューブはポリプロピレン製（半透明）を使う．ポリスチレン製（透明）はクロロホルムやフェノールに触れると溶けてしまう．また，ポリスチレン製は1,500 g以上の遠心力をかけると割れることがある．

エタノール沈殿
エタノール沈殿とは，核酸溶液に酢酸ナトリウムなどの塩類を加え，エタノールを加えることで核酸を凝集させて沈殿させることにより，核酸を精製する方法である．

RNAの除去
DNAの純度を高めるため，RNAを除去するのであれば，手順⑩で5 mLのTE液に溶かし，RNase Aを最終10 μg/mLとなるように加え，37℃で1時間インキュベート後，⑤以降の操作を繰り返す．RNA除去をしないのであれば，⑧で70％エタノールを1 mL入れ，沈殿ごとピペットでマイクロチューブに移し替え，12,000 rpmで5分間，遠心してもよい．

2）シリカメンブレン（スピンカラム）法

蛋白やRNAを分解させた細胞溶解液をカラムに入れて遠心し，カラムのシリカゲルメンブレンにDNAを結合させる．夾雑物を洗浄した後に，添付のバッファーで溶出する．約30分でDNAを抽出できる．

準 備

QIAamp DNA Blood Mini Kit（キアゲン社）など，エタノール，小型高速遠心機

手 順

検体を抽出キット添付の指示書に従って用いる．

> **DNA抽出キット**
> 抽出キットは検体種別ごとに異なるため，用いる検体に合わせて購入する．

3　RNA抽出

RNAはRNA分解酵素によって容易に分解されるため，注意が必要である．RNA分解酵素は，汗，唾液，細胞内などに存在し，熱に対しても容易には失活しない．RNAを扱うときは，新しいグローブをつけ，会話は慎み，細胞をすみやかに処理する．水は**ジエチルピロカーボネート（DEPC）処理**したものを使う．ガラス器具は200℃，4時間，乾熱滅菌し，乾熱できないものは5％過酸化水素水に10分間漬けた後，DEPC処理水ですすぐ．ピペットはディスポーザブルのものを使い，試薬類もRNA専用として保管し，ほかの検査や実験には用いないようにする．RNAの抽出はAGPC法が標準的である．シリカメンブレンにRNAを吸着させて洗浄後に溶出する，シリカメンブレン（スピンカラム）法の抽出キットもよく用いられる．

> AGPC: acid guanidinium thiocyanate-phenol-chloroform extraction

1）AGPC法

準 備

- DEPC処理水：超純水をガラスビンに入れ，1/1,000量のDEPCを加え，フタをして十分に転倒混和．37℃，2時間放置後，フタをゆるめてオートクレーブ滅菌（121℃，20分）．DEPCの芳香臭が残っていれば，もう一度オートクレーブにかける．
- 0.75Mクエン酸ナトリウム（pH 7.0）：クエン酸3ナトリウム二水和物（M.W. 294.1）22.06 gをDEPC処理水に溶かしHClでpH 7.0に合わせ，DEPC処理水を加えて100 mLにメスアップ．
- 10% sodium N-lauroylsarcosine（通称サルコシル）：10 gを超純水に溶かして100 mLにする．
- D液：293 mLの超純水にグアニジンチオシアン酸塩250 g，17.6 mLの0.75Mクエン酸ナトリウム，26.4 mLの10％サルコシルを加え，65℃に保って撹拌して溶かす．超純水を加えて500 mLにメスアップ．室温保存で3カ月有効．使用直前に，このストック溶液10 mLあたり70 μLの2-メルカプトエタノールを加えて混ぜる．
- 2M酢酸ナトリウム溶液：20 mLのDEPC処理水に27.2 g酢酸ナトリウ

> **AGPC法の原理**
> 強力な蛋白変性剤であるグアニジンチオシアン酸塩によって細胞を破壊して可溶化するとともにRNA分解酵素を失活させ，これを酸性条件下でフェノール処理すると，DNAと蛋白はフェノール層や中間層に，RNAは水層に移行する．

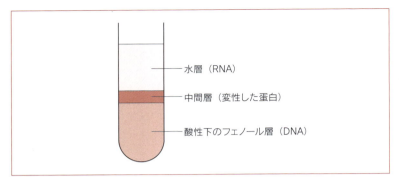

図 4-4　水層の回収

ム三水和物を溶かし，氷酢酸を pH 4.0 になるまで加える（約 60 mL）．DEPC 処理水を加えて 100 mL にメスアップ．
- 水飽和酸性フェノール：65℃の湯浴でフェノールを融解し，等量の DEPC 処理水と 8-ヒドロキシキノリンを 0.1％ になるように加え，5 分間振盪，静置後，水層（上層）を吸引除去．4℃で遮光保存．
- CIA：クロロホルム 49 mL とイソアミルアルコール 1 mL を混和，遮光保存．
- イソプロピルアルコール，エタノール，高速遠心機，小型高速遠心機

手　順

① 検体に D 液 4 mL を加える．チューブは 13 mL ポリプロピレンを使う．細胞が溶解し粘稠になる．
② 21 G の針をつけた 5 mL 用注射筒で，①の液を素早く吸ったり出したりを 10 回繰り返す．これにより，DNA が切断され，粘稠度が低下する．
③ 0.4 mL の 2M 酢酸ナトリウム溶液を加え，転倒混和．
④ 4 mL の水飽和酸性フェノールを加え，転倒混和．
⑤ 0.8 mL の CIA を加え，転倒混和．
⑥ 10 秒間激しく振盪後，15 分間，氷冷する（発泡スチロール容器にフレークアイスを入れ，チューブを突き刺す）．
⑦ 4℃，5,000 g で 20 分間，遠心．上から水層（RNA を含む），中間層，フェノール層の 3 層に分離する（**図 4-4**）．
⑧ 水層だけ（4 mL 弱）をピペットで回収し，新しいチューブに移す．
⑨ 4 mL のイソプロピルアルコールを加え転倒混和し，室温で 10 分放置．
⑩ 4℃，5,000 g で 10 分間，遠心．RNA による微量の白色沈殿がみられる．
⑪ 上清を吸引除去後，D 液 0.3 mL を加え，軽くピペッティングして沈殿を溶かし，これを 1.5 mL 用マイクロチューブに移す．
⑫ 0.3 mL のイソプロピルアルコールを加え，軽くピペッティングし −20℃で 30 分放置．
⑬ 4℃，15,000 rpm で 10 分間，遠心．微量の白色沈殿がみられる．

AGPC 法の試薬

AGPC 法に準じた ISOGEN（ニッポン・ジーン社）や TRIzol（サーモフィッシャーサイエンティフィック社）などを使うと，試薬準備の時間が短縮できる．

⑭ 上清を吸引除去後，1 mL の 75％エタノールを加え転倒混和．4℃, 15,000 rpm で 5 分間，遠心．

⑮ 上清を吸引除去して風乾．30 μL の DEPC 処理水に溶かす．2 μL は濃度測定用に使い，残りは，すぐに次のステップに進まないのであれば，−70℃で保存．

> **RNA の保存**
> RNA は分解されやすいため凍結保存する．長期保存する場合は，エタノール沈殿させて凍結保存する．

2）シリカメンブレン（スピンカラム）法

抽出原理を示す．細胞溶解液をカラムに流し，核酸をカラムのシリカメンブレンに結合させる．DNA 分解酵素を添加して DNA を分解し，洗浄バッファーで洗う．最後に，結合していた RNA を溶出バッファーで遊離させて，遠心によりマイクロチューブに RNA 溶液を回収する，という原理である．

> **RNA 抽出キット**
> 抽出キットは検体種別ごとに異なるため，用いる検体に合わせて購入する．

準備
High Pure RNA Isolation Kit（ロシュ・ダイアグノスティックス社），QIAamp RNA Blood Mini Kit（キアゲン社）など，小型高速遠心機

手順
① 白血球などの細胞検体では 10^6 個の細胞浮遊液を 0.2 mL PBS でつくり，1.5 mL 用マイクロチューブに移し替える．
② 抽出キット添付の手順書に従って操作する．約 1 時間で抽出できる．

4 核酸の濃度測定

DNA や RNA 溶液の濃度は分光光度計を用いて測定する．希釈した核酸溶液（通常，100 倍に希釈）を光路長 1 cm の石英セルに入れ，波長 260 nm と 280 nm とで吸光度（OD 値）を測る．

　　DNA の濃度（μg/mL）＝260 nm での OD 値×50
　　RNA の濃度（μg/mL）＝260 nm での OD 値×40

これに希釈倍率を乗じて，希釈前の核酸溶液の濃度とする．

また，(260 nm での OD 値)÷(280 nm での OD 値) を計算し，1.8〜2.0 程度であれば核酸の純度が高いといえる．これより異常に低ければ，蛋白やフェノールの混在が考えられる．

> **溶液の確認**
> RNA が分解されていないことを確認するには，ホルムアルデヒド変性アガロースゲル電気泳動を行い，18S rRNA と 28S rRNA のバンドが 1：2 の濃さでみえればよい．スメア状になっていれば，RNA が分解されていることを示す．

> **蛋白やフェノールの混在**
> 混在した蛋白やフェノールが 280 nm での吸光度を高めるため，OD 値の比が低下する．

5 核酸の保存

DNA 溶液は，すぐ使用するのであれば TE 溶液として 4℃で保存し，長期に保存する場合は−20℃以下に凍結する．凍結と融解を繰り返すと DNA が分解するので，小分けにする．DNA 溶液をエタノール沈殿（p.116 側注参照）させた状態でも長期保存が可能である．

RNA は DNA より分解されやすい．DEPC 処理水に溶解して−20℃で凍結すれば 1 カ月は保存可能である．長期に保存する場合は，エタノール沈殿して−80℃で保存する．

> **核酸の保存**
> DNA 分解酵素の活性化には二価金属イオンを必要とするため，キレート剤である EDTA を加えることで分解を防ぐ．

Ⅳ PCR 法の実践

　PCR 法の実習として一連の手順を実際に行う．検体は健常人の白血球もしくは口腔粘膜細胞から抽出した DNA を用いる．増幅する遺伝子として，ここでは調べる意味は特にないアルブミン遺伝子の例を示したが，文献などのプライマーや PCR 条件の情報をもとに，検査意義のあるほかの遺伝子に変えてもよい．

1　プライマーの作製

　調べようとする遺伝子の PCR プライマーの塩基配列を文献などで調べる．PCR の反応条件（3 つのステップの温度と時間），サイクル数，PCR 反応液の組成（Mg 濃度など）も確認する．乾燥状態のプライマーが届いたら，TE バッファー（pH 8.0）もしくは滅菌超純水で溶かす．通常，50 μM になるように溶かし，少量ずつ数本に分注し，当面使う 1 本は 4℃で保存し，残りは-20℃で保存する．

　ここでは，実習目的としてアルブミン遺伝子の PCR プライマーを示す．種々の遺伝子の検出において，検体の質と PCR 操作が適切であることを示す陽性コントロールとして用いられる．

＜*ALB* プライマー＞

センスプライマー　　　　　　　5'-TGTCCAGCAACTGAAACCTG-3'
アンチセンスプライマー　　　　5'-ACCTCTGGTCTCACCAATCG-3'
PCR サイクル　　　95℃・30 秒，55℃・30 秒，72℃・30 秒，40 サイクル
PCR 産物長　　　　200 bp

〔プライマーの塩基配列は Belaud-Rotureau らの論文（*Human Pathology*，38：1365〜1372，2007）より引用した．〕

> **プライマーの作製**
> プライマー作製業者の注文書に塩基配列を記入して合成依頼することが多い．純度（精製グレード）としては PCR グレード（逆相カラム精製）を選ぶ．シークエンスを合わせて行う場合は HPLC 精製を選ぶ．1 組（2 つ）のプライマーで通常は約 2〜3 千円で，1 回の購入で約 1,000 検体分ある．種々の遺伝子に対する既製のプライマーセットが試薬メーカーから出ているが割高である．なお，目的遺伝子の塩基配列データより自分でプライマーを設計することも可能ではあるが，実際にはむずかしい．

2　PCR 法の手順

準　備

・DNA 増幅装置（サーマルサイクラー）（**写真 4-27**）と PCR 用マイクロチューブ
・*Taq* ポリメラーゼ（5 U/μL，タカラバイオ社など）
・10×PCR バッファー，dNTP 混合液（2.5 mM ストック）：$MgCl_2$ が含まれていない PCR バッファーには最終 1.5 mM になるように $MgCl_2$ を添加する．至適 Mg^{2+} 濃度が異なるプライマーではその濃度に合わせる．
・サイズマーカー：100 bp ラダー（100，200〜1,500 bp と 100 bp の倍数の DNA 断片を含む）

手　順

① PCR チューブに次に述べる組成（1 検体あたり）で反応液をつくる．実際の検査は，数検体および陽性，陰性コントロールを同時に行うため，検体 DNA を除いたプライマーや超純水などの必要量を合計して反応液を作製

> **反応液の準備**
> 必要本数分ちょうどの反応液では最後の 1 本分が足りなくなることがあるので，プラス 1 本分の反応液を準備するのが一般的である．

> **反応液の作製**
> ①の操作はチューブと試薬類をフレークアイス（もしくは保冷バケット）に突き立てて行う（**写真 3-2** 参照）．

写真4-27　DNA増幅装置

し，必要本数のPCRチューブに分注し，最後に検体DNAを入れてピペッティングする．

1検体あたりの反応液の組成：

10×PCRバッファー	2.5 μL
dNTP混合液	2 μL
センスプライマー（50 μM）	0.25 μL（最終濃度0.5 μM）
アンチセンスプライマー（同）	0.25 μL（最終濃度0.5 μM）
超純水	x μL
Taqポリメラーゼ（最後に加える）	0.1〜0.25 μL

（検体DNA y μLを含めて合計25 μLになるようにx μLを計算する）

検体DNA　　　　　　　　　y μL（0.01〜1 μg相当）

②PCR装置に反応条件を入力しておく．一般的な反応条件の例を以下に示す．至適アニーリング温度はプライマーのTm値によって異なる．
 a. 94℃，3分間（十分に熱変性を行ってDNAを一本鎖にする）
 b. 94℃，1分間（熱変性）
 c. 55℃，1分間（アニーリング）
 d. 72℃，1分間（伸長）
  b〜dを計30サイクル繰り返す．
 e. 72℃，5分間（伸長を完全に行わせるために行う．省くこともある）
 f. 4℃，持続（保存．4℃に下がらない装置では室温に設定し，チューブを取り出して冷蔵庫で保存）
③チューブをPCR装置にセットしてスタート．2〜3時間で終了．
④新たなマイクロチューブにPCR産物9 μLを取り出し，1 μLの10×ローディングバッファーを加える．サイズマーカーは100 bpラダー液1〜2 μLを，7 μLの超純水と1 μLの10×ローディングバッファーと混ぜる．

PCRでの偽陽性と偽陰性
PCRでは偽陽性と偽陰性が問題となるため，陽性コントロール（PCR産物が生成されることが確かな検体）と陰性コントロール（目的とするPCR産物が生成されないことが確かな検体，もしくはDNAの代わりに超純水を入れたもの．後者でPCR産物が生成されるようであれば，試薬のいずれかにDNAが混入している可能性がある）のチューブをつくって同時にPCRを施行する．

Tm値
Tm値（melting temperature：融解温度）とはプライマーの50%が鋳型DNAと二本鎖になる温度，逆にいえば50%が解離する温度で，全塩基数とGC含量によって計算される．アニーリング温度はTm値の2〜5℃低い温度で設定する．

Taqポリメラーゼ
Taqポリメラーゼは1秒間に約60塩基を取り込んで伸長する．

3　ゲル電気泳動

PCR 産物を電気泳動して観察する．通常はアガロースゲル電気泳動を行う．PCR 産物が短い（100 bp 以下）場合は，アガロースゲル電気泳動ではバンドが太くなり，サイズのわずかに異なる 2 つのバンドの区別がつかないことがあるため，網目が細かいポリアクリルアミドゲル電気泳動を行う．

1）アガロースゲル電気泳動

準備
- 電気泳動用アガロース
- 50×TAE：50×TAE 20 mL に純水 980 mL を加えて，TAE 液 1 L をつくる．
- エチジウムブロマイド液（10 mg/mL）
- 電気泳動槽(サブマリン型)：ゲルサイズが 12 cm×14 cm 程度のもの．コームはウェル数が 16〜20 程度，厚さ 1.5 mm が標準的．ウェルの容量は約 30 μL になる．

手順
① 三角フラスコにアガロース 2.4 g と TAE 液 120 mL を入れ，ラップで軽くフタをして振って混ぜる．電子レンジで数分間加熱し，完全に溶かす．
② フラスコが触れるくらいに冷えたら（50℃），ゲル成型トレイに注ぎ，コームを差し込む（**写真 4-28**）．熱いうちに注ぐとトレイを傷める．
③ 約 30 分でゲルが固まる．コームを真上にそっと抜いて泳動槽にセット．
④ 残りの TAE 液を泳動槽の両側に，ゲルの上面の上 1 cm の高さになるまで注ぐ．
⑤ ウェルに前項「2 PCR 法の手順」④の PCR 産物を入れる．PCR 産物は中央のウェルを使う．検体を入れたウェルの脇のウェルにサイズマーカーを入れる．
⑥ パワーサプライに電極をつなぐ．ウェルのある側がマイナス，泳動していく側がプラスである．
⑦ 30〜100 V で泳動する（**写真 4-29**）．電圧は低めのほうが，バンドがシャープになる．BPB 色素（青色）がゲル長の 7〜8 割移動したら，電源をオフ．

写真 4-28　ゲルの作製

アガロースゲル電気泳動
PCR 産物の大きさは通常は 1 kb 以下であるため，低分子分析用のアガロース（NuSieve 3：1 アガロースなど）を使わないとバンドの分解能が悪い．

ゲルのサイズ
ここでは実習が目的なので標準サイズのゲルを示したが，実際にはもっと小型のゲルで構わない．

アガロースの濃度
アガロースの濃度は，調べたい DNA 断片の長さによって決める．ここでは，100〜2,000 bp 程度の断片が解析できる 2% アガロースゲルをつくる．長い DNA 断片の泳動は，長さに応じて薄い濃度（0.8% など）のゲルを用いる．

TAE 液の注ぎ方
初心者は，TAE 液面下のウェルにサンプルを入れる際にサンプルをウェル外へ巻き上げてしまうことがある．ゲルの上面と同じ高さまで TAE 液を注ぎ，検体を入れて泳動を開始し，検体がゲルの中へ潜りこんだら，いったん電源オフにして，TAE 液をゲルの上面 1 cm の高さまで注いでから，泳動を再開してもよい．ただし，ゲルが乾かないよう，素早く行う必要がある．

泳動時間
100 V であれば数時間，30 V であれば十数時間かかる．泳動時間は，アガロース濃度によって変わる．

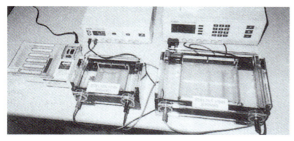

写真 4-29　アガロースゲル電気泳動
ミニゲル（左，中）と通常のゲル（右）．

写真 4-30　トランスイルミネータでのゲルの観察

⑧ゲルをトレイごと持ち上げ，泳動槽のバッファー約 500 mL をトレイ（もしくはタッパーウエアなどのプラスチック容器）に移し，25 μL のエチジウムブロマイド液を入れて混ぜる．その中にゲルを漬け，30 分間ゆっくり振盪する．

⑨トランスイルミネータの上にラップを敷き，ゲルをのせ，紫外線を照射して観察し（**写真 4-30**），写真撮影する．バンドの有無とそのサイズを確認する．

2) ポリアクリルアミドゲル電気泳動

PCR 産物が短い（100 bp 以下）場合で，バンドを明瞭な細い線として観察したいときに用いる．ポリアクリルアミドは垂直にゲルをつくって泳動する（スラブ型電気泳動）．分解能が高いため，通常サイズ（16 cm×16 cm）のゲルではなく，ミニゲル（8 cm×7 cm）で十分である．ポリアクリルアミドゲル用泳動装置として，ゲル作製が容易なミニプロティアン Tetra セル（バイオ・ラッド社）を用いれば，ゲル溶液 10 mL で 2 枚のゲル（厚さ 0.75 mm の場合）が作製でき，2 枚を同時に泳動できる．これにより，最大 28 検体（1 枚 15 ウェルの場合）を泳動できる．この装置に基づいて説明するが，他社の泳動装置でも操作はほぼ同様である．

準備

- ミニプロティアン Tetra セル（バイオ・ラッド社）：泳動槽，ガラス板，コーム，ゲル作製台がセットになっている（**写真 4-31**）．
- 30％アクリルアミド溶液：アクリルアミド 29 g，N,N'-メチレンビスアクリルアミド 1 g を超純水に溶かし，100 mL にする．0.45 μm のフィルタを通したのち（省略してもよい），4℃で遮光保存．
- TEMED（バイオ・ラッド社）
- 10％過硫酸アンモニウム（APS）：50 mg の過硫酸アンモニウムを 0.5 mL の超純水に溶かす．1 週間以上たったら作り替える．
- 5×TBE

手順

①大小各 2 枚のガラス板をエタノールで拭いて乾かす．ガラス板（大）を拭

> **エチジウムブロマイド染色（手順⑧）の別法**
> 手順②で 6 μL のエチジウムブロマイド液をアガロース液に入れて泡立てないように混ぜ（0.5 μg/mL），④で泳動バッファーにも 40 μL のエチジウムブロマイド液を入れることにより，⑧の操作を省くことができる．ただし，エチジウムブロマイドが DNA の移動度に影響を与えることがある．エチジウムブロマイド液は数回，再使用できる．

> **ポリアクリルアミドの濃度**
> ポリアクリルアミドの濃度は目的の PCR 産物の長さに応じて決める．たとえば，長さが 10～100 bp であれば 20％にし，100～1,000 bp であれば 3.5％にする．ここでは 5％ゲル（80～500 bp 用）をつくる．

> **アクリルアミドの毒性**
> アクリルアミドは皮膚や粘膜から吸収されると神経毒となるため，触れないよう注意する．

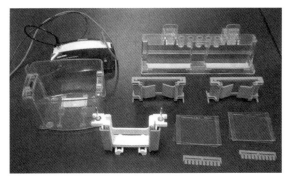

写真 4-31 ミニプロティアン Tetra セル

写真 4-32 ゲルの作製

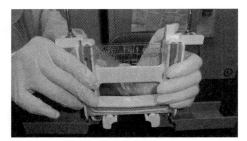

写真 4-33 ゲルカセットを電極台にセット

いた面を上にして置き，ガラス板（小）を拭いた面を下にしてこの上にのせる．2 枚のガラスの下辺をそろえる．
② ゲル作製フレームにセットし，フレームのカムを締めつける．
③ このゲルカセットをゲル作製台にセットして，準備完了．
④ チューブに超純水 6.28 mL，5×TBE 2 mL，30％アクリルアミド溶液 1.67 mL を入れ，軽くピペッティング．室温で，真空ポンプ内で 15 分間脱気（省略してもよい）．
⑤ APS 50 μL と TEMED 5 μL を加え，泡立てないように数回ピペッティングし，針付き注射シリンジなどを用いて素早くガラス板の間に流し込む．ガラス板（小）の上辺の高さまで入れたら，泡ができないよう気をつけて，コームをゲル液に差し込む（**写真 4-32**）．
⑥ 45 分ほどでゲルが固まる．コームを真上にそっと抜く．コームを抜いたあとにできるウェルにマイクロピペットで蒸留水をかけて洗い，逆さにして蒸留水を出す．
⑦ このゲルカセットを電極台にセットする（**写真 4-33**）．
⑧ 電極台を泳動槽にセットする．
⑨ 5×TBE 140 mL と純水 560 mL を混ぜて，泳動バッファーをつくる．泳動バッファーを，上部バッファー槽（2 つのゲルカセットの間）に，ガラス板（大）の上辺とガラス板（小）の上辺の間の高さまで注ぐ．残りの泳動バッファーを下部バッファー槽（泳動槽の底）に注ぐ．ゲルの直下に泡

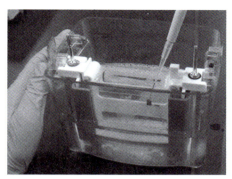
写真 4-34　サンプルのアプライ

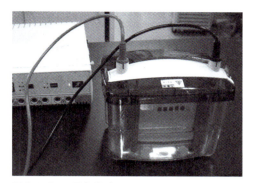
写真 4-35　電気泳動

がついたら，直角に曲げた注射針をつけた注射筒で泳動バッファーを吹き付けて泡を追い出す．
⑩パワーサプライにつないで 20 V で 30 分ほど前泳動する（ゲルを均一化するためだが，省略してもよい）．
⑪PCR 産物 9 μL に 1 μL の 10×ローディングバッファーを混ぜ，先端が細長いチップでウェルに入れる（**写真 4-34**）．1 つのウェルにはサイズマーカー（100 bp ラダーなど）を入れる．
⑫パワーサプライにつないで 100 V で泳動する（**写真 4-35**）．BPB 色素がゲル長の約 8 割を移動したら，電源を切る．泳動バッファーのうち，100 mL はトレイに入れ，残りは捨てる．
⑬電極台からガラス板を取り出し，ガラス板を上記のトレイに漬け，ガラス板の間にスパーテルなどを差し込んで，ガラス板をはがしてゲルを取り出す．
⑭ここに 5 μL のエチジウムブロマイド液を加えて混ぜ，30 分間ゆっくり振盪してゲルを染色し，トランスイルミネータで紫外線を照射して観察し，写真撮影する．バンドの有無と長さを確認する．

4　トラブルシューティング

前述（p.121 側注）のように，陽性コントロールと陰性コントロールを同時に解析することにより，失敗の原因が限定される．

1）陽性コントロールで PCR 産物が得られない
①酵素の失活や，PCR 装置の作動不良といった基本的ミスの確認をする．ほかの遺伝子の検査ではうまくできるかを調べる．
②基本的ミスがない場合は，PCR のサイクル数を増やす，アニーリング温度を下げる，マグネシウム濃度を上げる，などを試みる．

> **凍結保存した試薬**
> 凍結保存してある試薬を溶かして使うとき，チューブ内の部分的に溶けた溶液を使うと，実際の濃度と異なってしまい，反応が正しく起こらないことがある．

2）陽性となるべき検体で PCR 産物が得られない

検体 DNA の濃度と純度（260 nm と 280 nm での OD 値の比）を再検し，必要なら，再度フェノール抽出からやり直して検体 DNA の純度を高める．

3）陰性コントロールでも PCR 産物が生じる

DNA を入れていない PCR チューブからも PCR 産物が生じる場合は，10× PCR バッファー，dNTP，酵素などの中に，DNA がコンタミネーションしている可能性がある．検体 DNA を吸ったチップでうっかり試薬を吸ってしまったなどが考えられる．また，DNA 溶液をピペッティングしたときにエアロゾルが舞い上がってピペット本体内部に付着し，同じピペットで次にバッファーなどをとるときにその DNA がコンタミネーションする場合もある．後者を防ぐために，PCR に関連する操作ではフィルタつきチップを用いる．

> **コンタミネーション**
> DNA 検体間のクロスコンタミネーションに加え，PCR 産物のキャリーオーバーコンタミネーションにも気をつける．特に後者は濃度が濃いので，手技に伴うものだけでなく，遠心機などの中でも起こることがある．

4）非特異的な PCR 産物（目的としない複数のバンド）が生じる

検体 DNA，酵素，プライマーの濃度を下げる，サイクル数を減らす，アニーリング温度を上げる，マグネシウム濃度を下げる（1.5 mM 未満にしない），などを試みる．非特異的な増幅を抑えるため，高温になって初めて酵素活性が生じるホットスタート PCR 用の *Taq* ポリメラーゼを使用してみる．

> **ホットスタート PCR 用 *Taq* ポリメラーゼ**
> ホットスタート PCR 用 *Taq* ポリメラーゼは，抗体がポリメラーゼに結合して作用が抑えられており，最初の熱変性で抗体が離れて初めて活性を生じる．これによって，低温の時に非特異的に結合したプライマーによる伸長が起こらないよう工夫されている．

Ⅴ 定性 RT-PCR 法の実践

実習として RT-PCR 法の一連の手順を実際に行う．検体は健常人の白血球などから抽出した RNA を用いる．増幅する遺伝子として，ここでは解析をする目的ではないので，ハウスキーピング遺伝子として使われる *GAPDH* 遺伝子を示したが，文献などのプライマーや PCR 条件の情報をもとに，検査意義のあるほかの遺伝子に変えてもよい．逆転写反応と PCR を別々に行う 2 ステップ法（RT の後に，別のチューブで PCR を行う方法）で行う．

> RT-PCR：reverse transcription-polymerase chain reaction

1 プライマーの作製

GAPDH（glyceraldehyde-3-phosphate-dehydrogenase）遺伝子のプライマーをプライマー作製業者に発注する．詳細は，「Ⅳ PCR 法の実践」を参照．

＜GAPDH プライマー＞

センスプライマー　　　　　5'-CCACCCATGGCAAATTCCATGGCA-3'
アンチセンスプライマー　　5'-TCTAGACGGCAGGTCAGGTCCACC-3'
PCR サイクル　　　94℃・45 秒，60℃・45 秒，72℃・1.5 分，35 サイクル
PCR 産物長　　　　600 bp

〔プライマーの塩基配列は Maier らの論文（*Science*，249：1570〜1574，1990）より引用した．〕

2　逆転写反応

逆転写反応（mRNA から cDNA の合成）は，各試薬メーカーから発売されているcDNA 合成キットを用いて行う．ここでは，サイティバ社のキットをもとに解説する．

準備

- First-strand cDNA 合成キット：DEPC 処理水をはじめ，逆転写反応に必要なすべての試薬が含まれている．添付の Reaction Mix は，逆転写酵素，dNTP，RNA 分解酵素阻害剤を含んだ反応バッファーである．

手順

① マイクロチューブに 1～5 μg の RNA を入れ，総量が 8 μL になるように DEPC 処理水を加える．
② 65℃で 10 分間加熱し，素早くフレークアイス（もしくは保冷バケット）に突き刺して冷やす．遠心機でスピンダウン．
③ 以下の試薬を加える．

　　　Reaction Mix　　　5 μL
　　　ランダムヘキサマー　1 μL
　　　DTT 液　　　　　　1 μL

④ ピペッティング後スピンダウンし，37℃で 1 時間インキュベートすると cDNA が合成される．すぐに PCR に進まないときは –20℃で保存．
⑤ ここから 2 μL をとり，PCR 用マイクロチューブに入れる．

3　PCR とゲル電気泳動

「IV PCR 法の実践」と同様に行う．

VI　定量 RT-PCR 法の実践

リアルタイム PCR 装置を所有していれば，発現を調べようとする遺伝子のプローブ・プライマーセットと反応液キットを購入して，定量 RT-PCR 法を実施してもよい．

準備

- リアルタイム PCR 装置（**写真 4-36**）
- TaqMan 用 Master Mix：ホットスタート *Taq* ポリメラーゼ，PCR バッファー，dNTP があらかじめ混ぜられた反応液が各社から販売されている．
- 測定対象遺伝子と内部標準遺伝子のプライマー，標識プローブ，濃度既知の標準物質はセットに含まれる．キットを用いない場合は，プライマーと標識プローブをオリゴヌクレオチド作製業者にオーダーメイドで注文する．

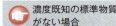

濃度既知の標準物質がない場合
濃度既知の標準物質を入手できない場合は，目的とする遺伝子を発現している検体から作製した cDNA を，便宜的に濃度 1 の標準物質とみなして用いる．

手順

① 検体から RNA を抽出し，逆転写反応によって cDNA を合成する（前述）．

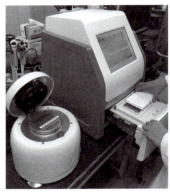
写真4-36 リアルタイムPCR装置

写真4-37 リアルタイムPCR装置の操作

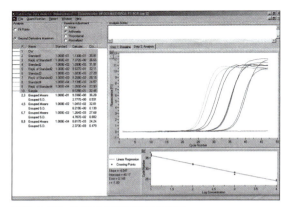
写真4-38 定量分析結果の画面表示

②濃度既知の標準サンプル原液から,3〜5点の10倍希釈系列を作製する.
③リアルタイムPCR装置を立ち上げ,温度や時間などのPCRプログラムを設定し,検体や標準サンプルの名称や既知濃度を入力する.
④1.5 mLチューブを氷上(もしくは保冷バケット)に置き,必要本数分(検体と濃度標準サンプル系列とネガティブコントロールを合わせた本数)の反応液,プライマー,プローブを加え,ピペッティングする.
⑤マイクロチューブに上記の混合液を入れる.最後にcDNA検体や希釈系列濃度標準サンプルを加える.
⑥遠心機でスピンダウンし,リアルタイムPCR装置にセットする.
⑦測定を開始する(**写真4-37**).
⑧終了とともに,装置に組み込まれている解析ソフトによって**検量線**が作成され,各検体の濃度(コピー数/μL)が計算される(**写真4-38**).
⑨同じcDNA検体を用いて,内部標準遺伝子(*GAPDH*など)の発現量を同様に測定する.
⑩定められた結果の表示法に従って定量値を出す.

> **DNA結合色素法を行う場合**
> TaqManプローブ法ではなく,DNA結合色素法(第3章 p.85)を行う場合には,「V 定性RT-PCR法の実践」で用いたGAPDHプライマーと,SYBR GreenリアルタイムPCRマスターミックス(各社)を準備すれば実施できる.

第5章 染色体検査の基本

I 染色体検査法

　臨床検査における染色体検査では，主に**分染法**と **fluorescence *in situ* hybridization（FISH）法**が用いられている．分染法は分裂中期の染色体を対象とし，FISH法は分裂中期の染色体および間期核を対象として検査する．分染法，FISH法，マイクロアレイ法とシークエンス法の解析対応レベルを**図5-1**に示す．分染法は数メガ塩基以上を対象とする〔分染法により染め出されるバンド，1バンドが数メガに相当する（第2章「V 染色体地図と遺伝子マッピング」参照）〕．FISH法では，解析に用いるプローブの長さに依存し，数十キロ塩基以上が対象となる．また，キャピラリーシークエンス法とFISH法の対応レベルの間を補完する方法がマイクロアレイ法となる．さらに，次世代シークエンス法は1塩基レベルから全ゲノムを対象とする網羅的かつ高精度の解析法である．

II 分染法に基づく染色体検査

1 細胞培養〜標本作製

　分染法あるいはFISH法を用いて適切に検査を実施するためには，検査対象，

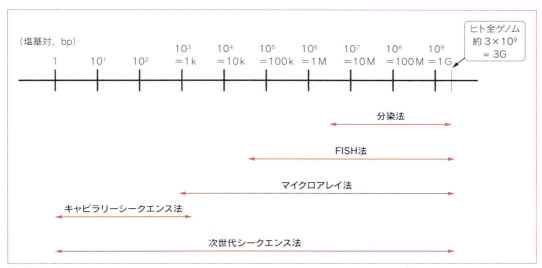

図5-1　分染法とFISH法の解析対応レベル

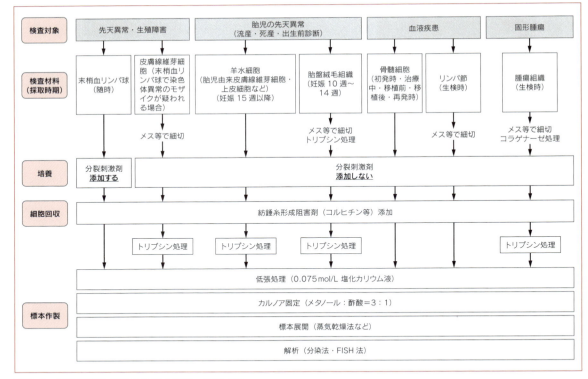

図 5-2 細胞培養から染色体標本作製・解析まで

検査材料や採取時期，培養法や細胞回収法，そして標本作製法を理解する必要がある（**図 5-2**）．一般に，染色体検査の培養から標本作製に用いられる試薬や方法の原典は，50年以上も前に開発・報告された歴史的背景をもつ（**表 5-1**）．

1）検査対象

染色体検査を実施する目的は，おおよそ3つに分類できる．①先天異常・生殖障害，②胎児の先天異常（流産・死産の原因，出生前診断），③腫瘍（血液疾患と固形腫瘍）における染色体異常である．

2）検査材料・採取時期

①**先天異常・生殖障害を検査する場合**：必要時（随時）採取する末梢血リンパ球を対象とする．末梢血リンパ球で染色体異常のモザイクが疑われる場合，皮膚線維芽細胞を採取して検査を実施する．モザイクとは，個体内に遺伝的性状（染色体構成，遺伝子型）が異なる細胞が混在する状態であり，性状の異なる細胞が同一の受精卵に由来する場合である．例として，受精後の胚発生初期に染色体異常が起こった場合〔Turner（ターナー）症候群など〕があげられる（**図 5-3**）．また，X染色体不活化もモザイクといえる（第2章「Ⅵ 遺伝子発現量の補正：X染色体の不活化」参照）．一方，遺伝的性状が異なる

表 5-1　細胞培養から標本作製にかかわる技術の歴史的背景

操作	試薬・方法	試薬・方法の報告者（年）
培養液	浮遊系細胞：RPMI1640〔Roswell Park Memorial Institute（RPMI）medium〕 接着系細胞：MEM（Eagle's minimum essential medium） 　　　　　　DMEM（Dulbecco's modified Eagle's medium） 　　　　　　Ham's F-12	Moore ら（1967 年） Eagle（1959 年） Dulbecco & Freeman（1959 年） Ham（1965 年）
培養（分裂刺激）	フィトヘマグルチニン（phytohemagglutinin；PHA）：インゲン豆に由来するT細胞の幼若化を誘導し，分裂を促進するマイトジェン性質があり，細胞培養時に添加する．	Nowell（1960 年）
紡錘糸形成阻害 （細胞周期を分裂中期でとどめる）	コルヒチン（コルセミド）を用いた培養	Levan（1938 年）
低張処理 （赤血球の溶血・細胞の膨化）	0.075 mol/L の塩化カリウム液を用いた処理	Hsu（1952 年）
エージング（十分に乾燥させることで，鮮明な染色像が得られる）	蒸気乾燥法（air-drying 法）	Rothfels & Siminovitch（1958 年） Tjio & Puck（1958 年）

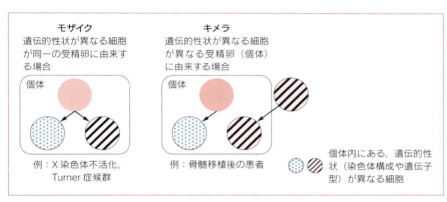

図 5-3　モザイクとキメラ

細胞が個体内に混在し，その性状の異なる細胞が異なる受精卵に由来するものをキメラという．キメラの例としては，ドナー細胞とレシピエント細胞が混在する移植（骨髄移植など）後の患者がある（**図 5-3**）．

②胎児の先天異常を検査する場合：羊水細胞（妊娠 15 週以降）を用いて，そこに含まれる胎児由来皮膚線維芽細胞や上皮細胞を検査材料とする．また，胎盤絨毛組織（妊娠 10 週～ 14 週）も対象になる．

③腫瘍での染色体異常を検査する場合：目的とする腫瘍細胞がより多く存在する検査材料を用いる．白血病での検査の場合は，初発時，治療中，移植前後，再発時を通して骨髄細胞が対象になる．また，リンパ腫での検査の場合は，初発時や生検時のリンパ節が対象になる．固形腫瘍での検査の場合は，初発時（生検時）や再発時の腫瘍組織そのものが対象になる．

3）培養法

細胞培養は，培養液を用いてシャーレ内で細胞を増殖させる方法である．分裂中期の染色体を検査するためには，細胞周期を回す，つまり細胞を増殖させる必要がある．皮膚線維芽細胞，胎盤絨毛組織，リンパ節や腫瘍組織などは，培養前に検査材料をメスなどで細切したり，トリプシン，コラゲナーゼなどの酵素処理によって細胞をバラバラにする．培養液は，浮遊系（シャーレの底にくっつかない）と接着系（シャーレの底にくっつく）の各細胞に適切なものを用いる．培養液にはウシ胎児血清（fetal bovine serum）や抗菌薬（ストレプトマイシンやペニシリン）を添加して使用する．

培養液
代表的な浮遊系細胞用の培養液には RPMI1640，接着系細胞用の培養液には MEM，DMEM や Ham's F-12 がある．

（1）分裂刺激剤の使用有無

①末梢血リンパ球の増殖刺激：末梢血正常リンパ球は，そのまま培養液に入れても細胞分裂・増殖能を有しない．そのため，分裂促進（幼若化）試薬として**マイトジェン**（分裂促進因子）である**フィトヘマグルチニン**（phytohemagglutinin；PHA）を添加し，培養を行う．細胞自身がすでに増殖能をもっている線維芽細胞や腫瘍細胞は，無刺激のまま培養を行う．

②リンパ球細胞株の樹立：末梢血リンパ球は，患者から採取後フィトヘマグルチニンによる刺激を行っても1週間程度しか増殖を維持できない．つまり，永続的に細胞が増えるわけではない．一方，末梢血リンパ球に DNA ウイルスである Epstein-Barr（EB）ウイルスを感染させると，Bリンパ球の形質が変化（トランスフォーム）し，リンパ芽球様細胞株（lymphoblastoid cell line；LCL）が樹立できる．この LCL は高い増殖能を維持し，永続的に培養が可能になる．

（2）培養時の注意

①材料による異常細胞の頻度の差，培養操作による異常細胞の欠落（図 5-4）：12番染色体短腕の同腕染色体を過剰に有する Pallister-Killian（パリスター・キリアン）症候群では，モザイクとして皮膚線維芽細胞では異常細胞と正常細胞が認められるが，骨髄や末梢血では，異常細胞が欠落するなど非常に低頻度になってしまう．また，PHA 刺激を行った末梢血リンパ球での染色体検査では検出しにくくなる．

②腫瘍細胞の倍加時間（表 5-2）：すでに増殖能をもっている腫瘍細胞の染色体検査では，分裂刺激剤を添加しない．しかし，腫瘍細胞の倍加時間はさまざまであり，分裂中期の染色体を得にくい場合には，分染法を実施できない．そのため，間期核も対象になる FISH 法を使用することで検査が可能になる．

倍加時間
doubling time ともよばれ，たとえば腫瘍細胞数が2倍になるために要する時間である．

4）細胞回収

細胞周期を分裂中期で止めるために，分裂刺激剤使用の有無にかかわらず，標本作製の細胞処理の前に，いずれの材料でも紡錘糸形成阻害剤であるコルヒチン（コルセミド）を添加する（コルヒチン，コルセミドの作用メカニズムは第2章図 2-3 参照）．

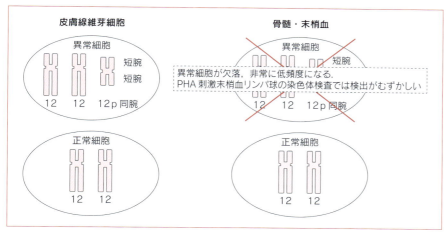

図 5-4　検査時の注意点：検体・培養操作による異常細胞の欠落
〔例：Pallister-Killian 症候群（12 番染色体短腕の同腕染色体）〕

表 5-2　腫瘍細胞の倍加時間[1]

疾患名（詳細な分類は省略）	細胞倍加時間（日）
慢性リンパ性白血病（CLL）	781
急性リンパ性白血病（ALL）	5.7
慢性骨髄性白血病（CML）	8.0
急性骨髄性白血病（AML）〔急性前骨髄球性白血病（APL）〕	2.5 (4.1)
多発性骨髄腫（MM）	120
肉腫（骨・軟部）	5
大腸がん	391
肺がん	114
前立腺がん	219
乳がん	152

5）標本作製

(1) 細胞剥離処理

シャーレの底にくっつく接着系細胞の場合は，細胞をはがすためにトリプシン処理を行う．

(2) 低張処理

遠心して回収した細胞は，0.075 mol/L 塩化カリウム液を用いて低張処理を行う．低張処理によって赤血球を溶血でき，さらにリンパ球などの細胞を膨化させるため，染色体の観察がしやすくなる．

(3) カルノア（Carnoy）固定

メタノール：酢酸＝3：1 に要時調製したカルノア固定液を用いて細胞固定を行う．

表 5-3　分染法

	単染色法	Q 分染法（QFQ）	G 分染法（GTG）	R 分染法（RBG）
前処理		McIlvaine 緩衝液	トリプシン	BrdU（数百 μg/mL 濃度で細胞回収前 6 時間程度作用させる．複製時 AT 部位に A-BrdU として取り込まれる）
染色液	ギムザ染色液	蛍光色素（キナクリンマスタード，AT 塩基に特異的に結合）	ギムザ染色液	蛍光色素（ヘキスト 33258，AT 塩基に特異的に結合）ギムザ染色液
分染パターン（イメージ図）	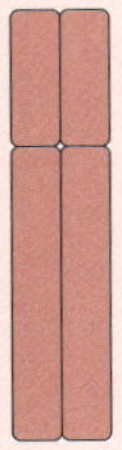	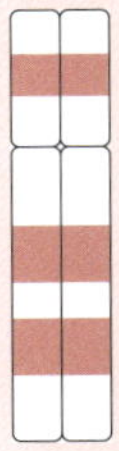	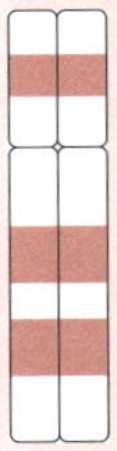	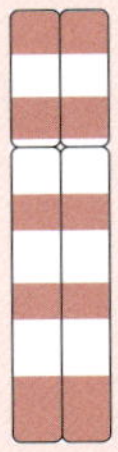
濃染する染色部位	染色体全体	AT 部位	AT 部位	GC 部位

(4) 標本展開

固定した細胞をスライドガラス上に滴下し，蒸気乾燥法（自動展開装置など）で展開する（エージング：十分に乾燥させることで鮮明な染色像を得る）．

(5) 解析

分染法や FISH 法を施して各解析を行う．

2　分染法（表 5-3）

核染色液であるギムザ（Giemsa）染色液を用いて染色した単染色の場合，染色体全体がほぼ一様に染色され，染色体や領域の識別が困難である．一方，分染法では染色体を識別し，染色体の特定の部分を認識することができる．いずれの分染法でも，何らかの前処理を施したのちにギムザ染色液あるいは蛍光色素を用いて核染色を行っている．また，一つの分染法でもさまざまな処理法に基づく方法が報告されているが，本書ではより一般的に用いられる方法を紹介する．

1）Q 分染法

蛍光色素のキナクリンマスタード（Quinacrine mustard）を染色液として使用しているため，Q 分染法といわれる．最初に報告された分染法（Q-bands by fluorescence using quinacrine；QFQ）であり，染色体の分類・バンドの命名などの基準になった（1973 年パリ会議）．マッキルベイン（McIlvaine）緩衝液

C分染法（CBG）	NOR分染法（Ag-NOR）	姉妹染色分体分染法	高精度分染法
飽和水酸化バリウム	硝酸銀	BrdU（数 μg/mL 濃度で2回細胞周期相当の時間取り込ませる．複製時AT部位にA-BrdUとして取り込まれる）	エチジウムブロマイド（EtBr）（EtBrがインターカレーターであり，DNAの二本鎖間に挿入されるため，染色体凝縮が阻害される）トリプシン
ギムザ染色液	ギムザ染色液	蛍光色素（ヘキスト33258，AT塩基に特異的に結合）ギムザ染色液	ギムザ染色液
構成的ヘテロクロマチン	核小体形成域（NORs）13〜15，21，22番染色体の二次狭窄部位	姉妹染色分体	AT部位

に浸した後にキナクリンマスタードで染色する．キナクリンマスタードはアデニン（A）とチミン（T）のATに特異的に結合する．AT塩基対の多い領域が優位に強く蛍光染色される．特に，Y染色体長腕ヘテロクロマチン領域（Yq12）が強く蛍光染色される（第6章**写真6-2**参照）．

2）G分染法

ギムザ（Giemsa）染色液を染色液として用いているため，G分染法といわれる．濃淡パターンはQ分染法の蛍光強弱パターンと一致し，濃染部はQ分染法での強染部であるAT塩基対が多い領域に相当する．トリプシン処理後にGiemsa染色する方法（G-bands by trypsin using Giemsa；GTG）は，染色体を識別しやすいバンドパターンが得られるため，広く用いられている（第6章**写真6-1**参照）．

3）R分染法

Q分染法やG分染法の強弱・濃淡パターンとは逆の（Reverse）バンドパターンを示すため，R分染法といわれる．さまざまな方法が報告されているが，ここではチミジン類似体である5-ブロモ-2'-デオキシウリジン（5-bromo-2'-deoxyuridine；BrdU）を用いてGiemsa染色を施すRBG（R-bands by BrdU using Giemsa）法を示す（**図5-5**）．前述の標本作製の細胞取り上げ処理の約

インターカレーター
エチジウムブロマイドのように，DNA二本鎖の間に挿入できる物質をインターカレーターという．

トリプシン処理
トリプシン処理時間は一定ではなく，実施する場合に時間を微調整するなどの操作が必要である．

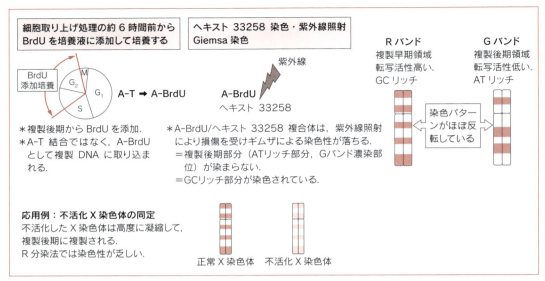

図 5-5　R 分染像と複製時期

6 時間前から BrdU を添加して培養する．約 6 時間前はおおよそ細胞周期の複製後期に一致する．複製時にアデニン-チミンではなく，アデニン-BrdU として BrdU が複製 DNA に取り込まれる．細胞回収を行い，アデニン-チミン（アデニン-BrdU）に結合する蛍光色素ヘキスト 33258 を用いて染色し，紫外線照射を十分に行う．その後に Giemsa 染色を施すが，紫外線照射によりアデニン-BrdU/ヘキスト 33258 複合体部分が損傷を受けるため，Giemsa 染色液の染色性が落ちて淡くなる．したがって，R 分染法での Giemsa 染色淡染部位は染色体の複製後期領域（転写活性が低い）で，BrdU を取り込む AT 塩基対が多い（AT リッチ）領域である．逆に，R 分染法濃染部位は複製早期領域（転写活性が高い）で，GC 塩基対が多い（GC リッチ）領域となる．したがって，Q 分染法や G 分染法での濃染部位は，R 分染法では淡染部位であり，複製後期領域（転写活性が低い）で AT 塩基対が多い領域が染め出されていることになる．本法の有用性は G 分染法の淡染部分の異常を詳細に解析できることであり，複製過程と関連するため不活化 X 染色体（第 2 章Ⅵの「6 不活化 X 染色体と複製時期」参照）の同定にも有用である．不活化 X 染色体は遺伝子発現が抑制されている状態にあり，高度に凝縮しているため複製後期に複製される．R 分染法による染色性が全体にわたって乏しいため，同定することができる．

BrdU の濃度
濃度は数百 μg/mL．後述の姉妹染色分体分染法は数 μg/mL．

4）C 分染法

構成的（constitutive）ヘテロクロマチン領域を濃染できるため，C 分染法といわれる．飽和水酸化バリウム溶液処理後に Giemsa 染色する CBG 法（C-bands by barium hydroxide using Giemsa）が報告された．C 分染法では，特に 1 番，9 番，16 番染色体ヘテロクロマチン領域が濃染される（第 6 章**写真 6-3** 参照）．正常変異である 9 番染色体の逆位 inv(9)(p12q13)の確認にも使用できる．

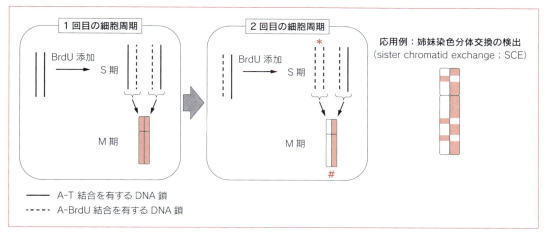

図 5-6 姉妹染色分体分染法
2 回目の複製期を経た DNA 鎖では，二本鎖に A-BrdU を取り込んだ状態となる（図中＊）．
一本鎖と二本鎖に A-BrdU が取り込まれている姉妹染色分体では，染色性に違いが生じるため識別が可能になる（図中#）．

5）NOR 分染法

核小体形成域（nucleolus organizer regions；NORs）（第 2 章**写真 2-3** 参照）を濃染する方法で，NOR 分染法といわれる．NOR 分染法は，まず Matsui & Sasaki により酸性溶液中で熱処理した方法（N 分染法）が報告された．その後，さまざまな方法が報告されているが，**表 5-3** では硝酸銀を用いた Ag-NOR 法を示す．

6）姉妹染色分体分染法

チミジン類似体である BrdU を培養液に添加し，細胞分裂周期 2 回分相当の時間取り込ませ，姉妹染色分体を染め分ける方法である．染色液に蛍光色素ヘキスト 33258 のみを用いた方法が，1973 年に報告された．ここでは，ヘキスト 33258 とギムザ染色液を用いた方法を示す（**図 5-6**）．BrdU の濃度は数 μg/mL であり，R 分染法の使用濃度より低い（「R 分染法」参照）．2 回目の細胞周期でも BrdU を取り込ませることにより，1 本のみに A-BrdU が取り込まれている姉妹染色分体と 2 本ともに A-BrdU が取り込まれている姉妹染色分体では，ヘキスト 33258 染色後の紫外線照射による破壊程度の差が Giemsa 染色の染色性の違いとして現れる．その染色性の違いに基づいて姉妹染色分体を識別する．この分染法により，DNA 障害の指標となる**姉妹染色分体交換**（sister chromatid exchange；SCE）を観察することができる．**染色体不安定症候群**の一つである Bloom（ブルーム）症候群では，SCE 頻度の上昇が認められる（本章 V「5 染色体不安定症候群」参照）．

7）高精度分染法

染色体はその長さによってバンドレベルに違いが生じる（第 2 章 IV の 2「2）

分染法開発以降」参照）．まず過剰なチミジンを使用する同調培養による方法が報告され，その後，エチジウムブロマイドを用いた簡便な方法が報告された．エチジウムブロマイドを用いて培養を行い，Giemsa 染色を施す方法である．この方法は微細な染色体構造異常の検査に適している．

> **略 エチジウムブロマイドを用いた簡便な方法**
> エチジウムブロマイドはインターカレーターであり，DNA 二本鎖の間に挿入する．培養中に添加することで，染色体の凝縮が阻害される．結果的に，より長い染色体が得られ，バンドレベルの高い分染パターンが得られる．

3 染色体核型解析・核型表記

1）核型解析

各種の分染法により染色を行った標本を用いて，光学顕微鏡下で観察を行う．広がりのよい分裂中期（メタフェーズ）の染色体を探し，CCD カメラなどで取り込みを行い，染色体画像解析装置を用いて核型（カリオタイプ）解析を行う．欠失の場合は 3 細胞以上，増加の場合は 2 細胞以上で認められた場合，再現性のある異常と判断する．また，病型特異的な構造異常（**表 5-9** 参照）は 1 細胞でも有意と考える．

2）核型表記

染色体構成についての記載である核型は，ヒト染色体に関する国際命名規約（An International System for Human Cytogenomic Nomenclature；ISCN）に基づいて記載する（第 2 章Ⅳの「1 染色体分類・命名に関する規約」参照）．ISCN（最新版は ISCN2020）で使用されている略語とその意味について，一部を表に示す（**表 5-4**）．核型表記の原則は，染色体総数，性染色体構成，異常と解析細胞数について，順を追って記載していく（**図 5-7**）．異常細胞の記載は，略語を使用して記載する．たとえば，転座（translocation, t）については，かかわる染色体を異常の略語 t に続く（ ）内にセミコロンで入れて記載し，次の

表 5-4　ISCN で使用されている記号と意味

略語	フルスペル	意味
del	deletion	欠失
der	derivative chromosome	派生染色体
dic	dicentric	二動原体染色体
dmin	double minute	二重微小染色体
dup	duplication	重複
i	isochromosome	同腕染色体
ins	insertion	挿入
inv	inversion	逆位
minus sign（－）	loss	減少
plus sign（＋）	additional normal or abnormal chromosome	増加
r	ring chromosome	環状染色体
rob	robertsonian translocation	ロバートソン転座
t	translocation	転座

図 5-7 核型（カリオタイプ）の表記方法

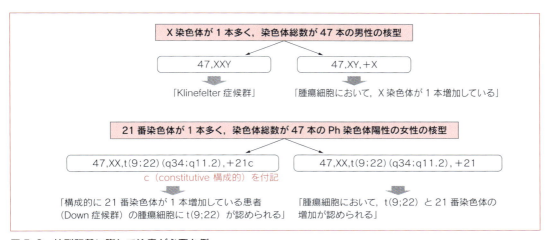

図 5-8 核型記載に際して注意が必要な例

（　）内に切断点をセミコロンで囲む．正常細胞と異常細胞など複数のクローンが存在する場合は，「/」で区切って記載する．また，移植後の検査では，まずレシピエント由来細胞の核型を記載した後，「//」で区切ってドナー由来細胞の核型を記載する．

3）核型記載について注意が必要な例（図 5-8）

① 性染色体異常に関する記載：「X 染色体が 1 本多く，染色体総数が 47 本の男性」の核型について，「47,XXY」と「47,XY,+X」が考えられるが，それぞれ "Klinefelter（クラインフェルター）症候群", "腫瘍細胞において X 染色体が 1 本増加していること" を意味する．先天異常で性染色体がかかわる場合は，染色体総数の次の性染色体構成の記載部分に含める．

②構成的異常に関する記載：「21番染色体が1本多く，染色体総数が47本のフィラデルフィア（Ph）染色体陽性の女性の核型」の核型について，「47,XX,t(9;22)(q34;q11.2),+21」では，この患者が"腫瘍細胞でのみ+21なのか"，"先天異常〔Down（ダウン）症候群〕として+21なのか"区別がつかない．そのため，腫瘍細胞を含まない検体でも+21を有し，先天異常であることがわかった場合，「構成的：constitutive」のcを+21に付記し+21cとする（Ph染色体については，本章Ⅵの1「3）腫瘍で初めて発見された染色体異常：フィラデルフィア（Ph）染色体」参照）．

Ⅲ fluorescence *in situ* hybridization（FISH）法に基づく染色体検査

1 核酸ハイブリダイゼーションを原理とする方法

核酸ハイブリダイゼーションは，プローブとターゲットの核酸塩基間の相補的な結合である．核酸ハイブリダイゼーションを原理とする方法を**表5-5**に示す．これらの方法の違いは，ターゲットの核酸，ターゲットとプローブのいずれが固相化されているか，ターゲットとプローブのいずれが標識されているかである．

2 ハイブリダイゼーションから *in situ* ハイブリダイゼーションへ—技術的背景（図5-9）

核酸ハイブリダイゼーションについては，図5-9に示す一連の研究から，核酸は配列依存的にハイブリダイゼーションすることが明らかになった．それまでの研究は溶液内でのハイブリダイゼーションであったが，膜上に固相化した核酸とプローブの核酸がハイブリダイゼーションすることが示された．そして，1969年に細胞核上での核酸ハイブリダイゼーションが行われ，「もともとの位置」を意味する「*in situ*」という言葉が使用された．ここで *in situ* ハイブリダイゼーションという新たな技術が生まれた．さらに，パラフィン包埋標本上での *in situ* ハイブリダイゼーションも可能になった．

3 *in situ* ハイブリダイゼーションの種類（図5-10）

in situ ハイブリダイゼーションは，前述したカルノア固定標本上の分裂中期

表5-5 核酸ハイブリダイゼーションを原理とする方法

方法	ターゲットの核酸	固相化	標識
サザンブロット法	抽出したDNA	ターゲット	プローブ
ノザンブロット法	抽出したRNA	ターゲット	プローブ
in situ ハイブリダイゼーション法	標本上のDNA，RNA	ターゲット	プローブ
マイクロアレイ法	抽出したDNA，RNA	プローブ	ターゲット

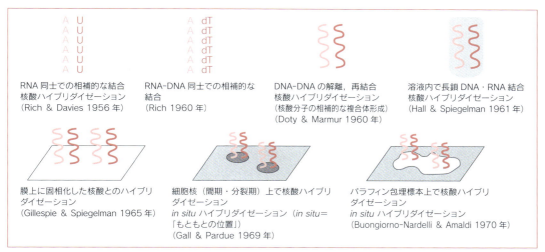

図 5-9 核酸におけるハイブリダイゼーションから in situ ハイブリダイゼーションまでの技術的背景

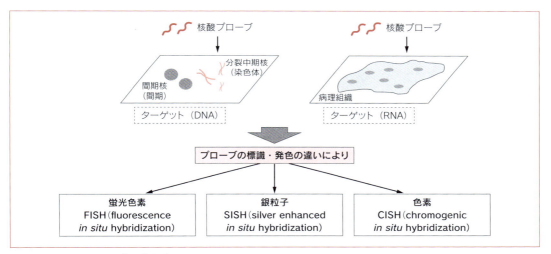

図 5-10 in situ ハイブリダイゼーション

の染色体や間期核，病理組織標本上の間期核を対象として，ターゲット（DNAあるいはRNA）と核酸プローブをハイブリダイゼーションすることで，染色体・遺伝子異常を検査することができる．in situ ハイブリダイゼーションは，プローブの標識や発色の違いによって3つに区別できる．蛍光色素（Fluorescence）を用いた場合がFISH，銀粒子（Silver）を用いた場合がSISH，色素（Chromogen）を用いた場合がCISHといわれる．

実際に，臨床検査では *ERBB2*（*HER2*）遺伝子増幅検査試薬として，FISH法を用いた試薬のほかに，SISH法とCISH法の2つを組み合わせた dual *in situ* hybridization（DISH）法による検査試薬が用いられている．FISHは蛍光顕微鏡で，DISHは光学顕微鏡で観察する（図5-11）．

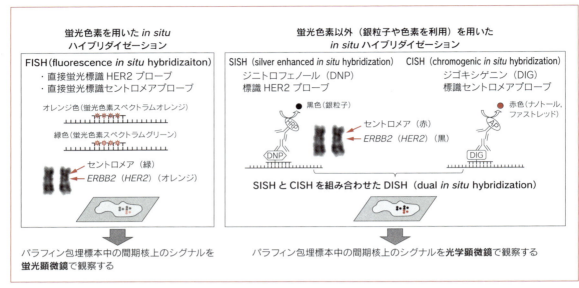

図5-11 ハイブリダイゼーション後の検出の例〔*ERBB2*（*HER2*）遺伝子増幅検査試薬〕

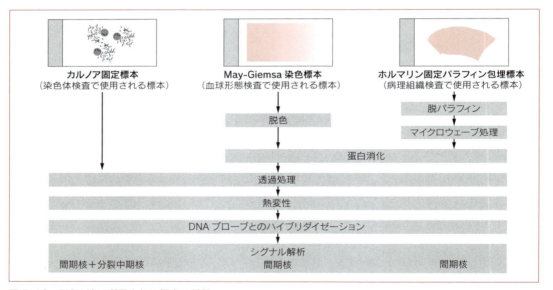

図5-12 FISH法に利用される標本の種類
FISH法は，核が存在する標本であれば使用できる．

4 FISH法
1）FISH法に利用される標本の種類と基本的操作法（図5-12）
（1）標本の種類

　カルノア固定標本，血液形態検査で使用されるMay-Giemsa（メイギムザ）染色標本，病理組織検査で使用されるホルマリン固定パラフィン包埋標本など，核が存在する標本であればFISH法を適用することができる．

(2) 標本の前処理

May-Giemsa 染色標本では脱色，ホルマリン固定パラフィン包埋標本では脱パラフィンとマイクロウェーブの前処理を行う．そして，両標本とも，前処理後に蛋白消化を行う．その後，さらに非イオン性界面活性剤（NP-40 など）を用いた透過処理を行う．

(3) 熱変性・ハイブリダイゼーション・洗浄

標本の前処理後に熱変性を行う．同時にプローブも熱変性させ，変性後一本鎖になっている標本上ターゲットとプローブを一晩ハイブリダイゼーションする．

ハイブリダイゼーション後，非特異的なプローブを洗浄する．

(4) 対比染色（後染色）

洗浄後の核対比染色は DAPI（4',6-diamidino-2-phenylindole）を使用し，間期核や染色体全体を確認しながら目的のプローブのシグナルパターンを観察する．

2）変性・ハイブリダイゼーション（アニーリング）・洗浄に影響する因子（図 5-13）

相同な核酸配列同士が二本鎖になる現象〔「アニーリング（PCR 時によばれる）」「ハイブリダイゼーション」〕や一本鎖になる現象（「変性」）に影響する重要な因子は熱である．加熱により変性が促進し，緩徐な冷却により変性した相補的な一本鎖同士は，ハイブリダイゼーション（アニーリング）する．急冷すると一本鎖状態のままになる．水素結合を切断する物質（ホルムアミドなど）は変性を促進する．塩濃度（陽イオン濃度）は低いほど，pH は高いほど変性が促進する．

3）プローブの種類

FISH 法に使用されるプローブ（市販品など）は，数百キロ塩基と非常に長い

> **ハイブリダイゼーションに影響する因子**
> 「*in situ*」という言葉を初めて使用した Gall & Pardue（1969 年）はアルカリ変性により一本鎖とした後にハイブリダイゼーションを行っていたが，同年に同じく標本上でのハイブリダイゼーション法を報告している John ら（1969 年）は，熱変性により一本鎖とした後にハイブリダイゼーションを行っている．

> **プローブ**
> 多くのプローブが市販されており，購入して使用することができる．

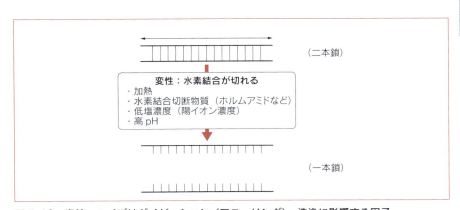

図 5-13 変性・ハイブリダイゼーション（アニーリング）・洗浄に影響する因子

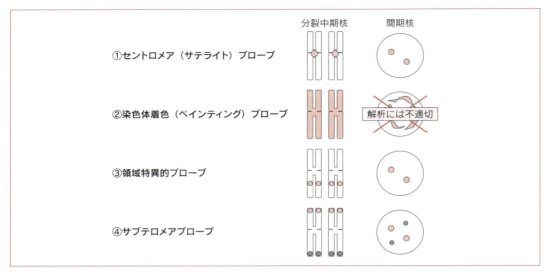

図 5-14　FISH プローブの種類

（PCR に使用されるプライマーは 20〜30 塩基）．そのプローブの種類は，染色体のどの部位にハイブリダイゼーションするかによって 4 つに区別することができる（**図 5-14**）．

(1) セントロメア（サテライト）プローブ

主に α サテライトに対して特異的な DNA プローブであり，セントロメアや Y 染色体の長腕部が観察できる．α サテライト以外の，サテライト II，III に特異的なプローブもある（**写真 5-1**）．本プローブにより染色体の識別が可能になる．一部識別できない染色体もある（第 2 章**表 2-2** 参照）．

(2) 染色体着色（ペインティング）プローブ

特定の染色体から作製した DNA ライブラリーを蛍光標識したプローブであり，染色体全腕が観察できる．本プローブにより得られるシグナルは間期核上では解析できない．

(3) 領域特異的プローブ

染色体の特定領域（遺伝子）に相補性を示す特異的な DNA プローブであり，特定の遺伝子（を含む）領域が観察できる．

(4) サブテロメアプローブ

染色体の短腕，長腕のテロメア近接部（サブテロメア）に特異的な DNA プローブであり，染色体の短腕末端，長腕末端が観察できる．

4) 蛍光シグナルと細胞周期（図 5-15）

分裂期の染色体，特に姉妹染色分体が分かれてみえる場合，各相同染色体上に 2 つずつのシグナルが観察される．また，間期核では G_1 期から複製前までは，DNA 量が 2C であり，1 個ずつのシグナルが 2 個観察される．また，S 期から G_2 期は DNA 量が 4C になっているため（第 1 章参照），原理的には姉妹

写真 5-1　αサテライト以外の領域に対するセントロメア特異的プローブが存在する染色体
（アボット社プローブ情報に基づく）

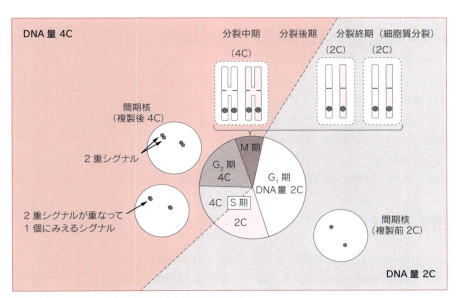

図 5-15　FISH シグナルの見え方と細胞周期の関係

　染色分体を反映する複製 DNA 鎖上の 2 重シグナルが 2 個観察される．しかし，プローブの長さや蛍光の拡散により，2 重シグナルではなく重なって 1 個にみえるシグナルが 2 個観察されることが多い．以降の解説では，間期核上のシグナルについて，2 重シグナルではなく重なって 1 個にみえるシグナルが 2 個観察されるものを正常シグナルパターンとして示す．

5）FISH シグナル検出の種類（図 5-16）

① 融合シグナルを検出する場合：特定の染色体間での相互転座を検出する場合，2 種類の蛍光色素（赤と緑など）で標識された遺伝子特異的プローブや領域特異的プローブを用いて FISH を行う．転座陽性の場合，2 種類の蛍光色素が重なった色（赤と緑が重なって黄色）の融合シグナルが観察される．

② 分離シグナルを検出する場合：特定の染色体の特定の場所で切断が生じ，複数の染色体の間で相互転座を起こす場合，その特定の染色体上の切断点のセントロメア側とテロメア側に対する近接した 2 種類の蛍光色素（赤と緑など）で標識された領域特異的プローブを用いて FISH を行う．この場合，正常細胞では切断が起きていないため，2 色が近接して黄色シグナルとなる．一方，転座陽性の場合，2 種類の蛍光色素が分離し，赤と緑の分離シグナルが観察される．

③ 性別を区別する場合：X 染色体と Y 染色体を区別する場合，2 種類の蛍光色素で標識された各セントロメアプローブを用いて FISH を行う．

④ 異数性（増加・欠失）を検出する場合（セントロメアプローブを使用）：特定の染色体の増加や欠失を検出する場合，当該の染色体のセントロメアプローブを用いて FISH を行う．増加・欠失の場合に，シグナル数の増加や減少が観察される．

⑤ 異数性と遺伝子増幅を検出する場合（セントロメアプローブと領域特異的プローブを使用）：遺伝子増幅（増加）を検出する場合，当該遺伝子を含む領域特異的プローブと当該遺伝子が座位する染色体のセントロメアプローブを用いて FISH を行う．染色体数の増加による遺伝子数の増加（セントロメアプローブに対するシグナル数＝領域特異的プローブに対するシグナル数）や，染色体数は正常で当該遺伝子そのものが増加（セントロメアプローブに対するシグナル数 2 個＜領域特異的プローブに対するシグナル数）する場合，シグナル数の増加が観察され，シグナル数の比率が変化する．

6）組織切片標本と細胞核の切断：FISH シグナル観察時の注意点（図 5-17）

ホルマリン固定パラフィン包埋標本は，病理学的所見と遺伝子染色体レベルでの異常をあわせて評価できる貴重な検査材料である．しかし，病理組織標本作製時の薄切により核が切断されており，カルノア固定標本や捺印標本のように核全体の状態を反映できていない場合がある．また，薄切の厚みによっては細胞が重なり合い，上面からの観察時にシグナルが観察しにくい場合もある．

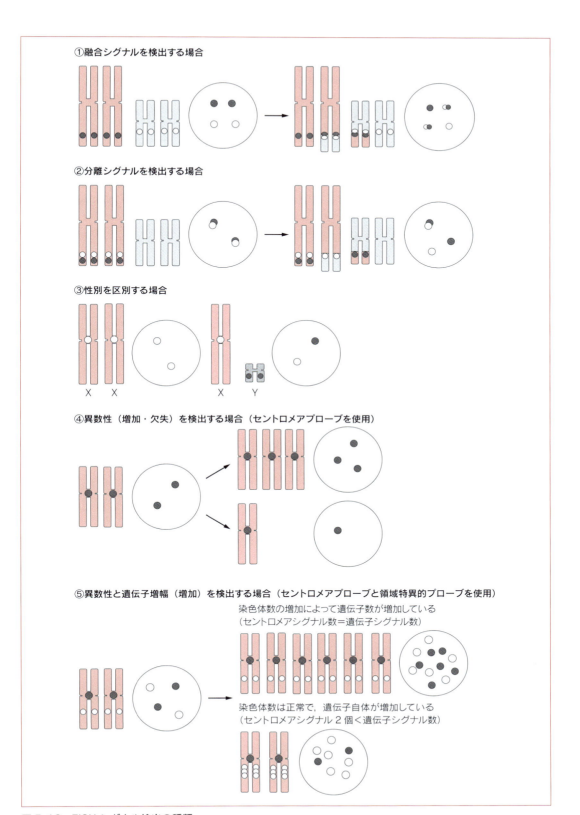

図 5-16 FISH シグナル検出の種類

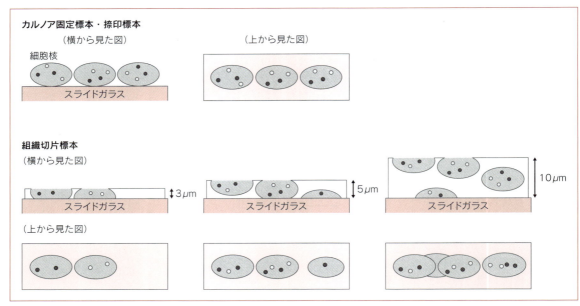

図 5-17　FISH での注意点―組織切片標本と細胞核の切断（細胞核のみを表示したイメージ図）

Ⅳ マイクロアレイ法（図 5-18）

　マイクロアレイ法は，シークエンス法と FISH 法による解析対応レベルの間を補完する方法である（**図 5-1 参照**）．マイクロアレイ法が核酸ハイブリダイゼーションを原理とするほかの方法と大きく異なる点は，プローブを固相化しターゲットを標識して行うことである．固相化するプローブは，ゲノム DNA 解析ではオリゴヌクレオチドを，RNA 発現解析では cDNA を用いる．それらのプローブがガラスなどの基板上に高密度に固相化されており（アレイ），ゲノムコピー数や発現量，一塩基多型のタイピングについて網羅的な解析が可能になる．

1）CGH アレイ

　<u>C</u>omparative <u>G</u>enomic <u>H</u>ybridization の頭文字をとって CGH アレイといわれる．目的試料と対照試料から抽出したゲノム DNA あるいは RNA（cDNA）を 2 色の蛍光色素で標識し，基板上のプローブとハイブリダイゼーションする．各スポットの蛍光強度を読み込み，解析を行うことでゲノム DNA コピー数や発現量を比較解析することができる．あくまで対照試料に対する相対的評価である．

2）SNP アレイ

　<u>S</u>ingle <u>N</u>ucleotide <u>P</u>olymorphism（一塩基多型）に対するマイクロアレイであり，SNP アレイといわれる．SNP アレイでは対照試料がいらず，目的試料の

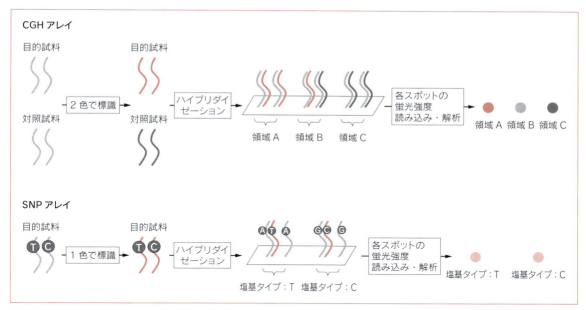

図 5-18　マイクロアレイによる染色体コピー数解析

みからゲノム DNA を抽出し 1 色で標識する．標識検体を固相化された各領域の SNP タイプ別のプローブとハイブリダイゼーションする．CGH アレイと同様に，各スポットの蛍光強度を読み込み解析を行うことで，SNP タイピングとゲノム DNA コピー数解析ができる（**図 5-25** 参照）．

Ⅴ 先天性染色体異常：染色体異常症

　染色体レベルでの数的異常や構造異常により，当該領域の多くの遺伝子の変化を伴い，身体や精神発達の障害など共通した症状と，関連する遺伝子に起因する特徴的な症状をあわせて呈する疾患（症候群）である．配偶子に染色体異常があれば，基本的には個体の構成細胞はすべて染色体異常を有する．染色体異常が発生初期に起こった場合，染色体異常を有する細胞と正常細胞が混在するモザイクとなる（**図 5-3** 参照）．

　本項では，主な症候群について，その異常解明の歴史的背景と染色体異常パターンおよび適用される検査法を記載するのみにとどめる．臨床症状を**表 5-6** に示す．

1　常染色体異常
1）トリソミー
(1) 21 番染色体トリソミー〔Down（ダウン）症候群〕

　1866 年に Down によって報告され，1959 年に Lejeune によって染色体トリソミーであることが明らかにされた．染色体異常のパターンは，標準型 21 番

表 5-6　主な染色体異常の症状

疾患名	出生頻度	主な症状
Down 症候群	1/1,000	特徴的な顔貌，知的障害，心臓の機能・構造異常，白血病の合併
Edwards 症候群	1/7,000	乳児期死亡，成長障害，重度発達遅滞
Patau 症候群	1/12,000	乳児期死亡，重度発達遅滞，脳の構造異常
Cri-du-chat 症候群	1/45,000	子猫様のなき声，眼間開離，知的障害
Wolf-Hirschhorn 症候群	1/50,000	重度発達遅滞，成長障害，難治性てんかん
Turner 症候群	1/2,500	女性内性器の発育不全，無月経，翼状頸，低身長
Klinefelter 症候群	1/1,000	外見上は男性だが女性化の傾向，無精子症，長身

染色体トリソミー（約95％），ロバートソン型転座（約4％），21q21q転座（数％），モザイク型21番染色体トリソミー（約2％），21番染色体長腕トリソミー（非常にまれ）である．主な検査法は分染法，FISH 法である．

(2) 18番染色体トリソミー症候群〔Edwards（エドワーズ）症候群〕

1960 年に Edwards によって報告され，染色体トリソミーであることが明らかにされた．染色体異常のパターンは，標準型 18 番染色体トリソミー（約94％），モザイク型 18 番染色体トリソミー，18 番染色体長腕トリソミーである．主な検査法は分染法，FISH 法である．

(3) 13番染色体トリソミー症候群〔Patau（パトウ）症候群〕

1657 年に Bartholin によって報告され，1960 年に Patau によって染色体トリソミーであることが明らかにされた．染色体異常パターンは，標準型 13 番染色体トリソミー，ロバートソン型 13 番染色体トリソミー，モザイク型 13 番染色体トリソミーである．主な検査法は分染法，FISH 法である．

2）モノソミー

(1) 5番染色体短腕欠失症候群〔Cri-du-chat（猫鳴き）症候群〕

1963 年に Lejeune によって 5 番染色体短腕部分欠失症例が報告された．2000 年には Medina らにより，*CTNND2* 遺伝子を含む 5p15 領域の欠失が原因であることが解明された．主な検査法は FISH 法である．

(2) 4番染色体短腕欠失症候群〔Wolf-Hirschhorn（ウォルフ・ヒルシュホーン）症候群〕

1961 年に Hirschhorn らによって報告され，1965 年に Hirschhorn と Wolf らのそれぞれの報告で，4 番染色体短腕欠失が明らかにされた．責任領域は 4p16.3 である．主な検査法は FISH 法である．

2　性染色体異常

1）Turner（ターナー）症候群

1938 年に Turner によって報告され，1959 年に Ford によって性染色体欠

失であることが明らかにされた．染色体異常のパターンは45,X（約50％），X染色体長腕同腕染色体型46,X,i(Xq)（約15％），モザイク型45,X/46,XX（約15％），モザイク型45,X/46,X,i(Xq)（約5％）である．主な検査法は分染法，FISH法である．

2）Klinefelter（クラインフェルター）症候群

1942年にKlinefelterらによって報告され，1959年にJacobsとStrongによって47,XXYが報告された．染色体異常のパターンは，47,XXY，モザイク型47,XXY/46,XY，48,XXYY，48,XXXY，49,XXXXYである．主な検査法は分染法，FISH法である．

3）脆弱X症候群

1943年にMartinとBellによって報告された．1977年Sutherlandにより，葉酸欠乏培地で培養を行った染色体ではXq27.3部分にギャップや切断など脆弱性が認められることが発見された．1991年にVerkerkらにより*FMR1*(Xq27.3)遺伝子が単離され，FMR1の5'非翻訳領域のCGG繰返し配列の延長（通常200繰り返し以上）が明らかとなった．その繰り返しにより*FMR1*遺伝子発現が抑制されることが脆弱性の原因である．核型表記は46,Y,fra(X)(q27.3)あるいは46,X,fra(X)(q27.3)である．主な検査法は分染法，PCR法である．

Xq27以外にも，1番〜22番染色体およびX染色体上には，多くの脆弱部位が存在し，その脆弱部位には多くの遺伝子が座位している（**表5-7**）．一部が表現型と関連する．

3 隣接遺伝子症候群

欠失や重複によって隣接した複数の遺伝子の発現異常により引き起こされる疾患の総称である．主な疾患について記載する．

1）Angelman（アンジェルマン）症候群

1965年にAngelmanによって報告され，1987年にMagenisらによって15番染色体長腕微細欠失が報告された．15q11-q13に座位する*UBE3A*遺伝子の機能欠失が原因である（遺伝子機能欠失の機構は後述の「4 インプリンティングと疾患」を参照）．主な検査法はFISH法，マイクロアレイ解析，メチル化PCR法，シークエンス解析である．

2）Prader-Willi（プラダー・ウィリー）症候群

1956年にPrader，LabhartとWilliらによって報告された．15q11-q13に座位する*SNRPN*遺伝子や*NDN*遺伝子など複数の遺伝子の機能欠失が原因である（遺伝子機能欠失の機構は後述の「4 インプリンティングと疾患」を参照）．

表 5-7　染色体上における脆弱部位[2) 3)]

染色体番号	脆弱部位数	脆弱部位に座位する遺伝子数
1	13	665
2	13	518
3	4	111
4	5	126
5	8	221
6	8	294
7	11	378
8	5	165
9	6	70
10	6	378
11	9	394
12	5	321
13	5	39
14	2	67
15	1	55
16	5	128
17	2	28
18	3	42
19	2	1,091
20	2	21
21	1	6
22	2	41
X	3	3

主な検査法はFISH法，マイクロアレイ解析，メチル化PCR法，シークエンス解析である．

3）Williams（ウィリアムズ）症候群

　1961年にWilliamsら，1962年にBeurenらによって報告された．7q11.23微細欠失が原因である．主な検査法はFISH法，マイクロアレイ解析である．

4）Smith-Magenis（スミス・マギニス）症候群

　1986年にSmithとMagenisによって17p11.2欠失の症例が報告された．17p11.2に座位する*RAI1*遺伝子の欠失や変異が原因である．主な検査法は分染法，FISH法，シークエンス解析である．

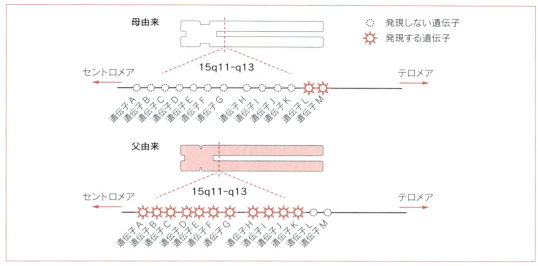

図 5-19 遺伝子発現の有無が父方・母方の染色体により異なる（15q11-q13 領域：Prader-Willi 症候群，Angelman 症候群に関連）

5) Miller-Dieker（ミラー・ディカー）症候群

1963 年に Miller，1969 年に Dieker によって報告された．17p13.3 の欠失が原因である．主な検査法は FISH 法である．

6) DiGeorge（ディ・ジョージ）症候群

1968 年に DiGeorge によって報告された．22q11.2 欠失症候群の一つである．この欠失領域には非常に多くの遺伝子が含まれる．また，欠失のない症例から *TBX1* 遺伝子変異が報告され，主な原因と考えられている．主な検査法は FISH 法，シークエンス解析である．

4　インプリンティングと疾患

両親の性別により遺伝子発現の調節を受けるインプリンティング遺伝子（第 2 章図 2-29 参照）は，当該遺伝子を含む染色体領域の欠失や UPD（第 2 章図 2-22 参照），さらにはインプリンティング調節そのものの異常によって遺伝子発現がなくなった場合に，疾患発症の原因となる．そのような疾患の例として，隣接遺伝子症候群である Prader-Willi 症候群（プラダー・ウィリー症候群）と Angelman 症候群（アンジェルマン症候群）がある．これらの疾患は 15 番染色体長腕 q11-q13 領域のインプリンティング遺伝子が関与する（図 5-19）．

Prader-Willi 症候群と Angelman 症候群の発症の原因を図 5-20 に示す．Prader-Willi 症候群では，父方の 15q11-q13 部分の欠失（75〜80％），15 番染色体の母性ダイソミー（UPD）（20〜25％），父方遺伝子のインプリンティング異常（約 1％）が生じ，結果的に，正常では父方でのみ発現する遺伝子群が発現していないために疾患発症につながる．

UPD：片親性ダイソミー

図 5-20　インプリンティングと疾患（Prader-Willi 症候群と Angelman 症候群）[4]

表 5-8　UPD とインプリンティングが関与する疾患

染色体番号	UPD 由来	疾患名
6	父	新生児一過性糖尿病
7	母	Silver-Russell（シルバー・ラッセル）症候群
11	父 母	Beckwith-Wiedemann（ベックウィズ・ヴィーデマン）症候群 Silver-Russell 症候群
14	父 母	鏡－緒方症候群 Temple（テンプル）症候群
15	父 母	Angelman 症候群 Prader-Willi 症候群

　一方，Angelman 症候群では，母方の 15q11-q13 部分の欠失（70〜75％），15 番染色体の父性ダイソミー（UPD）（3〜7％），母方遺伝子のインプリンティング異常（2〜3％）が生じている．Prader-Willi 症候群と異なり責任遺伝子が同定されており，*UBE3A* 遺伝子の遺伝子変異（〜10％）もある．結果的に，正常では母方でのみ発現する遺伝子が発現していないために疾患発症につながっている．

　インプリンティングと UPD が関与する疾患は，15 番染色体以外に，6，7，11，14 番染色体で報告されている（**表 5-8**）．

5　染色体不安定症候群

　DNA 修復機構に欠陥が生じることで染色体断裂や染色体不安定性が増加し，一定の臨床像を呈する疾患の総称である．

1) Fanconi（ファンコニ）貧血

1927年にFanconiによって報告された．染色体断裂が原因である．これまでに，DNA修復に関連する*FANCA*（16q24.3），*FANCB*（Xp22），*FANCC*（9q22），*FANCD1*（*BRCA2*）（13q12），*FANCD2*（3p25）など22種類のFanconi貧血責任遺伝子が報告されている．主な検査法は染色体脆弱試験，シークエンス解析である．

2) Bloom（ブルーム）症候群

1954年にBloomによって報告された．5q26に座位する*BLM*遺伝子の変異が原因であり，DNAヘリカーゼの異常により姉妹染色分体交換（SCE，図5-6参照）の頻度が著増する．主な検査法は姉妹染色分体分染法，シークエンス解析である．

3) ICF症候群

Immunodeficiency, Centromeric instability, Facial anomaliesの頭文字からつけられている．分岐染色体（1番，9番，16番染色体ヘテロクロマチン領域の伸長）が認められる．20q11.2に座位する*DNMT3B*遺伝子変異を有する場合をICF1といい，6q21に座位する*ZBTB24*遺伝子変異を有する場合をICF2とよぶ．主な検査法は分染法，シークエンス解析である．

ICF症候群
I：免疫不全．
C：セントロメア不安定性．
F：顔貌異常．

4) PCS/MVA1症候群

染色分体早期解離（premature chromatid separation；PCS）を起こす．細胞分裂期にPCSを起こし不均等に分配されることがあり，染色体の異数性がモザイクで認められるためmosaic variegated aneuploidy（MVA）といわれる．15q15に座位する*BUB1B*遺伝子変異が原因である．主な検査法は分染法（32℃，20分間の低張処理後のPCSの出現頻度を確認），シークエンス解析である．

VI 後天性染色体異常：がんにおける染色体異常

がんにおける遺伝子異常については，網羅的に解析する多機関共同研究TCGA（The Cancer Genome Atlas, 2006年）やICGC（International Cancer Genome Consortium, 2008年）のような大規模ながんゲノムプロジェクトにより，詳細に解析が行われてきた．

遺伝子異常や蛋白発現異常，エピジェネティック異常など多面からの知見により，がんの発生機構について明らかになってきている．ここでは，すでに診断に反映されている染色体異常（主に転座）を中心に示す．

大規模ながんゲノムプロジェクト
TCGAによる成果は，2018年に33種類のがん（11,000の腫瘍）についての分子レベルでのデータと臨床情報を使用した詳細な解析プロジェクト「Pan-Cancer Atlas」で報告された．

表 5-9　白血病，悪性リンパ腫の診断・分類に反映される染色体異常の例

染色体異常	関連遺伝子	融合遺伝子
急性骨髄性白血病（AML）		
t(8;21)(q22;q22)	21q22.12；*RUNX1*/8q21.3；*RUNX1T1*	*RUNX1*::*RUNX1T1*
inv(16)(p13q22),t(16;16)(p13;q22)	16p13.11；*MYH11*/16q22.1；*CBFB*	*CBFB*::*MYH11*
t(15;17)(q24;q21)	15q24.1；*PML*/17q21.2；*RARA*	*PML*::*RARA*
t(9;11)(p21;q23)	11q23.3；*KMT2A*/9p21.3；*MLLT3*	*MLLT3*::*KMT2A*
t(6;9)(p22;q34)	6p22.3；*DEK*/9q34.13；*NUP214*	*DEK*::*NUP214*
inv(3)(q21q26),t(3;3)(q21;q26)	3q21.3；*GATA2*/3q26.2；*MECOM*	*
t(1;22)(p13;q13)	1p13.3；*RBM15*/22q13.1-q13.2；*MRTFA*（*MKL1*）	*RBM15*::*MRTFA*（*MKL1*）
混合表現型急性白血病（MPAL）		
t(9;22)(q34;q11)	22q11.23；*BCR*/9q34.12；*ABL1*	*BCR*::*ABL1*
t(v;11q23)	11q23.3；*KMT2A*	*KMT2A*-rearranged
慢性骨髄性白血病（CML）		
t(9;22)(q34;q11)	22q11.23；*BCR*/9q34.12；*ABL1*	*BCR*::*ABL1*
B リンパ芽球性白血病/リンパ腫（B-ALL/LBL）		
t(9;22)(q34;q11)	22q11.23；*BCR*/9q34.12；*ABL1*	*BCR*::*ABL1*
t(v;11q23)	11q23.3；*KMT2A*	*KMT2A*-rearranged
t(12;21)(p13;q22)	12p13.2；*ETV6*/21q22.12；*RUNX1*	*ETV6*::*RUNX1*
hyperdiploidy（高二倍性）		
hypodiploidy（低二倍性）		
t(5;14)(q31;q32)	5q31.1；*IL3*/14q32.33 *IGH*	*
t(1;19)(q23;p13)	19p13.3；*TCF3*/1q23.3；*PBX1*	*TCF3*::*PBX1*
濾胞性リンパ腫		
t(14;18)(q32;q21)	14q32.33；*IGH*/18q21.33；*BCL2*	*
びまん性大細胞型 B 細胞リンパ腫		
t(3;14)(q27;q32)	3q27.3；*BCL6*/14q32.33；*IGH*	*
マントル細胞リンパ腫		
t(11;14)(q13;q32)	11q13.3；*CCND1*/14q32.33；*IGH*	*
MALT リンパ腫		
t(11;18)(q22;q21)	11q22.2；*BIRC3*/18q21.32；*MALT1*	*BIRC3*::*MALT1*
Burkitt（バーキット）リンパ腫		
t(8;14)(q24;q32),t(2;8)(p11;q24), t(8;22)(q24;q11)	8q24.21；*MYC*/14q32.33；*IGH*,2p11.2；*IGK*, 22q11.2；*IGL*	*
ALK 陽性未分化大細胞リンパ腫		
t(2;5)(p23;q35)	5q35.1；*NPM1*/ 2p23.2-p23.1；*ALK*	*NPM1*::*ALK*

＊：融合遺伝子の形成ではなく，発現の脱制御を受けることが原因（本文参照）．
v：variable chromosome．

1　白血病・悪性リンパ腫

1）診断・分類に反映される染色体異常

　白血病や悪性リンパ腫の診断・分類に染色体異常が反映されている（**表5-9**）．これらの染色体異常では，染色体切断点の解析から関連遺伝子が明らかになっており，関連遺伝子は多くの染色体上に散在している（**写真5-2**）．これらすべての染色体異常が G 分染法による染色体検査で検出できるわけではないが，G 分染法によって形態の変化として確認できる染色体転座があり，その一部を**写真5-3**に示す．

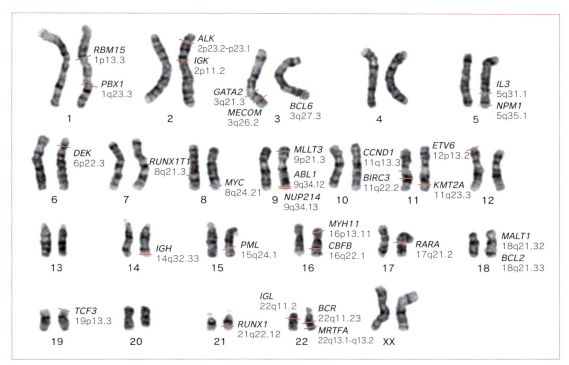

写真5-2　白血病・悪性リンパ腫に認められる主な染色体転座に関連する遺伝子

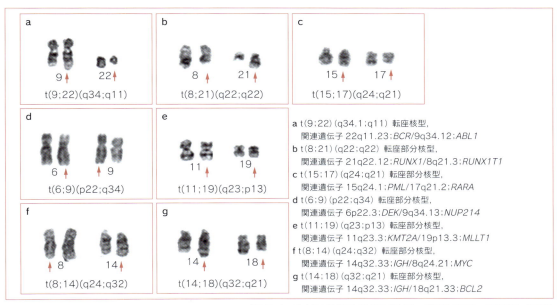

a t(9;22)(q34.1;q11) 転座核型,
　関連遺伝子 22q11.23;*BCR*/9q34.12;*ABL1*
b t(8;21)(q22;q22) 転座部分核型,
　関連遺伝子 21q22.12;*RUNX1*/8q21.3;*RUNX1T1*
c t(15;17)(q24;q21) 転座部分核型,
　関連遺伝子 15q24.1;*PML*/17q21.2;*RARA*
d t(6;9)(p22;q34) 転座部分核型,
　関連遺伝子 6p22.3;*DEK*/9q34.13;*NUP214*
e t(11;19)(q23;p13) 転座部分核型,
　関連遺伝子 11q23.3;*KMT2A*/19p13.3;*MLLT1*
f t(8;14)(q24;q32) 転座部分核型,
　関連遺伝子 14q32.33;*IGH*/8q24.21;*MYC*
g t(14;18)(q32;q21) 転座部分核型,
　関連遺伝子 14q32.33;*IGH*/18q21.33;*BCL2*

（松田和之：臨床検査法提要（金井正光監修），改訂第35版，金原出版，2020）

写真5-3　形態の変化として確認できる染色体転座例

2）病型特異的な染色体転座による分子メカニズム（図5-21）

　染色体（ゲノムDNA）上での切断が生じ，再結合によって正常では認められ

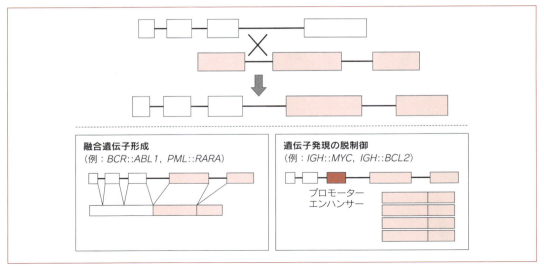

図5-21 染色体転座による2つの分子メカニズム

表5-10 染色体転座による遺伝子発現の脱制御

疾患と染色体転座	関連遺伝子	脱制御を受ける遺伝子
急性骨髄性白血病 inv(3)(q21q26), t(3;3)(q21;q26)	3q21.3;GATA2/3q26.2;MECOM	GATA2のエンハンサー置換によるMECOM発現異常
Bリンパ芽球性白血病/リンパ腫 t(5;14)(q31;q32)	5q31.1;IL3/14q32.33 IGH	IGHのプロモーター置換によるIL3発現異常
濾胞性リンパ腫 t(14;18)(q32;q21)	14q32.33;IGH/18q21.33;BCL2	IGHのプロモーター置換によるBCL2発現異常
びまん性大細胞型B細胞リンパ腫 t(3;14)(q27;q32)	3q27.3;BCL6/14q32.33;IGH	IGHのプロモーター置換によるBCL6発現異常
マントル細胞リンパ腫 t(11;14)(q13;q32)	11q13.3;CCND1/14q32.33;IGH	IGHのプロモーター置換によるCCND1発現異常
Burkittリンパ腫 t(8;14)(q24;q32), t(2;8)(p11;q24), t(8;22)(q24;q11)	8q24.21;MYC/14q32.33;IGH, 2p11.2;IGK, 22q11.2;IGL	IGH, IGK, IGLのプロモーター置換によるMYC発現異常

ない領域同士が隣接する転座（逆位）が白血病や悪性リンパ腫の発症原因となる2つの分子メカニズムがある．一つは，再結合した領域の異なる遺伝子からなる**融合遺伝子（キメラ遺伝子）の形成**である．融合遺伝子からできる融合蛋白が細胞の異常増殖や分化阻害を引き起こす．**表5-9**の転座（逆位）のほとんどがこのメカニズムである．もう一つは**遺伝子発現の脱制御**である．これらの転座では，融合遺伝子が形成されるのではなく，転座相手の遺伝子の構造は保たれたまま，免疫グロブリン重鎖（*IGH*）や軽鎖（*IGK*, *IGL*）遺伝子のプロモーターあるいは*GATA2*遺伝子のエンハンサーの置換が生じることで，転座相手の遺伝子の発現が脱制御される（**表5-10**）．発現の脱制御を受ける遺伝子には，がん遺伝子（*MYC*）や抗アポトーシス蛋白質をコードする*BCL2*遺伝子が

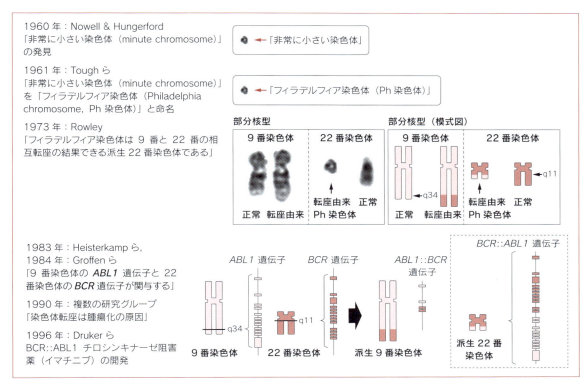

図 5-22 腫瘍で初めて発見された染色体転座：フィラデルフィア染色体（「発見」から「発症原因確定」まで）

あり，細胞の腫瘍化が起こる．

3) 腫瘍で初めて発見された染色体異常：フィラデルフィア（Ph）染色体（図 5-22）

融合遺伝子を形成する代表的な染色体転座が，9 番染色体と 22 番染色体間での相互転座 t(9；22)(q34;q11.2) である．この相互転座により生じる派生 22 番染色体が**フィラデルフィア（Ph）染色体**である．この異常は腫瘍で初めて発見された染色体転座であり，染色体転座が腫瘍発生の原因であることが証明された例である．1960 年，Nowell と Hungerford が慢性骨髄性白血病において「非常に小さい染色体（minute chromosome）」をみつけた．翌年，発見された地名にちなんでフィラデルフィア染色体と命名された．発見当時はまだ分染法が開発されておらず，Giemsa 染色による単染色であった．そして，「非常に小さい染色体」の発見から 13 年後の 1973 年に，Rowley によって「フィラデルフィア染色体」が「9 番と 22 番染色体の相互転座の結果できる派生 22 番染色体である」ことが証明された．この際には，キナクリンマスタードと Giemsa 染色を用いた Q 分染法や G 分染法が用いられている．さらに，9 番染色体上に座位する *ABL1* 遺伝子と 22 番染色体に座位する *BCR* 遺伝子が関与することが明らかになった．そして，「非常に小さい染色体」の発見から 30 年後の 1990 年に，この染色体転座が腫瘍化の結果ではなく原因であることが証明さ

Rowley
1973 年に t(9;22) を証明した Rowley は，写真 5-3 に示した形態の変化として確認できる染色体転座例のうち，t(8;21)，t(6;9)，t(15;17)，t(14;18) も発見した．

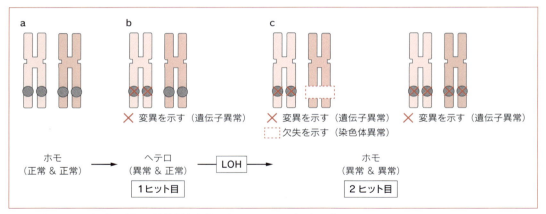

図5-23　2ヒット説：遺伝子異常と染色体異常からイメージした場合

れた．BCR::ABL1融合遺伝子の産物であるBCR::ABL1融合蛋白は，強いチロシンキナーゼ活性を有し細胞の腫瘍化を起こすことが明らかとなり，BCR::ABL1チロシンキナーゼ阻害薬（イマチニブ）の開発に至っている．

2　固形腫瘍

固形腫瘍は細胞の倍加時間が長く（**表5-2**参照），分裂期の染色体が得られにくい．FISHプローブが市販されている場合，ホルマリン固定パラフィン包埋標本を用いたFISH法が可能となり，病理診断とあわせて遺伝子異常を解析できるため，非常に有用な解析ツールとなる．新鮮材料が得られる場合は，RNAを用いたRT-PCR法（第4章参照）でも検出できる．

1）2ヒット説

がんの発生にはがん遺伝子とがん抑制遺伝子が関与する．がん遺伝子は正常遺伝子（がん原遺伝子）が変異した結果生じるものであり，コードする蛋白が正常な細胞をがん細胞へ転換させる．一方，がん抑制遺伝子は，コードする蛋白が腫瘍発生を阻害する．がん遺伝子は相同染色体上の1対の遺伝子（アレル）のうち，基本的には片方の遺伝子異常のみでもがん細胞の発生につながる．しかし，がん抑制遺伝子は，基本的には変異と欠失の2段階の異常により両方のアレルの機能を失った場合に，腫瘍発生に寄与する．このがん抑制遺伝子の腫瘍発生に関する2段階のメカニズムは，2ヒット説（two-hit theory）といわれる．この説はKnudsonにより，網膜芽細胞腫の散発性と遺伝性の発症年齢や罹患率に関する疫学的研究に基づいて提唱された（1971年）．2ヒット説について遺伝子異常と染色体異常から考えると（**図5-23**），1ヒット目として一方の染色体上のアレルに遺伝子異常（変異）が起きても，腫瘍発生には至らない．2ヒット目として正常であるもう一方のアレルの変異や，それを含む染色体が欠失した場合，その細胞内で当該のがん抑制遺伝子の機能がなくなってしまい腫瘍化を起こす．1ヒット目のみ入った状態は，正常と変異のがん抑制遺

> **ホモ，ヘテロ，ヘミ**
> homo-, hetero-, hemi-はそれぞれ，「同じ」「異なる」「半分」を意味する接頭語である．

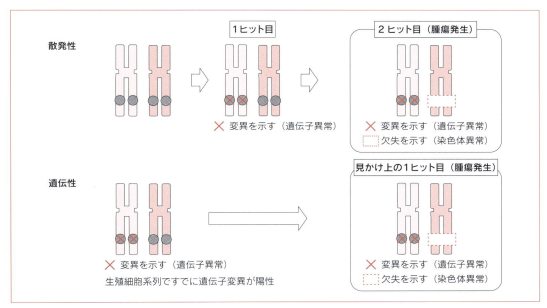

図 5-24 2 ヒット説とがん抑制遺伝子がかかわる遺伝性腫瘍

伝子が存在する「ヘテロ接合性」といえる．しかし，2 ヒット目が入った状態は，ヘテロ接合性が失われていると解釈できる．「ヘテロ接合性が失われている」ことを「ヘテロ接合性の消失＝ LOH（loss of heterozygosity）」という．LOH という視点でみると，UPD も LOH といえる（第 2 章図 2-22 参照）．

UPD：片親性ダイソミー

2）2 ヒット説と遺伝性腫瘍（図 5-24）

遺伝性腫瘍の多くが，がん抑制遺伝子の異常が原因である．散発性の腫瘍では，前述のように 1 ヒット，2 ヒットの異常の付加により発症に至る．しかし，遺伝性腫瘍では生殖細胞系列ですでに 1 ヒット目の異常が入っているため，次に起こる（見かけ上の）1 ヒット目（実際には 2 ヒット目）で腫瘍発生に至るといえる．

2 ヒット説
2 ヒット説に基づくメカニズムは，遺伝性腫瘍の発症が若年性，両側性，多重性であることの分子的裏付けになる．

3）SNP アレイと LOH

SNP アレイ（図 5-18 参照）を用いることで，SNP の種類とコピー数の解析から，2 コピー（相同染色体が 2 本）で LOH であるか，1 コピー（相同染色体が 1 本あるいは当該領域が 1 カ所）で LOH であるかを証明することができる（図 5-25）．UPD や腫瘍関連遺伝子変異〔部分的 UPD 部分に高頻度に認められる JAK2 遺伝子などの遺伝子変異（第 2 章図 2-23 参照）〕は 2 コピーで LOH，がん抑制遺伝子で欠失を伴う場合は 1 コピーで LOH（このときをヘミ接合性という）といえる．

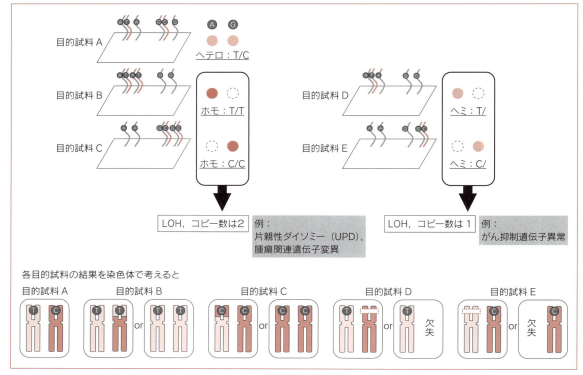

図 5-25　SNP アレイでわかる染色体コピー数と LOH

4) ゲノム不安定性

ゲノム不安定性はがん細胞の特徴である．ゲノム不安定性は塩基から染色体までさまざまなレベルでの変化を含む．DNA 損傷や複製エラー（ミスマッチ）に伴う修復エラーが根本的な原因である．ゲノム不安定性には**染色体不安定性**（chromosomal instability；CIN）と**マイクロサテライト不安定性**（microsatellite instability；MSI）がある．

染色体不安定性は染色体レベルでの変化であり，複製エラーの蓄積による染色体分離・分配異常に起因する．数回の体細胞分裂に 1 回という高頻度（正常では 100 回に 1 回未満）で染色体の分配エラーが生じ，がん細胞における染色体の異数性異常を起こす．染色体不安定性には，染色体全体が増減する場合や染色体の一部が断裂する場合などが含まれる．

マイクロサテライト不安定性は，ゲノム上に存在する 4 塩基以下の短い繰り返し配列であるマイクロサテライトについて，DNA 損傷後の修復エラーによりその反復配列数が増減してしまい，フレームシフトなどを含め蛋白合成が障害される．マイクロサテライト不安定性を示す疾患の多くは散発性の胃がんや大腸がんであるが，遺伝性腫瘍の Lynch（リンチ）症候群でも認められる．高頻度のマイクロサテライト不安定性（MSI-High）を示す固形腫瘍は免疫反応と関連があり，免疫チェックポイント阻害薬も効果が得られる．

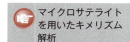

マイクロサテライトを用いたキメリズム解析
マイクロサテライトの繰り返し配列については，移植医療においてドナーとレシピエント細胞での繰り返し数の違いを利用した移植後生着確認検査であるキメリズム解析に応用されている．

表 5-11 軟部腫瘍に認められる染色体異常と関連遺伝子

疾患	染色体構造異常	融合遺伝子	
		5'側遺伝子	3'側遺伝子
Ewing（ユーイング）肉腫/PNET	t(11;22)(q24;q12) t(21;22)(q22;q12) t(7;22)(p21;q12) t(17;22)(q21;q12)	22q12.2；*EWSR1* 22q12.2；*EWSR1* 22q12.2；*EWSR1* 22q12.2；*EWSR1*	11q24.3；*FLI1* 21q22.2；*ERG* 7p21.2；*ETV1* 17q21.31；*ETV4*
滑膜肉腫	t(X;18)(p11;q11) t(X;18)(p11;q11)	18q11.2；*SS18* 18q11.2；*SS18*	Xp11.23；*SSX1* Xp11.22；*SSX2*
脂肪肉腫	t(12;16)(q13;p11) t(12;22)(q13;q12)	16p11.2；*FUS* 22q12.2；*EWSR1*	12q13.3；*DDIT3* 12q13.3；*DDIT3*
横紋筋肉腫	t(2;13)(q36;q14) t(1;13)(p36;q14)	2q36.1；*PAX3* 1p36.13；*PAX7*	13q14.11；*FOXO1* 13q14.11；*FOXO1*

PNET：primitive neuroectodermal tumor，原始神経外胚葉性腫瘍．

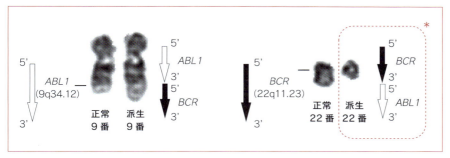

図 5-26 t(9;22) 転座と *BCR::ABL1* 融合遺伝子の転写方向
＊：単純な相互転座であれば，*BCR::ABL1* 融合遺伝子は，派生 22 番染色体上に形成される．

5）軟部腫瘍における染色体異常

軟部腫瘍では，腫瘍発生にかかわる特異的な染色体転座が報告されている（**表 5-11**）．これらの染色体転座は融合遺伝子が形成されるタイプである．診断には，ホルマリン固定パラフィン包埋標本を用いた FISH 法が有用となる．また，新鮮材料が得られる場合は，RNA を用いた RT-PCR 法でも検出できる．

3　融合遺伝子形成における染色体構造と遺伝子転写方向

遺伝子発現における転写は 5'から 3'の方向で行われる（第 1 章参照）．染色体転座により融合遺伝子が形成される場合，染色体転座の構造と融合遺伝子にかかわる各遺伝子の転写方向を考えると，転座にかかわるどちらの染色体上で融合遺伝子の発現が生じているかを理解できる．t(9;22) 転座と *BCR::ABL1* 融合遺伝子では，単純な相互転座であれば，*BCR::ABL1* 融合遺伝子は派生 22 番染色体上に形成される（**図 5-26**）．t(8;21) 転座と *RUNX1::RUNX1T1* 融合遺伝子では，単純な相互転座であれば，*RUNX1::RUNX1T1* 融合遺伝子は派生 8 番染色体上に形成される（**図 5-27**）．t(15;17) 転座と *PML::RARA* 融合遺伝子では，単純な相互転座であれば *PML::RARA* 融合遺伝子は派生 15 番染

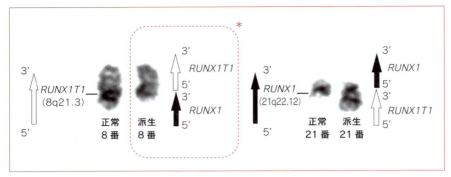

図 5-27　t(8;21) 転座と *RUNX1::RUNX1T1* 融合遺伝子の転写方向
＊：単純な相互転座であれば，*RUNX1::RUNX1T1* 融合遺伝子は，派生 8 番染色体上に形成される．

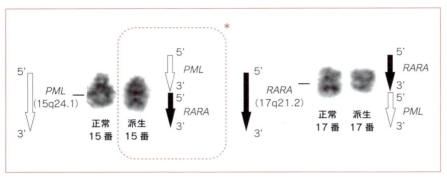

図 5-28　t(15;17) 転座と *PML::RARA* 融合遺伝子の転写方向
＊：単純な相互転座であれば，*PML::RARA* 融合遺伝子は，派生 15 番染色体上に形成される．

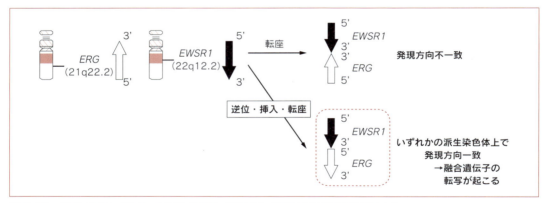

図 5-29　t(21;22)(q22.2;q12.2) 転座と *EWSR1::ERG* 融合遺伝子の転写方向

色体上に形成される（**図 5-28**）．一方，t(21;22)(q22.2;q12.2) 転座と *EWSR1::ERG* 融合遺伝子では，単純な相互転座では派生 22 番染色体上で融合遺伝子の発現は起こらない．逆位，挿入，転座などの複雑な異常が組み合わさって *EWSR1* 遺伝子と *ERG* 遺伝子の転写方向が一致して，いずれかの派生染色体上で融合遺伝子の転写が起こる（**図 5-29**）．

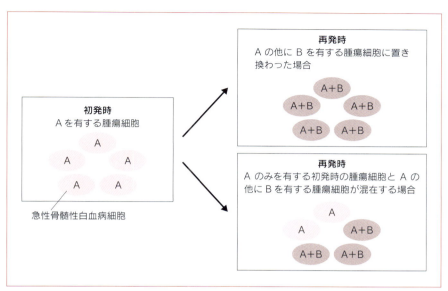

図 5-30　急性骨髄性白血病における核型進化の例
A，B は染色体異常の種類を表す．

VII 核型進化

　核型は全染色体の構成を記したものであるが，絶対不変ということではない．核型進化は，生物の系統・類縁間における核型の類似性という観点から，非常に長い年月をかけて起こる生物進化と関連する核型の変化といえる．また一方で，白血病などにおける主要なクローンとサブクローンの核型の類似性という観点から，発症の原因となった最初の腫瘍クローンが付加的な染色体異常（遺伝子異常も多く含まれる）を獲得していく腫瘍の進展と関連する核型の変化でもある（図 5-30）．

VIII 染色体検査の精度管理

1　精度管理の考え方

　保険収載されている染色体検査のなかで，体外診断用医薬品（IVD）である検査試薬は一部の FISH 法による検査の試薬に限られており，その多くが研究用試薬を用いた自家調整検査法（LDT）であることから，検査手法の標準化がむずかしいという背景がある．医療法等の改正（2018 年施行）により，検体検査のなかに一次分類として「遺伝子関連・染色体検査」が分類され，分染法や FISH 法による染色体検査に関する精度の確保のための体制整備が進んでいる．今後，内部精度管理や外部精度管理の方法についても，国内で共通して実施できる方法が確立されていくと思われる．現在は，各施設で工夫しながら内部精度管理や外部精度管理が実施されており，保険収載項目のすべてを対象として

IVD：in vitro diagnostics

LDT：laboratory developed test

いる ISO 15189 の認定を受ける際に，遺伝子関連・染色体検査を認定項目に含めることによって精度の確保に努めている施設もある．

2　精度管理の方法

内部精度管理としては，複数の解析者によるダブルチェックや市販のコントロールスライド（一部の FISH 法に限られている）を用いた検査の実施などが行われている．外部精度管理としては，学会などのフォトサーベイの受験や，その代替法として他施設と連携し保管検体を用いて相互に検査結果を比較するなどの工夫がされている．

第6章 染色体検査の実践

本章では，細胞培養法から標本作製法，分染法（Q，G，C分染法）とFISH法についてプロトコルを示す．しかし，標本展開や分染法の湿度や温度設定など，絶対的な条件を示すことができない部分が多い．そのため，実施前に検討する必要がある．

Ⅰ 細胞培養・標本作製

実習を念頭に，浮遊系細胞株（K562）を用いたプロトコルを示す．もちろん，細胞株ではなく末梢血リンパ球に置き換えて実施することも可能である．

1 細胞培養

1）培地の調製（クリーンベンチ内で操作する）

末梢血・骨髄血などの浮遊系細胞の培養に適した培地として，RPMI1640（第5章表5-1参照）がある．粉末と液体があるが，基本成分を調製済みの液体培地（以下，培養液）が使用しやすい．

① 細胞増殖に必要な増殖因子を補充するため，ウシ胎児血清（FBS：fetal bovine serum）を添加する（終濃度10%）．

② 培養液への添加前に56℃，30分間非働化を行う．また，細菌によるコンタミネーションを防ぐために，抗菌薬（ストレプトマイシンやペニシリン系抗菌薬）を添加する（ペニシリン系抗菌薬終濃度100 U/mL，ストレプトマイシン終濃度100 μg/mL）．

③ FBSと抗菌薬を添加した培養液（10% FBS含 RPMI1640）は冷蔵庫で保存する．分注して−20℃以下で冷凍保存することもできる．

2）滅菌

培養操作はすべて無菌的な試薬・器具を用いる．滅菌操作はそれぞれに適した方法（高圧蒸気滅菌，乾熱滅菌，濾過滅菌）で行う．

2 末梢血リンパ球を用いる場合の注意点

1）採血時の抗凝固剤

末梢血を採取する場合は，ヘパリン採血管を用いる（PCR検査時はEDTA採血管を使用する）．

K562

K562は，1975年にLozzio & Lozzioにより樹立された細胞株で，慢性骨髄性白血病（急性転化）患者由来である．フィラデルフィア染色体があり，染色体数も増加している．

細胞株を使用するメリット・デメリット

細胞株を使用するメリットは，学生やボランティアなどの採血を行う必要がなく，諸問題（構成的染色体変化を検出してしまうなど）を回避できることである．デメリットは，ここで例示したK562は正常核型ではないことである．しかし，増殖性もよいため，培養操作から標本作製，観察までの一連の操作を実習するには適している．

非働化

血清の補体成分を失活させること．

2）検体量
1〜2 mL 程度．

3）検体保存
末梢血は採取後ただちに培養液に加え，37℃で培養を開始する．ただちに培養できない場合は 4℃にて保管し，24 時間以内に培養開始するのが望ましい．

3　培養手順
クリーンベンチの周り，培養容器，手指などを 70％エタノールで消毒する．

1）細胞数
（1）K562 の場合

細胞の増殖がよくなるように，あらかじめ，10％ FBS 含 RPMI1640 10 mL に最終的に 1×10^6 個/mL になるよう数日前から培養を開始しておき，以降の操作を行うとよい．10％ FBS 含 RPMI1640 10 mL に，事前に培養しておいた K562 を 1×10^6 個/mL になるように添加し，37℃，5％ CO_2 インキュベータ内で 1 日培養する．

（2）末梢血リンパ球の場合（分裂刺激剤を添加する必要がある）（5 章 p.132 参照）

①培養液 10 mL に健常人末梢血 1 mL を入れる（最終的な細胞数は約 5×10^5 個/mL）．

②PHA 200 μL（終濃度：180 μg/mL）を添加し，37℃，5％ CO_2 インキュベータ内で 3 日間（72 時間）培養する．

PHA：フィトヘマグルチニン

2）紡錘糸形成阻害剤添加
以降の細胞取り上げ操作を行う 1 時間前に，コルセミド（10 μg/mL）を 40 μL（終濃度：0.05 μg/mL）添加し，培養する．

4　標本作製（細胞取り上げ）手順
以降の操作においては，必ずしも滅菌器具を使用する必要はない．

以降の遠心条件は，1,000〜1,500 rpm で 5〜8 分程度とする．

1）準備（試薬）
（1）0.075 mol/L 塩化カリウム（200 mL 調製の場合）

塩化カリウム 1.12 g を超純水 200 mL に溶解する．

（2）カルノア固定液（1 標本作製では 40 mL 調製する）

メタノールと酢酸を 3：1 の割合で混和する．使用時に調製する．

2）低張処理：赤血球の溶血と有核細胞の膨化
①細胞浮遊液をスポイトで遠心管（15 mL チューブが使用しやすい）に移す．
②遠心する．
③遠心上清をアスピレータで除去し，あらかじめ37℃で温めた0.075 mol/L 塩化カリウムを約10 mL加え，スポイトでしっかり攪拌する．特に，末梢血を用いた場合など赤血球を多く含んだ検体では，しっかり溶血させる必要があるため十分に攪拌する．
④37℃の恒温槽中で20分間静置する．末梢血検体の場合には溶血が進み，インキュベート後は遠心管のメモリが透けてみえるようになる．

3）固定
カルノア固定液はメタノール：酢酸＝3：1の割合で，使用直前に混合調製する．
①カルノア固定液0.5 mLをゆっくり上層に加え，その後，スポイトで均一に攪拌する．末梢血検体の場合，赤血球が完全に溶血し茶褐色にみえる．泡立てないように注意する．
②遠心する．
③上清をアスピレータで除去し，カルノア固定液を約10 mL加え，スポイトで攪拌する．上記の操作を3回ほど繰り返し，脱水・固定する．細胞沈渣部分に茶褐色の色調が残っている場合には，操作回数を増やす．最終的に白色の沈殿物が確認できる．

4）展開
①上清を吸引除去する．
②沈渣の量に合わせて，適当量のカルノア固定液を入れ細胞浮遊液とする．一度展開し，位相差顕微鏡を用いて標本上の染色体の重なりを確認しながら，適宜カルノア固定液の量を調整して再度細胞浮遊液を調製する．濃すぎる場合，重なりが多く観察しにくくなる．
③蒸気乾燥法〔あるいは展開装置（HANABIなど）〕を用いて標本展開する．温浴槽を70℃程度にセットし，試験管立てを入れておき，水蒸気上にスライドガラスをかざしてカルノア固定液を滴下し，すぐに温浴槽中の試験管立て上で乾燥させる．カルノア固定標本は，以後の分染法やFISH法に使用できる．

5）乾燥（エージング）
展開した標本は，室温で一晩乾燥（エージング）させる．これにより，ギムザ染色液の染色性がよくなる．

II 染色

1 Giemsa染色による単染色

前述のように標本作製を行った後，乾燥（エージング）なしに単染色を行う方法を示す．

準 備
- 3％ギムザ/リン酸緩衝液（pH6.8，1/15 mol/L）：リン酸緩衝液（pH6.8，1/15 mol/L）にギムザ染色液を3％の割合で混和する．

手 順
① 展開後10分間程度室温で静置して乾燥させる．
② リン酸緩衝液（pH6.8，1/15 mol/L）中に1分間浸漬する．
③ 3％ギムザ/リン酸緩衝液（pH6.8，1/15 mol/L）で15分間染色する．
④ すばやく水洗し，乾燥させる（冷風風乾）．
⑤ 封入する．
⑥ 顕微鏡で観察する．

2 G分染法（GTG：G-bands by trypsin using Giemsa）
（表6-1，写真6-1）

準 備
- 0.05％トリプシン/リン酸緩衝液（pH6.8，1/15 mol/L）：トリプシン（市販の0.25％トリプシン溶液）をリン酸緩衝液（pH6.8，1/15 mol/L）で希釈し，0.05％に調整する．
- 3％ギムザ/リン酸緩衝液（pH6.8，1/15 mol/L）：リン酸緩衝液（pH6.8，1/15 mol/L）にギムザ染色液を3％の割合で混和する．

手 順
① 一晩以上乾燥させたスライドガラスを用いる（さらに75℃の乾燥器で2時間エージングすることで染色性がよくなる．以降の各種分染法でも同様）．
② 0.05％トリプシン/リン酸緩衝液（pH6.8，1/15 mol/L）を37℃恒温槽中に用意し，標本を反応させる（5秒おきくらいにトリプシン処理時間を変えた標本を数枚準備し，トリプシンの最適処理時間を決める）．
③ メタノールで洗浄し，反応を停止させる．
④ リン酸緩衝液（pH6.8，1/15 mol/L）で洗浄し，メタノールを除く．
⑤ 3％ギムザ/リン酸緩衝液（pH6.8，1/15 mol/L）で15分間染色する．
⑥ 水洗，冷風乾燥し，封入する．
⑦ 光学顕微鏡で観察する．

表 6-1　G 分染法の流れ

展開	固定標本の展開	カルノア（メタノール：酢酸＝3：1）固定標本
乾燥	乾燥（エージング）	室温で2～3日，75℃で2時間など
消化	トリプシン処理	37℃で15～20秒（時間を変えて染色性を確認）
消化停止（洗浄）	メタノール洗浄	トリプシンを洗い流す程度
染色	Giemsa 染色	室温で15分間染色する
洗浄	水洗	余分な染色液を洗い流す
乾燥	冷風乾燥	冷風で完全に乾燥する
封入	封入剤	封入剤を用いて封入する

⬇ 光学顕微鏡で観察

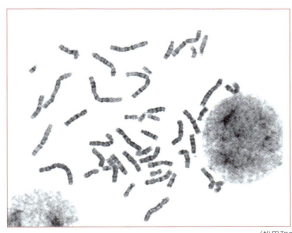 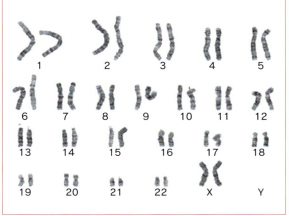

（松田和之：最新 染色法のすべて（水口國雄編集代表），429，医歯薬出版，2011）

写真 6-1　G 分染法
トリプシン処理を行い，Giemsa 染色を施した G バンド分染法（左：分裂期）．表出されるバンドが鮮明であり，コントラストが高く，バンドパターンの詳細な解析に用いられる（右：女性核型）．

3　Q 分染法（QFQ：Q-bands by fluorescence using quinacrine）（表 6-2，写真 6-2）

準備

・McIlvaine 緩衝液（pH4.0～7.0 の範囲）：0.2 mol/L リン酸2ナトリウム溶液と 0.1 mol/L クエン酸溶液を3：1の割合で混和する．
・50 μg/mL キナクリンマスタード液（50 mL 調製時）：70～80℃に加熱した McIlvaine 緩衝液 50 mL にキナクリンマスタード 2.5 g を溶解し，終濃度 50 μg/mL キナクリンマスタード液を調製する．染色液は遮光して，4℃で保存可能，染色時に室温に戻してから使用する．

表 6-2　Q 分染法の流れ

展開	固定標本の展開	カルノア（メタノール：酢酸 ＝ 3：1）固定標本
乾燥	乾燥（エージング）	室温で 2 〜 3 日，75℃で 2 時間など
浸漬	McIlvaine 緩衝液	室温で 1 分間浸漬する
染色	キナクリンマスタード液	室温で 15 分間染色する
洗浄	McIlvaine 緩衝液	室温で 5 分間洗浄する
封入	封入剤	退色防止剤入りの封入剤で封入する

↓ 蛍光顕微鏡で観察

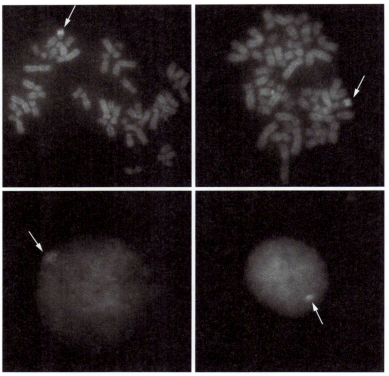

（松田和之：最新 染色法のすべて（水口國雄編集代表），431，医歯薬出版，2011）

写真 6-2　Q 分染法
キナクリンマスタード液を用いた Q バンド分染法．分裂期核上において Y 染色体長腕ヘテロクロマチン領域（Yq12）が強く蛍光染色される（上段矢印）．この現象は，間期核上においても，蛍光濃染部位として観察される（下段矢印）．

手　順

① 室温乾燥したスライドガラスを，75℃の乾燥器で 2 時間エージングする．
② McIlvaine 緩衝液中に 1 分間浸漬する．
③ 50 μg/mL キナクリンマスタード液で 15 分間染色する．
④ McIlvaine 緩衝液で洗浄する．
⑤ 退色防止剤入りの封入剤で封入する．
⑥ 蛍光顕微鏡で観察する．

表 6-3　C 分染法の流れ

展開	固定標本の展開	カルノア（メタノール：酢酸＝3：1）固定標本
乾燥	乾燥（エージング）	室温で 2～3 日，75℃で 2 時間など
前処理 1	飽和水酸化バリウム液	60℃で 10～15 分間処理する
洗浄	水洗	軽く洗い流す程度
前処理 2	塩化セシウム液	60℃で 15～20 分間処理する
洗浄	水洗	室温で純水に 5 分間浸漬する
染色	Giemsa 染色	室温で 20 分間染色する
洗浄	水洗	余分な染色液を洗い流す
乾燥	冷風乾燥	冷風で完全に乾燥する
封入	封入剤	封入剤を用いて封入する

↓ 光学顕微鏡で観察

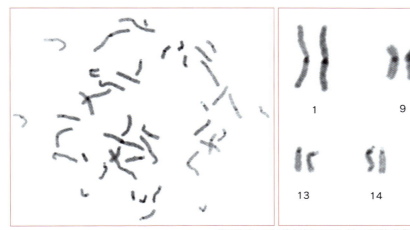

写真 6-3　C 分染法

（松田和之：最新 染色法のすべて（水口國雄編集代表）．432，医歯薬出版，2011）

飽和水酸化バリウム液，塩化セシウム液を用いた前処理を行い，Giemsa 染色を施した C バンド分染法（左：分裂期）．特に，Y 染色体，1，9，16 番染色体のヘテロクロマチン領域および端部着糸型染色体の短腕領域が濃染される（右：部分核型．端部着糸型染色体については 13，14，15 番染色体を示した）．

4　C 分染法（CBG：C-bands by barium hydroxide using Giemsa）（表 6-3，写真 6-3）

準 備

- 飽和水酸化バリウム液：超純水に水酸化バリウムを約 5％の割合で溶かし，飽和水酸化バリウム液を調製する．60℃に加温しておく．
- 0.2 mol/L 塩化セシウム液（50 mL 調製の場合）：塩化セシウム 1.68 g を超純水に溶解し，メスアップして 50 mL とする．
- 4％ギムザ/リン酸緩衝液（pH6.8，1/15 mol/L）：リン酸緩衝液（pH6.8，1/15 mol/L）にギムザ染色液を入れ，終濃度 4％に調整する．

> **手 順**

① 室温乾燥したスライドガラスを，75℃の乾燥器で2時間エージングする．
② 飽和水酸化バリウム液で60℃，10〜15分間処理する．
③ 水洗する．
④ 塩化セシウム液で60℃，15〜20分間処理する（塩化セシウム処理は省略可）．
⑤ 水洗する．
⑥ 4%ギムザ/リン酸緩衝液（pH6.8，1/15 mol/L）で20分間染色する．
⑦ 水洗，冷風乾燥し，封入する．
⑧ 光学顕微鏡で観察する．

Ⅲ 解析（G分染法）

染色標本を顕微鏡で観察する．10倍の対物レンズで全体を観察すると，標本上には多くの間期核細胞が存在し，その中に分裂中期のひとまとまりの染色体が観察される（**写真6-4**）．重なりの少ないよく広がった分裂中期細胞を探し，対物レンズを100倍とし，油浸オイルを使用して観察する（**写真6-5**）．

染色体解析装置に画像を取り込み，染色体の分離や並べ替えを行う．全自動で完全に染色体を並べ替えられるわけではないので，各染色体のバンドパターンを把握しておく必要がある．また，解析装置がない場合（実習など）では，取り込みした画像を紙に印刷し，ハサミを使って染色体を切り離して並べ替えを行う．各染色体のG分染法による特徴的なバンドパターン（**写真6-6**）を参考に並べる（実際の分裂中期の染色体取り込み画像を，巻頭の口絵に2例示した）．

各分裂中期像を並べた核型（カリオタイプ）を**写真6-7**（正常女性核型，口絵の**核板①**も参照），**写真6-8**（正常男性核型，口絵の**核板②**も参照）に示す．また，白血病の検体で，染色体の形態異常（染色体転座）として検出できるt(9;22)（**写真6-9**），t(8;21)（**写真6-10**），t(15;17)（**写真6-11**）を示す．それぞれ，写真左が標本上の分裂中期像を取り込みした画像，右が並べ替えを行った核型を示している．

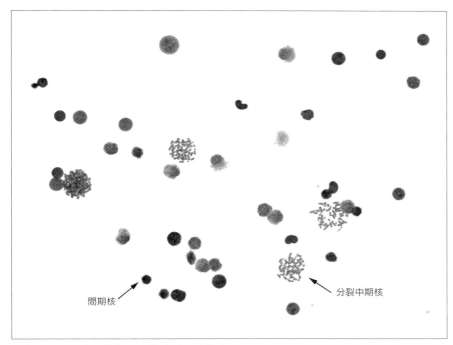

写真 6-4　10 倍の対物レンズで観察した標本

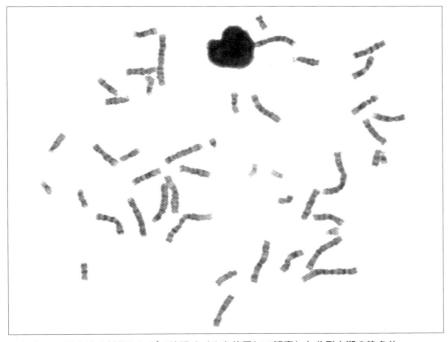

写真 6-5　100 倍の対物レンズで油浸オイルを使用して観察した分裂中期の染色体

Ⅲ　解析（G 分染法）

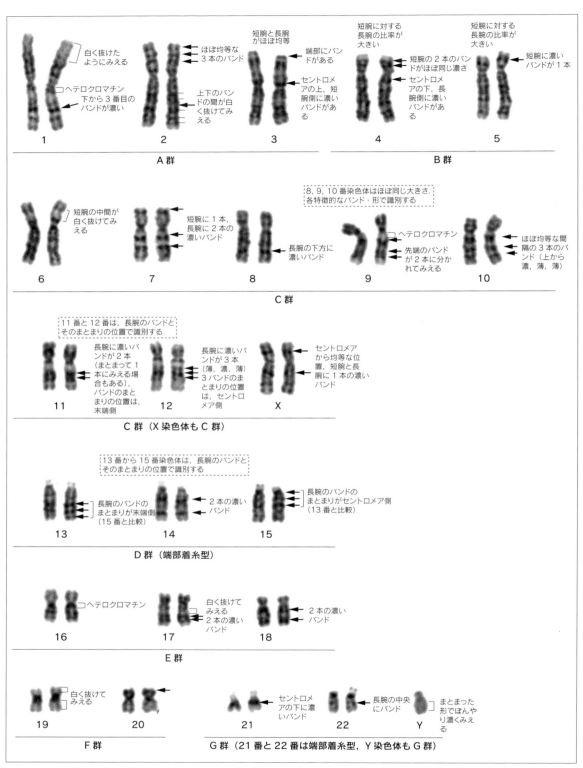

写真6-6　各染色体の特徴的なバンドパターン（G分染法）

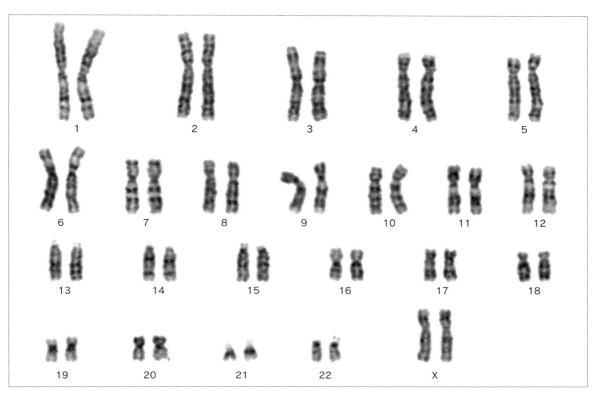
写真 6-7　正常女性核型

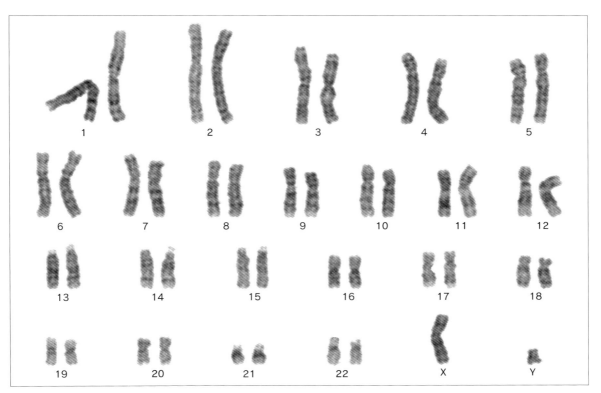
写真 6-8　正常男性核型

III　解析（G 分染法）　177

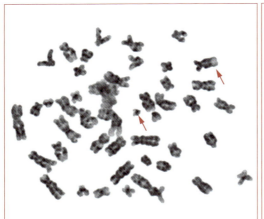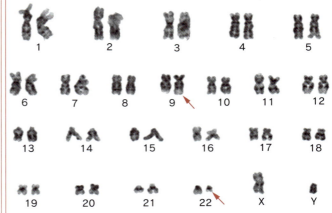

写真 6-9　t(9;22) 転座陽性例

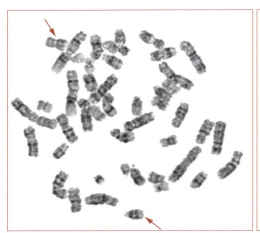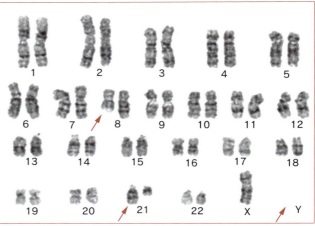

写真 6-10　t(8;21) 転座陽性例（男性患者だが，Y 染色体の欠失も認められる）

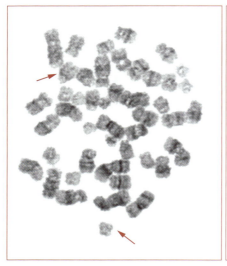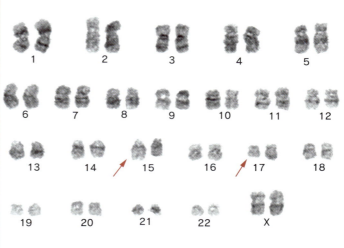

写真 6-11　t(15;17) 転座陽性例

Ⅳ FISH法

　FISH法は，蛍光標識されたプローブを分裂中期核や間期核の標的配列とハイブリダイゼーションさせ，蛍光顕微鏡で観察する方法である．間期核での解析が可能であるため，血液塗抹標本やホルマリン固定パラフィン包埋標本を用いることができる．形態学的所見と染色体・遺伝子異常の有無をあわせて評価できるため，広く実施されている（第5章参照）．FISH法のプロトコルについても，前述の培養や細胞取り上げ，染色法と同様に，さまざまなプロトコルがある．以下，基本操作を中心に説明する．

1　カルノア固定液を用いたFISH法

準備

- 20×SSC（1 L調製の場合）：クエン酸3ナトリウム二水和物88.2 gとNaCl 175.3 gを800 mL程度の超純水に溶解し，メスアップして1 Lとする．
- 0.1% NP-40/2×SSC：20×SSCを超純水で2×SSCに希釈し，界面活性剤NP-40を0.1%の割合で加え，混和する．
- 70%ホルムアミド/2×SSC（変性用）：20×SSCを用いて，ホルムアミドを70%の割合になるように加え，混和する．
- 50%ホルムアミド/2×SSC（洗浄用）：20×SSCを用いて，ホルムアミドを50%の割合になるように加え，混和する．

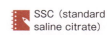

SSC (standard saline citrate)
20 × SSCはSSCバッファーの20倍濃縮液を示す．SSCはサザンブロットの転写液（p.111参照）やDNAプローブのハイブリダイゼーションバッファーに用いられる．

培養せずに行う場合の標本作製

臨床現場では，G分染法と同時に依頼されたFISH法では，G分染法用に培養し，作製した標本を使用する．FISH法のみ依頼された場合には，以下の方法で処理した検体を用いることができる．

① 3,500 rpmで5分間遠心し，バフィーコート（白血球層）をPBSに採取する．
② 1,500 rpmで8分間遠心し，洗浄する．
③ 上清をアスピレータで除き，以降は，染色体標本作製の低張処理と同様に行い，カルノア固定し標本展開する．

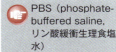

PBS (phosphate-buffered saline, リン酸緩衝生理食塩水)
カルシウムおよびマグネシウムを含まないPBSであることを示すには，PBS(－)と表記する．

手順

培養の有無にかかわらず，標本作製後，一晩乾燥させることで安定してきれいなシグナルが得られる．一晩乾燥させない場合，37℃で2時間程度の乾燥でもシグナルが得られる（若干のシグナル減弱がある）．

(1) 標本の前処理（以下の工程はコプリンジャーを用いる）

① 0.1% NP-40/2×SSC中で37℃，30分間処理する．
② 室温で，70%エタノールに3分間，100%エタノールに3分間浸し，脱水する．
③ 冷風乾燥する．

(2) 標本の変性

① 細胞の位置にガラスペンで印をつける．展開し乾燥させた標本は，スライドガラスを光にかざしながらみると，細胞浮遊液を滴下した部分がわかる．
② 70%ホルムアミド/2×SSC を用いて，75℃，5分間熱変性する．
③ 氷中で冷やした70%エタノールに3分間，室温の100%エタノールに3分間浸し，脱水する．
④ 冷風乾燥する．

(3) プローブの調整

① プローブについてはさまざまな市販品がある．各社のプロトコルに従い，調整する．
② 変性についても各社のプロトコルに従う．別チューブ内で変性を行う場合や，スライド標本上に滴下後カバーガラスをした後に変性を行う場合がある．

(4) ハイブリダイズ（プローブを別チューブで熱変性した場合）

標本にプローブミックスを5μL程度滴下し，カバーガラスをかぶせ，乾燥防止のためペーパーボンドなどで周囲をシールする．湿潤箱に入れ，遮光し一晩ハイブリダイゼーションする．ハイブリダイゼーションの温度は，各社のプロトコルによって異なる．

(5) 洗浄（以降の操作はコプリンジャーを遮光して操作する．ここでは，ホルムアミド洗浄法を示す）

① 45℃に温めた50%ホルムアミド/2×SSC に10分間入れる（3回繰り返す）．
② 45℃に温めた2×SSC に10分間入れる．
③ 45℃に温めた0.1% NP-40/2×SSC に5分間入れる．
④ 室温の2×SSC に数分間入れる．

(6) 対比染色〔DAPI（第5章 p.143 参照）を使用する場合〕

① DAPI を10μL，退色防止剤10μL をのせ，カバーガラスをかぶせる．
② 蛍光顕微鏡で観察する．

2 May-Giemsa 染色標本を用いた FISH 法

準備

- 0.075 mol/L 塩化カリウム（200 mL 調製の場合）：塩化カリウム1.12 g を超純水200 mL に溶解する．
- カルノア固定液（1標本作製につき40 mL 調製する）：メタノールと酢酸を3:1の割合で混和する．使用時に調製する．
- 0.005%トリプシン/PBS（50 mL 調製する場合）：0.25%トリプシン溶液1 mL を PBS 49 mL に入れて調製する．

手順
(1) 標本前処理
  ①キシレンに3分間，100％エタノールに5分間，70％エタノールに8分間入れて脱色する．
  ②冷風乾燥する．
  ③0.075 mol/L 塩化カリウム中に入れ，室温で10分間低張処理する．
  ④カルノア固定液（メタノール：酢酸＝3：1）で5分間処理する（完全に脱色される）．
  ⑤冷風乾燥する．
  ⑥0.005％トリプシン/PBS 中に入れ，室温，5分間処理する．
  ⑦PBS で5分間洗浄する．
  ⑧室温で70％エタノールに3分，100％エタノールに3分間入れ，脱水する．
  ⑨冷風乾燥する．
(2) 以降の操作
　標本の変性〜対比染色の操作は，前述の「1 カルノア固定液を用いた FISH 法」と同様．

3　頬粘膜細胞を用いた FISH 法

準備
- 50 μg/mL ペプシン/0.01 mol/L 塩酸：あらかじめ 100 mg/mL に溶解したペプシン溶液を，0.01 mol/L 塩酸で希釈し 50 μg/mL に調整する．
- 0.05 mol/L 塩化マグネシウム/1×PBS：塩化マグネシウム 10.17 g を超純水 50 mL に溶解して作製した 1 mol/L 塩化マグネシウム溶液を，PBS で 100 倍希釈して 0.05 mol/L に調整する．
- 1％ホルムアルデヒド/0.05 mol/L 塩化マグネシウム/1×PBS：前述の 0.05 mol/L 塩化マグネシウム/1×PBS 50 mL に，37％ホルマリンを 1.35 mL 加えて調製する．

手順
(1) 標本前処理
  ①メタノールで5分間処理する．
  ②50 μg/mL ペプシン/0.01 mol/L 塩酸で37℃，5分間処理する．
  ③PBS で5分間，2回洗浄する（室温）．
  ④0.05 mol/L 塩化マグネシウム/1×PBS で5分間処理する（室温）．
  ⑤1％ホルムアルデヒド/0.05 mol/L 塩化マグネシウム/1×PBS で10分間処理する（室温）．
  ⑥PBS で5分間洗浄する（室温）．
(2) 以降の操作
　標本の変性〜対比染色の操作は，前述の「1 カルノア固定液を用いた FISH 法」と同様．

4　ホルマリン固定パラフィン包埋標本

準備

- 0.01 mol/L クエン酸緩衝液（pH6.0）：無水クエン酸 19.22 g，水酸化ナトリウム 10.8 g を蒸留水 1 L に溶解し 0.1 M クエン酸緩衝液を作製し，使用時に 10 倍希釈して調製する．
- 0.35％ペプシン/0.01 mol/L 塩酸：あらかじめ 100 mg/mL に溶解したペプシン溶液を，0.01 mol/L 塩酸で希釈し 350 µg/mL に調製する．

手順

(1) 標本前処理

①脱パラフィンを行う．
②免疫染色法の抗原不活化と同様に，0.01 mol/L クエン酸緩衝液（pH6.0）で 600 W，25 分間マイクロウェーブ処理する．
③2×SSC（あるいは PBS）で 5 分間洗浄する．
④0.35％ペプシン/0.01 mol/L 塩酸で 37℃，30 分間処理する．
⑤2×SSC で 5 分間，2 回洗浄する．
⑥冷風乾燥する．
⑦1％緩衝ホルマリンで 10 分間再固定する．
⑧2×SSC で 5 分間，2 回洗浄する．
⑨70％エタノールに 3 分間，100％エタノールに 3 分間浸し，脱水する．
⑩冷風乾燥する．
⑪0.1％ NP-40/2×SSC で 37℃，30 分間処理する．

(2) 以降の操作

標本の変性〜対比染色の操作は，前述の「1 カルノア固定液を用いた FISH 法」と同様．

Ⅴ　FISH の解析

蛍光顕微鏡で標本の観察を行う．使用したプローブのシグナルパターンを事前に把握しておく（第 5 章図 5-16 参照）．白血病症例において検出される転座のうち，融合シグナルを陽性と判断する転座例〔t(9;22)(q34;q11)，**写真 6-12**〕と分離シグナルを陽性と判断する転座例〔*KMT2A*（*MLL*）関連転座，**写真 6-13**〕を示す．

DAPI で対比染色（核染色）を行っているため，核が青色に染色され観察される．領域（遺伝子）特異的なプローブは，間期核上でもシグナルを解析できる．分裂中期の染色体上と間期核上でのシグナルをしっかり観察する．間期核や染色体全体を確認しながら，使用したプローブのシグナルパターンを解析する．

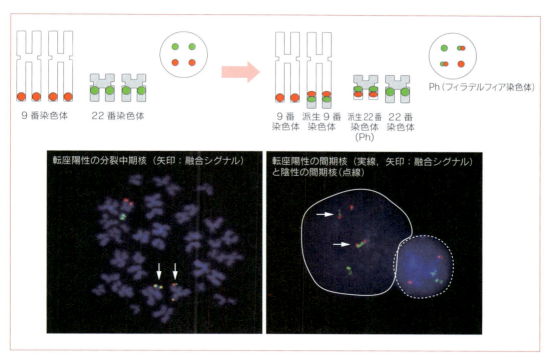

写真 6-12 融合シグナルを陽性と判断する FISH 法 ― t(9;22)(q34;q11) ―

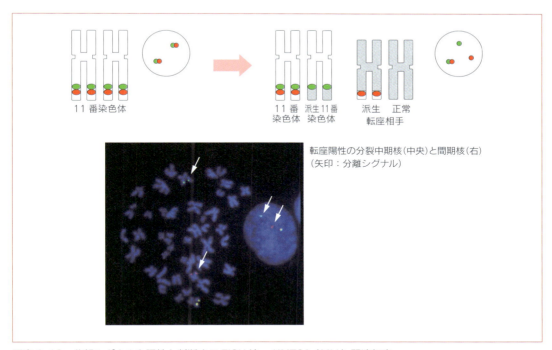

写真 6-13 分離シグナルを陽性と判断する FISH 法 ― *KMT2A*（*MLL*）関連転座 ―

第7章 遺伝子診療における臨床検査

I 遺伝子診療の基礎

　分子生物学や臨床遺伝学の発展によって，遺伝子診療は臨床現場においてなくてはならないものとなっている．遺伝子診療には，生物学からヒトの遺伝学へとつながる基礎知識から最新の臨床遺伝情報まで，広く知識と技量が問われる．原理，原則，法則を学べば，理路整然とした道すじがあることがわかり，医学という学問的観点のみならず医療としての遺伝子診療はやりがいのあるものとなるだろう．ぜひ興味をもって読み進めて欲しい．

> **遺伝子と DNA，ゲノム—概念と物質**
> 遺伝子と DNA は同じものとされるが，前者は遺伝する何らかの粒子としてメンデルが考えた概念であり，後者はデオキシリボ核酸という物質である．ゲノムは概念である．

1 遺伝型と表現型（図 7-1）

　知識の整理のために基本的な単語の定義を示しておく．**ゲノム**（genome）とは遺伝子（gene）の最初の 3 文字と染色体（chromosome）の最後の 3 文字をとった造語である．ヒトでは片親由来の染色体にあるすべての遺伝情報のこと

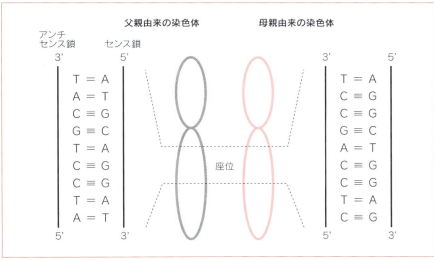

> **ハプロタイプ**
> ハプロタイプ（haplotype）とは，片親由来の染色体上のアレルの並びのことをいう．両親由来のハプロタイプの組み合わせをディプロタイプ（diplotype）という．つまり，ハプロタイプとディプロタイプとの関係は，アレルと遺伝型との関係に相当する（図 7-1）．

図 7-1　アレル，遺伝型，ハプロタイプ，ディプロタイプ
一人のヒトの常染色体をモデルにする．ヒトでは父親由来と母親由来の染色体があり，それぞれの相同染色体上の遺伝子やアレルが存在している場所のことを座位という．座位に存在する DNA 塩基配列をそれぞれセンス鎖とアンチセンス鎖で示した．DNA 塩基配列のセンス鎖において父親由来が ATGCAGGAT で母親由来の配列が AGGCTGGAG だとすると，2 番目の塩基が T アレルと G アレルからなる遺伝型である．同様に 5 番目の塩基が A/T，9 番目の塩基が T/G の遺伝型であり，これら 3 つはヘテロ接合体である．これら 3 つの塩基をセンス鎖の 5' から並べると，父親由来のハプロタイプは T-A-T で，母親由来のハプロタイプは G-T-G である．T-A-T と G-T-G の組み合わせをディプロタイプという．

を指し，1つの細胞の核には2ゲノムある（以下，この単元ではヒトについて説明する）．**ミトコンドリアDNA**は核外ゲノムとよばれることがあるが，ヒトゲノムには含まないとすることが多い．相同染色体は（生殖細胞ではなく）体細胞に2個ずつ対になって存在している同形同大の染色体であり，それぞれ両親の配偶子に由来し，減数分裂のときに相対して接着する．**座位**（locus）とは相同染色体上の遺伝子やアレルが存在している場所のことである（日本人類遺伝学会による用語改訂により「遺伝子座」から「座位」になった）．**アレル**（allele）とは相同染色体上の対になっている遺伝子同士とされるが，厳密には1塩基を指すことが多い（用語改訂により「対立遺伝子」から「アレル」へ）．**遺伝型**（genotype）とはある座位のアレルの組み合わせであり，相同染色体それぞれのアレルが同じ場合をホモ接合体，異なる場合をヘテロ接合体，男性のX染色体のようにもう片親由来のアレルが存在しない場合をヘミ接合体という．

表現型（phenotype）とは，形態学的，臨床的，細胞学的もしくは生化学的な形質として観察できる，遺伝型から現れたさまざまなものを含む．わかりやすくいうと，身体的特徴，症状，臨床検査データも表現型になりうる．ヒトの表現型には疾患に関係するものや個人差に関係するものがある．遺伝型と表現型との間に密接な関係が明らかになっている疾患があれば，そうでない疾患もある．

2　バリアント（変異と多型，変異原を含む）

1) バリアント

DNAの塩基配列の変化としての**変異**（mutation）と**多型**（polymorphism）の定義は近年混乱を極めている．従前，前者は集団の1％未満のものを，後者は1％以上のものを指すとされたが，遺伝子の機能に影響し，表現型として疾患発症に関係するものを変異としたほうがつじつまがあう．さらに，変異もあわせて個人差にあたるものを多型とする．Human Genome Variation Society（HGVS）では，これら単語を使用するにあたっての混乱を避けるために，変異，多型という単語〔一塩基多型（single nucleotide polymorphism；SNP）も含めて〕を使用しないことにした．

HGVSでは，**塩基配列〔バリアント**（variant）〕あるいは**変化**という言葉のみを使用することを推奨している．バリアントは日本語で多様体と訳されるが，今のところカタカナでバリアントとよばれることが多い（図7-2）．

一塩基多型（SNP）は**一塩基バリアント**（SNV）と言い換えられた．SNVによってアミノ酸が変わるものはミスセンス（変異）から**ノンシノニマス**（non-synonymous，非同義的な）**バリアント**に，アミノ酸が変わらないものはサイレント（変異）から**シノニマス**（synonymous，同義的な）**バリアント**と言い換えるようになった．これには，サイレント変異という用語が，その語感から疾患の原因に関与しているかのような誤解を生んだ反省がある（図7-3）．終止コドン（UAA，UAG，UGAのいずれかで，DNA表記ではTAA，TAG，TGA）に

スプライシング部位バリアント

DNAが転写されメッセンジャーRNA（mRNA）前駆体がつくられる．その後，イントロン部分が取り除かれmRNAがつくられることをスプライシングという．イントロンの両端の配列がスプライシングに関与しており，そのバリアントによって遺伝子・蛋白質の機能に影響をもたらすものをスプライシング部位バリアントという．エクソンの直下流でイントロンの開始部位の2塩基であるgt（mRNA前駆体ではgu）やエクソンの直上流でイントロンの終了部位の2塩基であるagは多くのこの部位に共通（gt-agルール）するコンセンサス配列であり，この部位の塩基に変化が起こると，1つのエクソンが抜け落ちるエクソンスキッピングや，イントロン配列をエクソンとして読んで新しい終止コドンを認識してしまうリードスルーなどが起こりうる．

フレームシフト

DNAのエクソン領域の塩基の挿入または欠失が起こり，コドンの読み枠がずれることによって蛋白質構造に影響を与えるものである．コドンは3塩基の読み枠なので，1塩基あるいは2塩基など3の倍数ではない数の挿入または欠失（アウトオブフレーム）が起こればフレームシフトが起こる．一方，3の倍数の挿入または欠失（インフレーム）が起これば，その部分のアミノ酸の挿入，欠失が起こるだけなので，それ以降の読み枠のずれは起こらない．一般にフレームシフト（アウトオブフレーム）のほうがインフレームより蛋白質の機能に影響を与え，疾患も重症の型を示すとされるが，理論どおりにならない場合もある．

図 7-2 多型,変異,バリアントの概念
すべて DNA 塩基配列変化を表す用語である.

> **トリプレットリピート病**
> トリプレットリピート病とは,3塩基の繰り返し配列が異常に伸長することによって起こる遺伝性疾患の総称で,神経・筋疾患が多い.脊髄小脳変性症の代表的な原因遺伝子や単一遺伝子疾患の Huntington 病は各遺伝子のエクソン領域の CAG(グルタミンをコードする)の繰り返し配列であり,トリプレットリピート病のなかでもポリグルタミン病とよばれる.筋強直性ジストロフィーと脆弱 X 症候群は非翻訳領域の繰り返し配列で,ポリグルタミン病ではないトリプレットリピート病である.

図 7-3 バリアントのよび方の変化(エクソン領域の塩基配列変化の例)

なれば,蛋白質合成がそこで止まり,短い蛋白質になるものは**ナンセンス**とよぶ(図 7-3).

2) 遺伝毒性と変異原性

遺伝毒性(genotoxicity)とは,外来性の化学物質や物理化学的要因,もしくは内因性の生理的要因などにより,DNA や染色体,あるいはそれらと関連する蛋白質が作用を受け,その結果,細胞の DNA や染色体の構造や量を変化させる性質(事象)をいう(http://www.nihs.go.jp/dgm/genotoxicitytest2R.html#anchor2).**遺伝毒性物質**とは,その物質自体あるいは代謝物質が DNA に直接作用し DNA 損傷を引き起こす物質で,変異原性物質を含むものをいう.変異

> **VUS**
> variant of unknown(uncertain)significance の頭文字をとった単語で,DNA の塩基配列変化が疾患の原因になっているかどうかを判断する分類において,不確かな意義のバリアントを指す.将来,意義のあるもの,あるいはないものに解釈が変わることがある.

> **遺伝毒性物質と変異原性物質**
> 遺伝毒性物質のなかに変異原性物質が含まれる.

原性物質とは，DNA に不可逆的かつ次世代の細胞に伝達可能な変化（突然変異）をもたらす物質をいう．

これら物質の DNA・染色体に与える影響を**表 7-1** に示す．

3 遺伝の法則

遺伝学（genetics）は本来，遺伝（heredity）と多様性（variation）の学問の意味で定義されたが，日本では heredity のみと解釈される傾向にあり，日本社会では「遺伝」が暗いイメージに結び付きやすい（日本人類遺伝学会ホームページより）．改めて遺伝の法則をみてみると，遺伝学が「遺伝と多様性」からなると理解できる．

1）メンデルの法則

メンデルが没した 16 年後の 1900 年，別々の 3 人の学者であるオランダの Hugo de Vries，ドイツの Carl Erich Correns，オーストリアの Erich von Tschermak-Seysenegg らにより再発見され，研究成果が承認された．

メンデルは，栽培しやすく他家受粉が容易で形質（表現型）の違いが明確なエンドウを選んだ．メンデルが観察した 7 つの形質は，①種子の表面（丸いかしわ入りか），②子葉の色（黄色か緑色か），③種皮の色（灰色か白色か），④莢の形（膨らんでいるかくびれているか），⑤莢の色（緑色か黄色か），⑥茎の花のつきかた（葉のつけ根につく腋生か茎の先につく頂生か），⑦背丈（2 m 前後と高いか 30 cm 前後と低いか）である．ここに示した①〜⑦の（　）の中の前者が顕性形質（優性形質）で，後者が潜性形質（劣性形質）とわかった．メンデルはこれらの形質から 3 つの法則を見出した．

(1) 顕性（優性）の法則

メンデル以前にも交配実験を行った例はあったが，法則性を見出せなかったのは純系を用いなかったためだと思われる．メンデルは 2 年間かけて，必ず背丈が高くなるなど，多数の形質の純系（親世代，parents：P）を作製することに成功した．

別々の純系の形質，たとえば丸い種子としわのある種子を交配させると子の (filial：F) 世代（F_1）ではすべて丸い種子となる．この場合，丸い種子は顕性（優性）の形質で，しわは潜性（劣性）の形質となる．潜性（劣性）の形質は表現型には現れない．これを**顕性（優性）の法則**とよぶ（**図 7-4**）．

(2) 分離の法則

F_1 同士の交配の F_2 世代では丸：しわが 3：1 となり，顕性（優性）の形質と潜性（劣性）の形質が一定の比率で現れる．1 対のアレルは配偶子（精子やおしべ，卵子やめしべ）が形成される過程で分離し，いずれかのアレルが配偶子により次世代に伝えられる．これを，**分離の法則**とよぶ．

メンデル以前，遺伝形質は交雑とともに液体のように混じりあっていく（混合遺伝）と考えられていたが，メンデルはこれを否定し，遺伝する何らかの粒

グレゴール・ヨハン・メンデル

遺伝の法則はオーストリア帝国・ブリュン（現在のチェコ共和国のブルノ）のキリスト教の司祭である Gregor Johann Mendel（1822-1884 年）が発見した．メンデルはエンドウの紫と白い花の発生は 3：1 であることなどに気づき，8 年間エンドウの形態の統計をとり続けた．これは 1863 年ブルノ自然科学学会で「植物の雑種に関する実験」として発表され，1866 年のブルノ自然史学会のあまり知られていない会報に掲載された．この業績は生前評価されず，メンデルは「今に私の時代が来る」と言い残し，没した．

表 7-1 遺伝毒性物質と DNA・染色体に与える影響

分類	細分類	薬剤名・物質名・ウイルス名	作用と特徴	報告されているヒトでのがん
抗悪性腫瘍薬	アルキル化薬（マスタード類）	シクロフォスファミド	DNA 合成阻害，DNA 鎖切断作用	（悪性腫瘍に対して投与した後の二次発がんとして）白血病，骨髄異形成腫瘍，悪性リンパ腫，膀胱腫瘍，腎盂・尿管腫瘍
	アルキル化薬（ニトロソウレア類）	ニムスチン	DNA の低分子化，DNA 合成阻害	（二次発がんとして）骨髄異形成腫瘍，白血病
	抗腫瘍性抗生物質	マイトマイシン C	塩基の間に入って塩基と結合し，DNA 鎖を架橋することによって DNA 複製を阻害する．	
		ブレオマイシン	DNA 合成阻害，DNA 鎖切断作用	
	トポイソメラーゼ阻害薬	エトポシド	トポイソメラーゼ II と結合して安定複合体を形成し，切断された DNA の再結合を阻害することにより，殺細胞作用を発揮する．	（二次発がんとして）白血病，骨髄異形成腫瘍
アミン	芳香族アミン	オルト-トルイジン	オルト-トルイジンが肝臓内の CYP の触媒により N-ヒドロキシ-オルト-トルイジンを形成し，腎臓で濾過され，膀胱腔内の尿に蓄積される．その後膀胱内で O-アセチル化を触媒して，N-アセトキシ-オルト-トルイジンを形成し，生成された求電子性のニトレニウムイオンが DNA に結合し，DNA を損傷する．便潜血検査では用いられなくなった．	膀胱がん（染料として扱う工場で働く人）
アミン誘導体	ニトロソアミン	N-ニトロソジメチルアミン	ヌクレオチド塩基にメチル基やエチル基を付加して塩基間の水素結合を変化させ，誤った塩基対を生じさせる．塩漬けに用いる岩塩に含まれる硝酸塩から亜硝酸が生じ，塩漬けの魚の干物，加工肉，野菜のアミン摂取にて胃内で N-ニトロソジメチルアミンが生成される．	胃がん
炭化水素	多環芳香族炭化水素	ベンゾ［a］ピレン	自動車の排出ガスやタバコの煙・タールなどの中に存在する．体内で変換された物質が DNA に結合する．	肺がん
非電離放射線	紫外線		隣接するチミンとチミン，シトシンとシトシン，あるいはチミンとシトシンの間で二重結合が形成される．この結果，対側の塩基との水素結合を障害し，DNA 複製の際に誤った塩基を取り込むことになりうる．	皮膚がん
電離放射線	X 線，γ 線		DNA の一本鎖および二本鎖切断	白血病，甲状腺がん，乳がん
ウイルス感染症	妊娠中	麻疹，風疹，水痘・帯状疱疹，流行性耳下腺炎などのウイルス，サイトメガロウイルス	さまざまな染色体異常	
	上記以外	EB ウイルス		Burkitt（バーキット）リンパ腫，上咽頭がん，胃がん
		ヒトパピローマウイルス		子宮頸がん
		B 型肝炎ウイルス，C 型肝炎ウイルス		肝細胞がん

アルキル化薬とはメチル化，エチル化などのアルキル化を行う物質の総称である．
アミンとはアンモニアの水素がアルキル基で置換されたものをいい，2 つのメチル基で置換されたものは 2 級アミンである．
CYP：シトクロム P450．

遺伝子診療の基礎

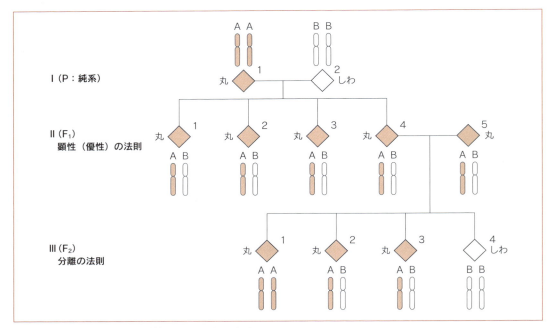

図 7-4　メンデルの顕性（優性）および分離の法則

子（後の遺伝子）によって受け継がれるという粒子遺伝を提唱した．現代の家系図になぞらえて染色体を図示すれば，遺伝型と表現型の関係が明確になる（図7-4）．

(3) 独立の法則

　メンデルは 7 つの形質を観察したが，それぞれの形質は独立して伝わるということを示したのが**独立の法則**である．形質のうち種子の表面（丸いかしわ入りか），子葉の色（黄色か緑色か）の 2 つを例に説明する．2 種類の形質が組み合わさるとどのような頻度で現れるのかをメンデルは検討した．2 つの顕性（優性）の形質である丸・黄と潜性（劣性）の形質であるしわ・緑を交配させると，子の世代である F_1 ではすべて丸・黄になる〔ここまでは顕性（優性）の法則どおり〕．F_1 同士を交配させると，次の世代である F_2 は丸・黄：丸・緑：しわ・黄：しわ・緑＝ 9：3：3：1 となる．それぞれの形質である丸：しわ＝ 12：4，黄：緑＝ 12：4 であり，ともに 3：1 となっている．つまり，それぞれの形質は分離の法則に則っており，これを独立の法則とよぶ．丸・しわが，ある染色体（図 7-5 では A や C）の座位に存在するとすると，黄・緑はそれとは別の染色体（図 7-5 では B や D）に存在すると考えると理解しやすい（図 7-5）．

2) 連鎖

　同一の染色体上に近接して存在する複数の遺伝子・領域は，親から子へ一緒に伝わる傾向が強いという現象を連鎖（linkage）という．具体的には，同一染色体上のある 2 つのアレルが減数分裂時に偶然よりも高い確率で挙動をともに

> **独立の法則が成り立たない場合**
> 2 つの座位同士が同じ染色体上の近傍に存在し連鎖している場合には，独立の法則が成り立たない．

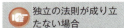
連鎖解析
血縁者の連鎖解析をすることによって，多くの単一遺伝子疾患の原因遺伝子の座位が決定された（ポジショナルクローニング）．

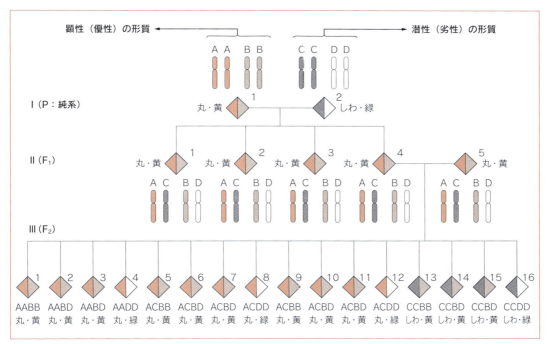

図7-5 メンデルの独立の法則

している場合である．一方，同一の染色体でも，2つの遺伝子・領域が離れて存在する場合には，減数分裂時に組換えが生じるため連鎖は弱くなり，組換え率は高くなる．

4 遺伝形式

メンデルの遺伝の法則が発見されたおかげで，多くの単一遺伝子疾患の遺伝形式が決定された．遺伝形式に則らない場合，新たな発生（de novo）であることもある．

1）単一遺伝子疾患

遺伝形式を明確に示すものは単一遺伝子疾患が多い．ヒトゲノムには約20,000個の固有名詞のついた遺伝子が存在し，1つの原因となる遺伝子に原因となるバリアントがあるものを単一遺伝子疾患という．それゆえに，DNAなどの分子を調べることによって多くの原因が突き止められるようになった．単一遺伝子疾患の遺伝形式は，**メンデル遺伝形式やミトコンドリア遺伝形式**をとる．

メンデル遺伝形式は5つに分類される．疾患原因となるバリアントが1～22番のいわゆる常染色体に存在する①常染色体顕性遺伝（優性遺伝）形式，②常染色体潜性遺伝（劣性遺伝）形式，疾患原因バリアントがX染色体に存在する③X連鎖顕性遺伝（優性遺伝）形式，④X連鎖潜性遺伝（劣性遺伝）形式があり，その他として⑤Y連鎖遺伝形式がある．Y染色体は通常男性にのみ存在す

> *de novo*
> ラテン語で「新たに」「改めて」を意味する．新生突然変異や突然変異という表現は，クライエントの心情を考慮し，遺伝カウンセリングではなるべく用いない．

> エクソーム解析
> ゲノムからすべての遺伝子のエクソン領域を濃縮し，次世代シークエンサにより塩基配列を決定する方法である．次世代シークエンサでは，エクソームのみならず全ゲノム解析も可能である．

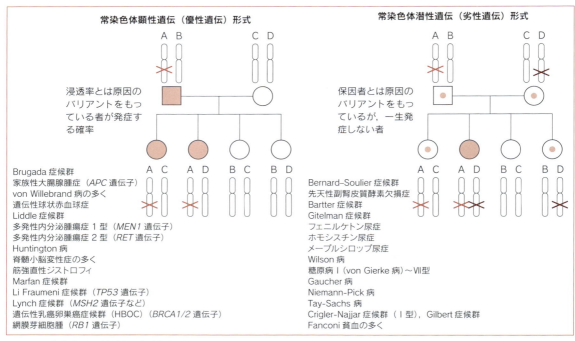

図7-6　常染色体顕性遺伝（優性遺伝）と常染色体潜性遺伝（劣性遺伝）

る．また，1つの細胞内に1本しか存在しないので，Y染色体による形質に関しては顕性遺伝（優性遺伝）や潜性遺伝（劣性遺伝）の問題は生じない．そのため，Y連鎖遺伝形式をメンデル遺伝形式に含めるかについては異論もある．

(1) 常染色体顕性遺伝（優性遺伝）形式

特徴は，相同染色体の片方（片親由来）の原因遺伝子のバリアントをもつものが罹患者となることである（図7-6）．片親が罹患者の場合，子どもは4人中2人が罹患者となり，その表現型がどの世代にも現れる．罹患者は罹患した親をもつ．ただし，これらの原則は**浸透率**が100％の場合である．浸透率が100％未満の場合，原因バリアントを有するものが一生発症しない未発症者がありうる．また，今まで家系内に罹患者が存在しておらず，この遺伝形式である遺伝病の発端者が生まれた場合，新生突然変異（遺伝カウンセリングで使用しないことに留意する単語）である場合が多い．

(2) 常染色体潜性遺伝（劣性遺伝）形式

特徴は，相同染色体の両方（両親由来）の原因遺伝子のバリアントをもつものが罹患者となることである（図7-6）．両親がともに保因者の場合，確率としては子どもは4人中1人が罹患者となる．2人は保因者，1人はバリアントを有さない野生型（wild）である．罹患者の両親は疾患原因となるバリアントアレルの保因者である．一般に保因者は一生無症候である．罹患者の両親はいとこ婚など近親性をもつことがあり，その場合罹患者はほぼ**ホモ接合体**である．近親婚がなくとも発生するのは，同じ遺伝子の中の別のアレル（別の箇所，別の

浸透率
原因のバリアントをもっている者を一生観察できたとして，発症する確率．

発端者
来談理由となった家系図のなかの罹患者．本来はその家系で最初に発生した罹患者という意味であろうが，先祖代々さかのぼって検出するのは相当困難であるため，現場に則した定義となっている．

保因者
臨床遺伝学での保因者とは，原因のバリアントをもっているが一生発症しない者をいう．常染色体の片方や1本のX染色体にバリアントがある常染色体潜性遺伝（劣性遺伝）形式やX連鎖潜性遺伝（劣性遺伝）形式で見出される．

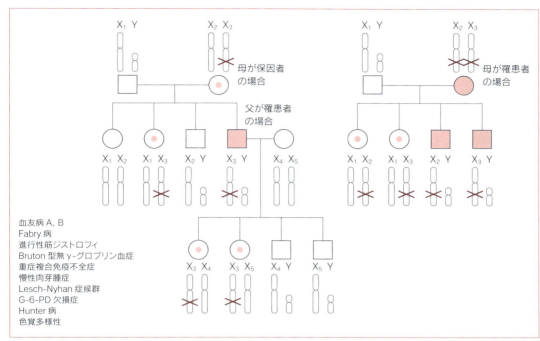

図 7-7　X 連鎖潜性遺伝（劣性遺伝）形式

エクソンなど）である父親由来のものと母親由来のものとが 1 個人に認められる**複合ヘテロ接合体**があるからである．小児にみられる先天性代謝異常症では，酵素をコードする遺伝子の多くは常染色体潜性遺伝（劣性遺伝）形式である．つまり，酵素は片親由来のアレルが野生型（wild）であれば 50％ 酵素活性が保たれ，疾患を一生発症しない（保因者になる）という性質をもっていると考える．

(3) X 連鎖顕性遺伝（優性遺伝）形式

X 染色体連鎖性低リン血症性くる病，Alport（アルポート）症候群では，男女ともに罹患するが男性は重症で女性は軽症である．Rett（レット）症候群では，男児は胎生致死である．伴性という言葉は近年ヒトには用いない．

(4) X 連鎖潜性遺伝（劣性遺伝）形式

頻度は 2 つの常染色体遺伝形式に次ぐ第 3 の遺伝形式である．一般に男性が罹患者で，その母親が保因者である．保因者の女性は，発症しないか，軽症である（図 7-7）．

(5) Y 連鎖遺伝形式

Y 染色体に存在する遺伝子として，性決定に関係する *SRY* 遺伝子が知られるが，他の遺伝子の臨床的意義はあまり知られていない．

(6) ミトコンドリア遺伝形式

精子のミトコンドリア DNA は胚の中で除外されるため，本遺伝形式は基本的に卵子のミトコンドリア DNA が受け継がれる母系遺伝である（図 7-8）．1 細胞中には 100〜2,000 個のミトコンドリアが存在し，1 つのミトコンドリア

伴性
生物学用語である伴性潜性遺伝（劣性遺伝）は，ヒトでは X 連鎖潜性遺伝（劣性遺伝）とよぶようになってきた．

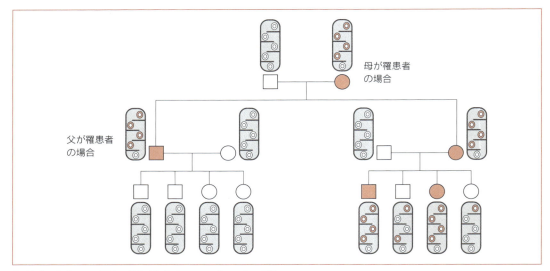

図7-8　ミトコンドリア遺伝形式（ヘテロプラスミー型）

には2〜10コピーのミトコンドリアDNAがある．1つの細胞のミトコンドリアDNAに野生型（wild）タイプと疾患原因バリアントタイプをもつ場合を**ヘテロプラスミー**といい，ヘテロプラスミーの割合がある一定の割合になると発症する疾患が多い．一方，ホモプラスミーで発症するものはLeber（レーベル）遺伝性視神経症，Leigh（リー）症候群，難聴の一部である．

ミトコンドリア病のなかで頻度が高いのはMELAS（ミトコンドリア脳筋症，乳酸アシドーシス，脳卒中様エピソード）で，m.3243A＞Gが80%程度に認められる．このバリアントは感音難聴，糖尿病を起こすことがある．

2）多因子遺伝性疾患

多因子遺伝性疾患は複数の遺伝子が関与するため，一つ一つの遺伝子の関与がどれくらいかを証明することは困難である．そのため，原因遺伝子ではなく（疾患）**感受性遺伝子**とよび，疾患になりやすいか（**易罹患性**）に関与している．糖尿病，高血圧症，心筋梗塞，脳梗塞などのありふれた疾患（common disease）が多因子遺伝性疾患とされる．親から子へ伝わるなどの明確な遺伝形式をとらない．

3）染色体異常

子孫に遺伝型を伝える可能性のある染色体異常症は，遺伝子関連検査の分類では遺伝学的検査（生殖細胞系列遺伝子検査）として染色体検査が行われる．染色体検査における一般的な**G分染法**では，末梢血を採血し分裂刺激剤であるフィトヘマグルチニン（phytohemagglutinin；PHA）を加えてリンパ球を細胞培養する．染色体異常は，大きく数の異常と構造異常に分類される．

常染色体の数の異常ではDown（ダウン）症候群を呈する21トリソミーのほか，18トリソミー，13トリソミー，構造異常では均衡型相互転座，不均衡型

 関連解析

単一遺伝子疾患の原因遺伝子が親子，きょうだい（同胞）を調べる連鎖解析で決定（同定）されたのに対して，多因子遺伝性疾患は関連解析により疾患感受性遺伝子が見出された．関連解析では疾患群と非疾患群の個人差のバリアントを調べ，その頻度分布の差を見出す．常染色体のすべてを網羅的に解析するgenome-wide association study（GWAS：ジーワスあるいはジーヴァス）や，候補遺伝子ごとの関連解析がある．

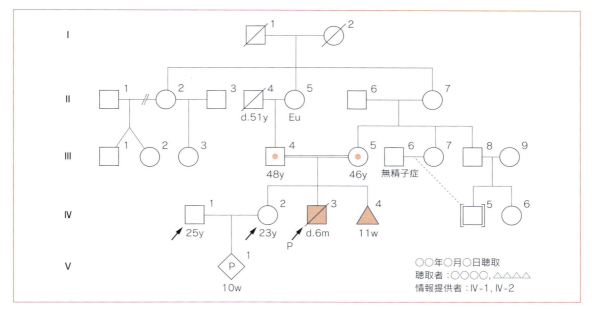

図7-9 家系図の描き方
Ⅱ-1の男性とⅡ-2の女性は離婚しており，彼らの子供はⅡ-1が面倒をみている二卵性双生児である．Ⅱ-4は51歳のときに死亡している．Ⅱ-5の情報はない(uninformative evaluation；Eu)．Ⅲ-4とⅢ-5とはいとこ同士の近親婚である．Ⅳ-1とⅣ-2は今回のクライエントである．Ⅴ-1は妊娠10週の性別不明の胎児である．Ⅳ-3は罹患者男児で発端者(proband；P↗)であり，生後6カ月で亡くなっている．この情報によって，いとこ婚による常染色体潜性遺伝（劣性遺伝）形式疾患が予測される．Ⅳ-4は11週で自然流産した罹患胎児であった．Ⅲ-6とⅢ-7の夫婦はⅢ-7の弟Ⅲ-8の長男であるⅣ-5を養子にした．

相互転座，逆位，欠失，挿入，重複などがある．性染色体の数の異常ではTurner（ターナー）症候群，Klinefelter（クラインフェルター）症候群，構造異常では脆弱X症候群がある．

　遺伝学的検査での染色体検査では一般に30個の細胞を解析するが，全細胞が同じ核型ではなく混在している場合を，**mosaic（モザイク）**とよぶ．

　均衡型相互転座は，一般集団の400人に1人（200組の夫妻に1組）の割合で生じる，珍しくない現象である．均衡型相互転座の保因者である親から不均衡型相互転座の児が生まれる率は，父が保因者なら5％，母が保因者なら10％前後であるが，転座によって1％未満から20〜50％までの違いがある．不均衡型相互転座の児の両親を検査して両親ともに染色体正常なら，次の児が不均衡型相互転座をもつ可能性（再発危険率）はほとんどない．また，児が均衡型相互転座の場合，両親の染色体分析をすれば，転座が①親から伝わったものか，②新しく生じたもの（de novo）かがわかる．

 転座
転座には先天的なものと，白血病や遺伝しないがんなどの後天的なものがある．

5 家系図の描き方

　クライエントとその家族の記憶・記録をもとに，3世代分は情報が欲しいところである．個体記号や関係線の基本的な表記法は必ず習得しておきたい（**図7-9**）．間違えやすい，注意すべきこととして，夫婦は夫を左に，きょうだい（同胞）は左から右に年齢の大きい順にする，配偶関係線は単に夫婦を直線でつ

 家系図
遺伝カウンセリングの際にクライエントから情報を聞き正確な家系図を描くことは，遺伝子診療で非常に重要である．

Ⅰ 遺伝子診療の基礎

なぐ（下に降ろして結ばざるをえない場合もある）ことがあげられる．近親婚は二重線にする．一部の電子カルテのソフトウェアで◎の記号が使われることがあるが，これは罹患者とクライエントのどちらを指しているか区別がつかない．また，そもそも◎は標準表記法の記号として存在しない．上記以外に重要なことは，Ⅰ，Ⅱ，Ⅲのように世代を表し，個体記号には左から順にそれぞれの記号の右上にアラビア数字を入れること，聴取日時と聴取者，情報提供者を明示することである．保因者は常染色体潜性遺伝（劣性遺伝）形式，X連鎖潜性遺伝（劣性遺伝）形式にみられ，未発症者は常染色体顕性遺伝（優性遺伝）形式でみられる．

6　遺伝カウンセリング

1）定義

　遺伝カウンセリングとは，遺伝性疾患の患者・家族またはその可能性のある人（クライエント）に対して，生活設計上の選択を自らの意思で決定し行動できるよう臨床遺伝学的診断を行い，遺伝医学的判断に基づき遺伝予後などの適切な情報を提供し，支援する医療行為である．遺伝カウンセリングにおいては，クライエントと遺伝カウンセリング担当者との良好な信頼関係に基づき，さまざまなコミュニケーションが行われ，この過程で心理的・精神的援助がなされる．遺伝カウンセリングは決して一方的な遺伝医学的情報の提供だけではないことに留意すべきである（日本医学会「医療における遺伝学的検査・診断に関するガイドライン」，2022年3月改定）．遺伝カウンセリングは，医師のみならず臨床検査技師もかかわるようになってきており，臨床検査技師も遺伝カウンセリングについて十分な理解が必要である．

2）基本理念

　遺伝カウンセリングの定義や概念は多数のものが示されているが，**図7-10**に示す8つの基本理念は，非常に端的に遺伝カウンセリングの本質を表している．1番目に記載されている，「クライエントの自発的な意思（自由意思）を尊重すること」が最も重要なことである．4番目の「父権主義（パターナリズム）がよくない」こと，5番目の「指示してはいけない」ことも根本的には自由意思の尊重にあたるだろう．「開かれた体制」では，日本のどこでも，医療施設などの大小にかかわらずクライエントが遺伝カウンセリングを受けられる権利を守らねばならない．もし医療者自身が遺伝カウンセリングできないような状況であれば，他施設の適任者に紹介するなどする．「十分な情報提供」ではクライエントが理解できる平易な言葉を用い，紙に書きながら説明するなど工夫が必要である．「心理的援助」では，悩み・不安に対する対応は重要だが，あまりにもそれが深い場合には臨床心理士や精神科医師に紹介することも考慮する．「守秘義務」は医療者であれば当然だが，遺伝情報は血縁者にも伝わっている可能性があるため，本人（クライエント）の同意が得られない症例によってはしか

家系図の描き方

日本語の書字方向には縦書きで列を右から左へ（←）順に並べる右縦書きがあり，相続などに使用される家系図では右縦書きを基本にしている．医療で用いられる家系図には世界的な標準があり，英語や数学にみられる左横書きを基本にしている．

　遺伝カウンセリング（genetic counseling）

遺伝相談ともいう．遺伝子カウンセリングという表現は誤り．

クライエント

来談者ともいう．遺伝カウンセリングあるいは遺伝学的検査を希望している家系員をいう．広告業界などでの依頼主を指すクライアントと区別して，クライエントを用いる．

遺伝カウンセリングの8つの基本理念

1. 自発的な意思	→	強制的ではない．本人の自由意思による決定．
2. 開かれた体制	→	どの地域でも自由に受けられること．
3. 十分な情報提供	→	遺伝学の基本から十分な情報まで提供すること．
4. 情報の完全な開示	→	父権主義的（パターナリズム，相談者の意思を確認せず，よかれと思ってやること）はいけない．知りたい権利とともに知りたくない権利もある．
5. 非指示的に	→	一方的に押し付けてはいけない．
6. 心理的援助	→	悩み，不安に対する対応をする．
7. 守秘義務	→	血縁者への開示をどうするかも課題．
8. 生命倫理の尊重	→	デリケートな出生前診断の問題など．

（福嶋義光監修：遺伝カウンセリングマニュアル．改訂第3版，2016，南江堂）

図7-10 遺伝カウンセリングの8つの基本理念

るべき倫理委員会に諮ったうえで，血縁者に開示することがある．「生命倫理の尊重」も医療者としては当然の事項だが，出生前診断のほか非発症保因者や発症前の遺伝学的検査などについてはデリケートな問題があり，現代で可能な医療状況を説明しながらクライエントの意思決定を待つ．

3）遺伝カウンセリングの特徴

遺伝カウンセリングに対する理解は，医療者であってもまだまだ浸透していない．そこで通常の診療と異なる点を中心に，その特徴をあげる．①一般的な外来と区別し，1〜2時間かけて行う．②発症している罹患者のみならず，罹患者ではない者，その家族もクライエントになりうる．③発症する可能性のある未発症者に対する発症前遺伝カウンセリングを行うことがある．④静かな個室にて落ち着いた環境で行う．⑤診療科の枠をこえてのチーム医療に位置づけられる．⑥医師・歯科医師のみならず，看護師，臨床検査技師，薬剤師あるいは遺伝カウンセラーなど，あらゆる職種の者が**遺伝カウンセラー**の職責を担うことができる．

4）使ってはいけない言葉

遺伝カウンセリングではクライエントの心情に考慮し，直接的な言葉を使わないことが推奨される．「あなたは変異をもっていて，それによって病気になっています．」と伝えると，特別に区別される変異をもっているという印象を与えかねない．「遺伝学的検査の結果，現在の状況に結び付く遺伝子の変化が検出されました．」と言い換えることによって相手が受ける印象を改善できる．変異，突然変異，異常（対義語の正常も），奇形，病気などの表現は使わないようにし

たい．健常という単語は野生型あるいは wild（ワイルド）とよぶことが望ましい．

Ⅱ 遺伝子診断

　診断とは，医師が患者を診察し病状を判断することである．一般に，臨床検査技師など医師以外の者は行うことができないとされる．遺伝子診断は遺伝子を調べて診断することを意味するが，医療には用いられない法医学，人類学的な判断や，親子鑑定を遺伝子診断に含むかは議論がある．また，検査という単語は臨床検査を連想させるので，遺伝子を調べるという大きな意味を指すのであれば分析や解析という単語を用いたほうが望ましい．このように，臨床遺伝学における用語は近年変化が著しいので，web サイトの記載をうのみにしてはならない．日本医学会は「医療における遺伝学的検査・診断に関するガイドライン」（2022 年 3 月改定）を作成し，これまで一般的に用いられてきた「遺伝子検査」を「**遺伝子関連検査**」とし，①病原体核酸検査，②体細胞遺伝子検査，③遺伝学的検査という用語を用いるとした（**図 7-11**）．
　ヒト生殖細胞系列の検査のなかには，医療の範疇ではないものがある（**表 7-2**）．特に，消費者に直接提供される生殖細胞系列の遺伝子関連検査は direct-to-consumer（DTC）遺伝子解析といわれ，医師の診療を通さないビジネスであるため，科学的根拠，質保証，個人情報保護の観点から問題が指摘されている．

1　病原体核酸検査
　核酸増幅法を分類すると，DNA を増幅するものとしては PCR 法，TaqMan PCR 法，LAMP 法などがあり，RNA を増幅するものとしては RT-PCR 法，TMA 法，TRC 法などがある（**表 7-3**）．

> **遺伝子診断と遺伝学的検査**
> 多くの書籍で遺伝子診断と遺伝学的検査は同義であるかのごとく記載されているが，本文中に記したように診断と検査は異なる意味である．遺伝学的検査は臨床検査の一項目であり，遺伝子診断は医師が行うものであると厳密に区別したいと考える．

> **医療における遺伝学的検査・診断に関するガイドライン**
> 2022 年 3 月に改定された．電子カルテの普及もあり，遺伝情報を含むすべての診療記録を共有すべきとされた．なお，遺伝医学関連 10 学会による「遺伝学的検査に関するガイドライン」（2003 年 8 月）は今回の改定にあわせて廃止された．

> **核酸増幅検査**
> 臨床検査の現場では PCR 法以外にさまざまな増幅法が利用されるようになり，nucleic acid test あるいは nucleic acid amplification test（NAT あるいは NAAT：核酸増幅検査）という用語も使われる．

---

1. **病原体核酸検査**
   ヒトに感染症を引き起こす外来性の病原体（ウイルス，細菌等，微生物）の核酸（DNA あるいは RNA）を検出・解析する検査．
2. **体細胞遺伝子検査**
   体細胞（somatic cell）の遺伝子解析により明らかにされる情報についての検査．
   がん細胞特有の遺伝子の構造異常等を検出する遺伝子の解析および遺伝子発現解析等，疾患病変部・組織に限局し，病状とともに変化しうる一時的な遺伝子情報を明らかにするための検査．
3. **遺伝学的検査**
   生殖細胞系列（germline）の遺伝子解析により明らかにされる情報についての検査．Germline とはその個体が生来的に保有し子孫に伝えられうる情報で，37 兆個の一個人の全細胞は原則として同じ DNA 塩基配列をもつ．単一遺伝子疾患，多因子疾患，薬物等の効果・副作用・代謝，個人識別にかかわる遺伝学的検査等がある．

図 7-11　遺伝子関連検査（1～3 の総称）

表 7-2 ヒト生殖細胞系列関係の解析・検査

領域	依頼者	受付場所	ガイドライン分類	目的
医療	罹患者	病院，クリニック，医療施設など	ヒト遺伝学的検査	単一遺伝子疾患 非発症保因者の遺伝学的検査〔常染色体潜性遺伝（劣性遺伝），X連鎖潜性遺伝（劣性遺伝）〕 未発症者の遺伝学的検査〔常染色体顕性遺伝（優性遺伝）〕 多因子遺伝性疾患の感受性（易罹患性） 出生前遺伝学的検査 新生児マススクリーニング 薬理遺伝学的検査（ファーマコゲノミクス）
社会医学（特に法医学）	裁判所，警察，弁護士など	大学など	対象外	個人識別
ビジネス	消費者	ビューティサロン，ジムなど	対象外	肥満など疾患ではなく体質の感受性遺伝子 加齢など体質の感受性遺伝子
		インターネット	対象外	芸術，スポーツの才能 親子鑑定

ガイドライン分類は日本医学会の「医療における遺伝学的検査・診断に関するガイドライン」による．

表 7-3 病原体核酸検査

検出するタイミング	DNA が出発点（鋳型）						RNA が出発点（鋳型）		
	エンドポイント PCR 法	リアルタイム法							
原理	一般的な PCR 法	TaqMan PCR 法	TaqMan PCR 法	LAMP 法	インターカレーター法（サイバーグリーンなど）	液相（核酸）ハイブリダイゼーション法	RT-PCR 法	TMA (transcription mediated amplification) 法	TRC (transcription reverse transcription concerted reaction) 法
定性か定量か	定性	定性	定量	定性	半定量	定性	定性・定量	定性・定量	定性・定量
目的	鋳型 DNA の存在	一塩基バリアントなどの遺伝型決定	鋳型 DNA の定量	鋳型 DNA の存在	鋳型 DNA の半定量	鋳型 DNA の存在	鋳型 RNA を逆転写した後 PCR 増幅，定性・定量	鋳型 RNA を T7 RNA ポリメラーゼと逆転写酵素にて増幅，定性・定量	一定温度で RNA を転写と逆転写とで協奏的に増幅，蛍光増感プローブで検出

2 体細胞遺伝子検査

　体細胞遺伝子検査は，がん細胞特有の遺伝子の構造異常などを検出する検査および，次世代に受け継がれることのないバリアント・遺伝子発現の差異・染色体異常を明らかにするための検査である．多くは遺伝することのないがんの遺伝子を調べるものである．その際，用いるサンプル（検体）はがん組織やがん細胞であり，正常細胞と比較することによってがん細胞の特徴を検出することができる．体細胞に現れる後天的な変化であるため，体の部位（組織）によ

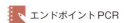

エンドポイント PCR

増幅反応がプラトーに達し，増幅しきったポイントで測定を行う PCR．

って異なることがある．

体細胞遺伝子検査の方法論としては，単に塩基配列を決定するのみではなく，遺伝子発現（メッセンジャー RNA：mRNA）の検出・定量や FISH 法による融合遺伝子検出など幅広い技術を利用する（**表 7-4**）．あらゆる遺伝しない悪性腫瘍細胞の染色体を調べることも，体細胞遺伝子検査の範疇である．

3 遺伝学的検査

生殖細胞系列（germline：ジャームライン）の遺伝子解析により明らかにされる情報についての検査である．対象となる疾患・病態は単一遺伝子疾患，多因子疾患，薬物等の効果・副作用・代謝，個人識別にかかわる遺伝学的検査などがある．

ここでは，「医療における遺伝学的検査・診断に関するガイドライン」（日本医学会，2022 年 3 月改定）（8 章 p.215 を参照）の記載内容に沿って述べる．遺伝学的検査およびその結果に基づいてなされる診断を行う際には，遺伝情報の特性を十分考慮する必要がある．

人体の細胞の数

人体すべての細胞数は長い間 60 兆個とされていたが，根拠があいまいであった．2013 年に 37 兆 2,000 億個と推定する論文が発表された．

1）罹患者検査・診断

すでに発症している者の診断を目的として行われる遺伝学的検査を指す．

2）発症前検査・診断

「発症する前に将来の発症をほぼ確実に予測することを可能とする発症前遺伝学的検査においては，検査実施前に被検者が疾患の予防法や発症後の治療法に関する情報を十分に理解した後に実施する必要がある．浸透率が低い，あるいは不明な場合でも，何らかの医学的介入が臨床的に有用である可能性がある場合には，同様の対応を行う．結果の開示に際しては疾患の特性や自然歴を再度十分に説明し，被検者個人の健康維持のために適切な医学的情報を提供する．とくに，発症前の予防法や発症後の治療法が確立されていない疾患の発症前遺伝学的検査においては，検査前後の被検者の心理への配慮および支援は必須である．」（医療における遺伝学的検査・診断に関するガイドライン）

「成年期以降に発症する疾患の発症前遺伝学的検査については，原則として本人が成人し自律的に判断できるまで実施を延期すべきで，両親などの代諾で検査を実施すべきではない．」（医療における遺伝学的検査・診断に関するガイドライン）ただし，未成年期に発症する疾患で発症前に診断を行うことが健康管理上大きな有用性がある場合はこの限りではない．実際に，多発性内分泌腫瘍症 2 型（MEN2）の遺伝性甲状腺髄様がんは，早期に診断・治療することで有用性がある．

ASCO の提言

American Society of Clinical Oncology（米国臨床腫瘍学会：ASCO）では，生殖細胞系列の解析結果を知りたくないクライエントに対し，体細胞の結果だけを知る仕組みづくりを提言している．

3）保因者検査・診断

保因者とは，疾患原因バリアント（変異）を有しているが，生涯にわたって

表 7-4 体細胞遺伝子検査

	項目	解析方法	対象疾患
固形がん	EGFR 遺伝子	リアルタイム PCR 法, リアルタイム PCR 法以外	肺がん, 大腸がん
	ROS1 融合遺伝子		肺がん*
	ALK 融合遺伝子		肺がん*
	BRAF 遺伝子		肺がん, 大腸がん*, 悪性黒色腫
	MET 遺伝子エクソン 14		肺がん*
	RAS 遺伝子		大腸がん*, 肺がん*
	KRAS 遺伝子		肺がん, 膵がん, 大腸がん
	c-kit 遺伝子		消化管間葉系腫瘍 (GIST)
	EWS-Fli1 遺伝子, TLS-CHOP 遺伝子, SYT-SSX 遺伝子		悪性骨軟部組織腫瘍
	センチネルリンパ節	リアルタイム PCR 法, リアルタイム PCR 法以外	悪性黒色腫
	NTRK 融合遺伝子, 腫瘍遺伝子変異量		固形がん*, Lynch 症候群 (遺伝性非ポリポーシス大腸がん: HNPCC)
	FGFR2 融合遺伝子	次世代シークエンシングなど	胆道がん
	RET 融合遺伝子		甲状腺がん
	RET 遺伝子変異		甲状腺髄様がん
	サイトケラチン 19 (KRT19) mRNA 検出	OSNA (one-step nucleic acid amplification) 法	乳がん, 胃がん, 大腸がんまたは非小細胞肺がん
	EGFR 遺伝子 (血漿)	リアルタイム PCR 法, 次世代シークエンシング	肺がんなど
	HER2 遺伝子	FISH 法	乳がん, 胃がん, 大腸がん*, 肺がん*
	膀胱がん関連遺伝子	FISH 法	膀胱がん
	マイクロサテライト不安定性検査	マルチプレックス PCR-フラグメント解析法	固形がん*, Lynch 症候群 (遺伝性非ポリポーシス大腸がん: HNPCC)
	BRCA1 遺伝子, BRCA2 遺伝子	次世代シークエンシング	卵巣がん, 前立腺がん
	遺伝子相同組換え修復欠損検査		卵巣がん
	FoundationOneCDx がんゲノムプロファイル (リキッド含む), OncoGuideNCC オンコパネルシステム	がんゲノムプロファイリング	固形がん
造血器腫瘍	FLT3 遺伝子	PCR 法およびキャピラリー電気泳動法	再発または難治性の急性骨髄性白血病 (急性前骨髄球性白血病を除く)
	BCR::ABL1 融合遺伝子	リアルタイム RT-PCR 法, TMA 法	慢性骨髄性白血病または急性リンパ性白血病
	WT1 mRNA	リアルタイム RT-PCR 法	急性骨髄性白血病または骨髄異形成腫瘍
	FIP1L1::PDGFRα 融合遺伝子	FISH 法	慢性好酸球性白血病または好酸球増多症候群
	JAK2 遺伝子	アレル特異的定量 PCR 法	真性赤血球増加症・本態性血小板血症・原発性骨髄線維症
	EZH2 遺伝子	リアルタイム PCR 法	濾胞性リンパ腫
	骨髄微小残存病変量測定	PCR 法	急性リンパ性白血病
	免疫関連遺伝子再構成	PCR 法, LCR 法またはサザンブロット法	悪性リンパ腫, 急性リンパ性白血病または慢性リンパ性白血病

解析方法:主として行われる方法を示した. LCR:ligase chain reaction. *:血液・血漿を検体とする場合もある(セルフリー DNA によるリキッドバイオプシーを想定).

発症しない者のことをいう．一方，疾患原因バリアント（変異）を有しているが，発症年齢が高い疾患などで将来発症する可能性が高い者は**未発症者**とよび区別される．常染色体潜性遺伝病（劣性遺伝病），X連鎖潜性遺伝病（劣性遺伝病）において保因者が存在する．家系内にこれらの遺伝形式疾患の罹患者がいる場合，クライエントが保因者かどうかを調べる遺伝学的検査を保因者検査・診断という．また，家系内に不均衡型染色体構造異常を有する者がいる場合，クライエントである親が均衡型染色体構造異常を有する可能性がある．これを調べるために行う染色体検査も，保因者検査・診断と位置づけられる．

　非発症保因者遺伝学的検査は，通常は当該疾患を発症せず治療の必要のない者に対する検査であり，原則的には，本人の同意が得られない状況での検査は特別な理由がない限り実施すべきではない．

4）新生児マススクリーニング検査

　早期発見により治療が可能な病気をみつけるための検査を**マススクリーニング**（mass screening：集団検査）という．新生児マススクリーニングとは，新生児（出生後28日未満の乳児）全員に対して，日本全国すべての自治体において公費で行われる国策事業である．強制でなく任意であるが，医療機関が両親から同意を得て，日本で生まれるほぼ100%の新生児がこの検査を受けている．現在，アミノ酸代謝異常症のフェニルケトン尿症，メープルシロップ尿症，ホモシスチン尿症，糖質代謝異常症のガラクトース血症，内分泌疾患の甲状腺機能低下症（クレチン症），副腎皮質過形成症など20種類程度の疾患を対象に行われる．一般に生後4～7日に行われる．アミノ酸代謝異常症ではアミノ酸の測定をガスリー法，高速液体クロマトグラフィ（HPLC）法，酵素法で，ガラクトース血症ではガラクトースの測定をボイトラー法，酵素法で，内分泌疾患ではホルモンの測定をELISA法で実施する．これらの検体として，踵から少量の血液を採取し検査用の濾紙に染み込ませたものが用いられる．

　新生児マススクリーニングではDNA塩基配列を直接解析するわけではないが，生化学的手法によって単一遺伝子疾患を診断していることに他ならない．そのため，新生児マススクリーニングとは遺伝学的検査の一つであることに留意すべきであり，他の遺伝学的検査と同様に倫理面での配慮，心理的・社会的な支援などの適切な体制が供給されることが大切である．

　検査の実施前に保護者に十分な説明を行うこと，検査で陽性であった場合には，専門医療施設において遺伝カウンセリングを行ったうえで確定検査としての遺伝学的検査を実施すること，診断が確定した場合には，遺伝カウンセリングを含む疾患・治療に関する情報提供を行い，疾患への対応・支援を行うことが必要である．

5）出生前検査・診断

　出生（しゅっしょう，しゅっせい）前遺伝学的検査は，着床前に行うものと

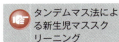

タンデムマス法による新生児マススクリーニング
2014年4月からタンデムマス法という検査方法が全国に導入され，新たにアミノ酸代謝異常症，有機酸代謝異常症，脂肪酸代謝異常症などの20種類程度の疾患（疾患数は自治体により異なり，また研究目的で実施していることもある）が対象疾患に追加された．従来法に比べて検査精度がよいので再採血率が低い．タンデムマス法とは2台を直列に接続した質量分析計（タンデム質量分析計：tandem mass spectrometer）のことで，この場合のmassは質量を指す．

着床後に行うものに分けられる．着床前遺伝学的検査（preimplantation genetic testing；PGT）では，体外受精・顕微授精の手技によって得られた胚の割球や栄養外胚葉細胞を検体とし，細胞遺伝学的検査や分子遺伝学的方法が用いられ，以下の3つに区分される．①単一遺伝子の異常に基づく重篤な遺伝性疾患を避けることを目的とした PGT for monogenic（PGT-M），②不育症，不妊症を対象とし，胚の染色体の数的異常を確認し流産を避けることを目的とした PGT for aneuploidy（PGT-A），③不均衡型相互転座などの染色体構造異常を検査し流産を避けることを目的とした PGT for structural rearrangements（PGT-SR）である．

PGT は妊娠成立前の段階で診断ができるため，原則として人工妊娠中絶を回避できる点に特徴があるが，受精卵の法的位置付けなどをめぐる議論が生じる．体外受精（in vitro fertilization；IVF）後にマイクロマニピュレーション技術を用いて極体を取り出すか，バイオプシーによって6～8細胞期胚から1細胞を取り出し，PCRやFISH法にて解析する．

着床後検査・診断は，一般にはこれが出生前検査・診断とよばれており，妊婦健診一般を含めることもあるが，近年の議論においては胎児の先天的な疾患や異常を知るための検査を指すことが多い．検査にはさまざまな手法があり，非侵襲的な手法として母体血清マーカー，超音波検査などが，侵襲的な手法として羊水検査（穿刺），絨毛検査（穿刺）などがある．最近では，非侵襲的な手法として母体血診断が行われるようになった（後述）．

着床前検査・診断

着床前検査・診断についての法的規制は存在しない．日本産科婦人科学会では遵守すべき条件を定めている．

絨毛検査は，経腟的あるいは経腹的に妊娠10～12週に絨毛（胎盤となる細胞）を採取する．細胞から胎児DNAを分離することができることと，妊娠のより早期に実施・結果が手に入ることは利点であるが，手技的に羊水穿刺より困難でありわが国では実施施設が限られていること，検査を行う週数が羊水検査よりも若干早いためもともと流産リスクが高いこと，妊娠9週以前に行うと胎児の手足の形成に影響があると指摘されていること，絨毛培養で偽性モザイクがみられることなどが欠点とされている．

一方，**羊水検査**は経腹的に妊娠15～17週に実施することが多い．この時期の羊水量は200～300 mLであり，穿刺によって12～20 mL採取される．利点は多くの施設で行われ絨毛穿刺より手技的に容易であること，流産率が低く約0.1～0.2％と報告されていることがあるが，羊水中に存在する胎児由来の細胞の培養には1～2週間を要する．人工妊娠中絶を考慮する際には妊娠22週未満に結果を得ることが必要である（適応の是非については後述）．

昨今，**非侵襲性出生前遺伝学的検査**（non-invasive prenatal genetic testing；NIPT）がわが国でも利用できるようになった．これは，次世代シークエンシング（この名称は今後変化していくだろう）による massively parallel DNA sequencing（大規模並行DNAシークエンシング）法を用いて母体血漿中セルフリーDNA（cell-free DNA）を分析する．セルフリーDNAの短い断片は，胎児由来と母体由来の両方のものが母体血に存在する．胎児由来のDNA断片は，

非侵襲性出生前遺伝学的検査（NIPT）の問題点

母体保護法では，人工妊娠中絶は胎児の遺伝性疾患を理由には施行できない．また，周産期の医療体制の整備が遅れていること，現状では検査が行われると社会的な混乱の原因になる可能性があることなどから，わが国では日本医学会の「出生前検査認証制度等運営委員会」による認証医療機関・認証検査分析機関が示されている．

妊娠10〜20週の母体循環血中で全セルフリーDNAの約10〜15％を占める．NIPTの適用の一つは，胎児の21，18，13トリソミーについてのスクリーニングである．胎児DNAが母体血漿中DNAの10％を占めるとき，胎児に21トリソミーがある場合，21番染色体DNA量は5％増加する．大規模並行DNAシークエンシングでは，その小さな違いを精度よく検出することができる（21トリソミーは感度99％，特異度99％，陽性適中度99％で検出することができるとされる）．2024年8月現在，保険収載はされていない．

4　ファーマコゲノミクス

　ファーマコゲノミクス（pharmacogenomics；PGx，ゲノム薬理学）は，薬物応答と関連するDNAおよびRNAの特性のバリアントに関する学問である．一方，ファーマコジェネティクス（pharmacogenetics；PGt，薬理遺伝学）はファーマコゲノミクス（PGx）の一部であり，薬物応答と関連するDNA配列のバリアントに関する学問である（厚生労働省「ゲノム薬理学における用語集」一部改訂）（図7-12）．

　表7-4に示した保険収載された体細胞遺伝子検査で解析する疾患の多くは，有効な薬剤が存在する．病理組織でERBB2（HER2）遺伝子の遺伝子増幅が認められた場合には，トラスツズマブ（ハーセプチン®）が有効である．

　一方，遺伝学的検査の例として，遺伝性乳癌卵巣癌症候群では，末梢血白血球で原因遺伝子のBRCA1あるいはBRCA2のバリアントがあると遺伝性であり，PARP阻害薬であるオラパリブが効くことが判明している．

　ERBB2（HER2）遺伝子とBRCA1/BRCA2遺伝子は，双方とも薬剤効果と遺伝子関連検査が関係しているのでファーマコゲノミクスのうちファーマコジェネティクスの範疇であるが，前者は体細胞遺伝子検査で，白血球DNAを用いた後者は遺伝学的検査であることは理解しておくべきである．

> **オラパリブの適応症とBRCAバリアント**
> オラパリブはBRCA1あるいはBRCA2遺伝子の原因バリアントがある乳がんや卵巣がんに条件によって使用できるが，体細胞（がん細胞）のみにバリアントを有する場合と，生殖細胞系列（白血球など全身）の細胞にバリアントを有する場合のどちらにも適応がある．図7-12では，生殖細胞系列におけるバリアントを有する遺伝性乳癌卵巣癌症候群の場合を示している．

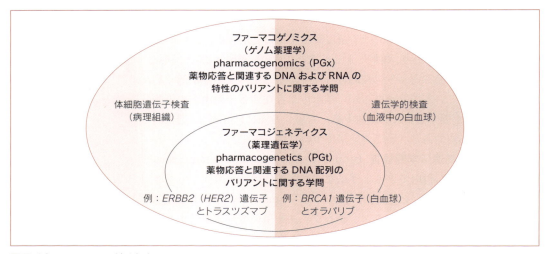

図7-12　ファーマコゲノミクス

また，遺伝学的検査の例として，**UGT1A1 遺伝子**のバリアントが抗悪性腫瘍薬イリノテカンの副作用の出やすさに関係しており，UGT1A1*28 をもつ人の場合，代謝が遅く，それだけ副作用が出やすい．このため投与量を減らすなどの対応が必要になる．UGT1A1*6 あるいは UGT1A1*28 をホモ接合体またはいずれもヘテロ接合体としてもつ人は，代謝が遅延することにより重篤な副作用発現の可能性が高くなることが報告されているため，投与量をさらに減らすなどの対応が必要になる．

今後，がんゲノム医療の発展に伴い，ファーマコゲノミクスの保険適用は拡大してゆくであろう．

5　コンパニオン診断

コンパニオン診断（companion diagnostics；CoDx もしくは CDx）とは，医薬品の効果や副作用を投薬前に予測するために行う臨床検査のことである．薬剤に対する患者個人の反応性を治療前に検査することで，**個別化医療**（テーラーメイド医療）を推進するために用いられる．

代表的なコンパニオン診断を**表 7-5** に示す．非小細胞肺がんでは EGFR 遺伝子のバリアントがあれば EGFR 阻害薬を，ALK 融合遺伝子が見出されれば ALK 阻害薬を，悪性黒色腫で BRAF 遺伝子バリアントがあれば BRAF 阻害薬を，乳がんで ERBB2（HER2）遺伝子の増幅（コピー数増加）があれば抗 HER2 抗体薬を，結腸・直腸がんでは KRAS 遺伝子あるいは NRAS 遺伝子の野生型には抗 EGFR 抗体薬を投与する．マイクロサテライト不安定性（MSI）の検査で MSI-High の固形がんには免疫チェックポイント阻害薬のニボルマブやペムブロリズマブを，FLT3 遺伝子のバリアントがある急性骨髄性白血病には FLT3 阻害薬を投与する．遺伝性乳癌卵巣癌症候群で BRCA1 あるいは BRCA2 遺伝子の原因に関するバリアントがみつかった場合には，PARP 阻害薬であるオラパリブやニラパリブなどを投与する．

6　がんゲノム医療

がんゲノム医療とは，主にがんの組織を用いて，たくさん（一般に 100 個以上）の遺伝子を同時に調べ，がんの原因にかかわる遺伝子のバリアント・変異を明らかにすることにより，一人ひとりの体質や病状に合わせて治療などを行う医療である．がんに関係する遺伝子を調べる方法として，次世代シークエンサを用い，あらかじめ目的とする多数の遺伝子の DNA や RNA の塩基配列を同時に調べられる解析キットである遺伝子パネルが多く用いられる．**がん遺伝子パネル検査**は**がんゲノムプロファイリング検査**ともよばれる．一人ひとりの体質や病状に合わせて治療などを行う医療のため，一種のテーラーメイド医療といえる．

がん遺伝子パネル検査は誰でも受けられるわけではなく，一般的には，①標準治療がない固形がん，②局所進行もしくは転移があり，標準治療が終了した

コンパニオン診断薬

コンパニオン診断薬とは，特定の医薬品の有効性や安全性をいっそう高めるために，その使用対象患者に該当するかどうかなどをあらかじめ検査する目的で使用される診断薬のことである．

MSI-High：microsatellite instability-high

表 7-5　代表的なコンパニオン診断

がん種	検査対象となる遺伝子	治療対象になるバリアント	薬剤名（代表的な薬剤）
非小細胞肺がん	EGFR	活性化バリアント　エクソン 19 欠失，エクソン 21 L858R	EGFR 阻害薬（ゲフィチニブ，エルロチニブ，アファチニブ）
	EGFR	抵抗性バリアント　T790M，エクソン 20 挿入	EGFR 阻害薬（オシメルチニブ）
	KRAS	G12C	KRAS 阻害薬（ソトラシブ）
	ALK, ROS1	ALK 融合遺伝子，ROS1 融合遺伝子	ALK, ROS1 阻害薬（クリゾチニブ）
	ALK	ALK 融合遺伝子	ALK 阻害薬（アレクチニブ）
	MET	エクソン 14 スキッピング	MET 阻害薬（テポチニブ）
	RET	RET 融合遺伝子	RET 阻害薬（セルペルカチニブ）
悪性黒色腫	BRAF	V600E, V600K	BRAF 阻害薬（ダブラフェニブ）
甲状腺がん	BRAF	V600E	BRAF 阻害薬（エンコラフェニブ），MEK 阻害薬（ビニメチニブ）
乳がん	ERBB2（別名 HER2）	コピー数増加（HER2 増幅）	抗 HER2 抗体薬（トラスツズマブ，ペルツズマブ）
遺伝性乳癌卵巣癌症候群	BRCA1, BRCA2	病的バリアント（変異）陽性	PARP 阻害薬（オラパリブ，ニラパリブ）
結腸・直腸がん	KRAS, NRAS	野生型に対して使用	抗 EGFR 抗体薬（セツキシマブ）
	マイクロサテライト不安定性	MSI-High	免疫チェックポイント阻害薬（ニボルマブ）
局所進行性または転移性がん（固形がん）	マイクロサテライト不安定性	MSI-High	免疫チェックポイント阻害薬（ペムブロリズマブ）
胆道がん	FGFR2	融合遺伝子	FGFR 阻害薬（ペミガチニブ）
固形がん	NTRK1, 2, 3	融合遺伝子	ROS1/TRK 阻害薬（エヌトレクチニブ）
急性骨髄性白血病	FLT3	内部縦列重複（internal tandem duplication；ITD），D835，I836	FLT3/AXL 阻害薬（ギルテリチニブ）
慢性骨髄性白血病	BCR::ABL1（フィラデルフィア染色体）	major BCR::ABL1 融合遺伝子（一部 minor）	チロシンキナーゼ阻害薬（イマチニブ，ダサチニブ，ニロチニブ）
急性リンパ性白血病	BCR::ABL1（フィラデルフィア染色体）	minior BCR::ABL1 融合遺伝子	チロシンキナーゼ阻害薬（イマチニブ，ダサチニブ）
濾胞性リンパ腫	EZH2	病的バリアント（変異）陽性	EZH2 阻害薬（タゼメトスタット）

（終了見込みを含む）固形がんの人で，次の新たな薬物療法を希望する場合に限ることが多い．

　がん遺伝子パネル検査を行って原因に関係するバリアントがみつかった場合は，それに対応した薬があれば，販売されている薬か，臨床試験などでその薬が使用できるのかを検討できる．それによって新たな治療法の開発につながる可能性がある．原因に関係するバリアントがあっても，使用できる薬がない場合もあり，がん遺伝子パネル検査を受けて，自分に合う薬の使用（臨床試験を含む）に結びつく人は全体の 10〜20％ 程度とされる．また，保険が適用されるものと適用されないものがあり，今後の課題である．

がんゲノム医療は，施設，人材，チーム体制，がん遺伝子パネル検査の体制・実績などの要件を満たした**がんゲノム医療中核拠点病院**およびがんゲノム医療拠点病院と，それと連携するがんゲノム医療連携病院が厚生労働省から指定されている．前2者の指定には，がん遺伝子パネル検査の結果を医学的に解釈するための多職種の熟練者による検討会（**エキスパートパネル**）の月1回以上の開催が条件になっている．

各施設の担当者が，がんゲノム医療のデータを**がんゲノム情報管理センター**（Center for Cancer Genomics and Advanced Therapeutics；C-CAT，シーキャット）に登録することによって，データは集約・管理される．C-CATでは利活用の推進を図るため，日本人の臨床・ゲノム情報を国内公的機関に確保し，わが国に至適化されたCancer Knowledge Database（CKDB）を作成し，がんゲノム医療（中核）拠点病院のエキスパートパネルに貢献すること，情報を共有し保険医療の改善のために活用すること，臨床試験・医師主導治験の基盤データとして活用すること，全ゲノム解析の医療応用に向けた検討や人材育成の機能・役割を担う．

> **リキッドバイオプシー**
> 血液や体液を採取して，がん細胞やがん細胞由来の物質を解析する技術．血液中の短いDNA断片（セルフリーDNA）を調べるがん遺伝子パネル検査が臨床応用されている．

7　遺伝子診断のメリットとデメリット

1）遺伝子診断のメリット

①遺伝学的検査の多くは生まれついてのヒトDNA塩基配列を決定するので，その個人の体質・病態ひいては疾患の確定診断に直結するきわめて明確な結果が得られる可能性がある．表現型から診断が確定しない場合には，遺伝学的検査が診断の決定的な手段となる．②発症前，保因者，出生前での遺伝学的検査によって病態，疾患が確定した場合，予防・治療，予後予測が可能になる可能性がある．③一個人のヒトDNA塩基配列は生涯変化しないので，生後間もない頃に解析しても成人になって解析しても基本的に同じ結果が得られる．脊髄小脳変性症など成人後に発症する疾患では，解析のタイミングを計ることができる．④侵襲が少なく確実にヒトDNAを採取できる血液を用いることが多いが，基本的に全身のどの細胞も用いることができ，しかも少量で解析可能である．⑤DNAは安定であり，半永久的に保存が可能である．

2）遺伝子診断のデメリット

①遺伝学的検査で病態・疾患の明確な原因が見出されなかった場合は，被検者は本当に罹患者ではないケース，被検者は罹患者であるが解析した方法では原因が見出されなかったケース，被検者は罹患者であるが解析した以外の遺伝子・領域に原因が存在するケースなど，さまざまなケースが考えられる（みつからないからといって原因が存在しないとは限らない）．②遺伝学的検査で原因らしきバリアントが見出された場合，それが本当に病態・疾患の原因であることを証明するのは困難なことがある．③未成年に対する遺伝学的検査，出生前・発症前・保因者に対する遺伝学的検査などには倫理的な問題がある．④きょう

> **原因になっているバリアントの証明**
> 検出されたバリアントが本当に疾患原因に関係するかどうかを証明するために，培養細胞に遺伝子を導入して発現実験を行ったり，転写活性を測定することなどがある．これらは日常の臨床検査のレベルを超えており，労力，資金，時間的に負荷が大きい．

だい（同胞）や子孫などに影響が及ぶことがある．⑤遺伝子診断にて確定診断されてしまったら後戻りができない（明らかになる前の状況には戻ることができない）．

8　遺伝子診療に求められる人材

遺伝子診療は**チーム医療**であり，医師，歯科医師，看護師，助産師，臨床検査技師，薬剤師，医療ソーシャルワーカー（社会福祉士，精神保健福祉士），視能訓練士，言語聴覚士，公認心理師などの国家資格を有する者が協力して診療にあたる．しかし，分子生物学や臨床遺伝学の急激な発展と，これらの教育体制が整っていなかった時代背景もあり，上記の国家資格を有する者の誰もが遺伝子診療に習熟しているとは限らない．ただし，遺伝カウンセリングに関する基礎知識・技能については，すべての医師が習得しておくことが望ましいとされる．また，遺伝カウンセリングでは当該疾患の診療経験が豊富な医師と遺伝カウンセリングに習熟した者が協力し，チーム医療として実施することが望ましいとされる（日本医学会「医療における遺伝学的検査・診断に関するガイドライン」，2022年3月改定）．遺伝カウンセリング業務には経験や技能が重要で，日本人類遺伝学会と日本遺伝カウンセリング学会が共同で認定する臨床遺伝専門医や認定遺伝カウンセラーは，認定を取得する際および定期的に，遺伝カウンセリングのロールプレイの研鑽を積む．

がんゲノム医療（中核）拠点病院の指定・更新にあたっては，遺伝カウンセリングなどを行う部門に，その長として常勤の医師，遺伝医学に関する専門的な遺伝カウンセリング技術を有する者，遺伝子パネル検査の補助説明を行ったり，遺伝子パネル検査において二次的所見がみつかった際に患者と遺伝カウンセリングなどを行う部門とをつなぐ者の配置が求められている．今後，がんに限らずあらゆる遺伝性疾患の遺伝子診療についてもチーム医療が求められ，資格や認定を有する者の配置が重要になるだろう．

> **ジェネティックエキスパート**
> 日本遺伝子診療学会が認定するジェネティックエキスパートは，遺伝学的検査，体細胞遺伝子検査で原因らしきバリアントが見出されたが，それが病態・疾患の原因なのか不明な場合に，情報を適確に選択して検査・解析結果を正確に解釈して伝える技能を担保する資格である．直接クライエントとは面談しないが，ヒトにおけるバイオインフォマティクスの専門家として，多数の臨床検査技師がこの認定を取得し活躍している．

III　遺伝子治療

遺伝性疾患に対する治療戦略を**表7-6**に示す．遺伝子治療，移植医療，再生医療などに区別される．一般的な内科的・外科的な治療などは狭義には遺伝子治療に含まれない．

ここでいう遺伝子治療とは，遺伝性疾患など遺伝子の原因バリアントが原因で発病する病態に対して，治療効果を得るためにDNA配列などを細胞に導入する治療手段とする．

1　治療の目的

治療の目的は3つに分類される．
①機能喪失型原因バリアントの改善として，野生型のDNA配列を導入するこ

表 7-6 遺伝性疾患の治療戦略（一般的な内科的・外科的な治療を除く）

疾患の原因バリアントに対する治療	1. 移植	β サラセミアに対する骨髄移植
	2. 遺伝子治療	X 連鎖重症複合免疫不全症に対するインターロイキン受容体遺伝子導入
疾患によるメッセンジャー RNA 配列の変化に対する治療	1. 薬理学的な遺伝子発現の修飾（研究レベル）	鎌状赤血球症に対する HbF を増加させるためのデシタビン投与
	2. 変異メッセンジャー RNA を分解するための RNA 干渉（研究レベル）	がんや神経疾患への応用
疾患による蛋白質の変化に対する治療	1. 蛋白質の補充	Fabry 病に対する酵素補充療法 血友病 A に対する第Ⅷ因子投与
	2. 残存機能の増強	古典的ホモシスチン尿症に対するピリドキシン投与
	3. 酵素の働きを本来のものにする治療	ケミカルシャペロン療法
代謝あるいは他の生化学的機能不全に対する治療	1. 食事	フェニルケトン尿症に対する低フェニルアラニン食
	2. 薬剤	尿素サイクル異常症における安息香酸ナトリウム投与

とによって不足している酵素などの蛋白質を産生することができる．1990 年アメリカにおいてアデノシンデアミナーゼ（ADA）欠損症による重度免疫不全患者に対する初の遺伝子治療に成功し，1995 年日本でも同様の成果が得られた．

②顕性原因（優性原因）アレルから生じる異常な産物が遺伝性疾患を引き起こす場合に，その顕性原因（優性原因）アレルを置き換えたり抑制したりする．Huntington 病の伸長した CAG 繰り返し配列を抑制したり，骨形成不全症の変異プロ α1（Ⅰ型）コラーゲン遺伝子から生じる変異 RNA を分解することなどが考えられる．

③がん細胞に対する増殖抑制や，血管が詰まり血流が悪くなっている虚血性疾患に対し血管新生を促進するなど，さまざまな病態に対して薬理学的な効果が期待されている．

2 細胞への DNA 導入法

細胞への DNA 導入法は，ウイルスベクターを用いる方法と非ウイルスベクターを用いる方法に分類される．遺伝子治療のベクターの理想は，安全で，作製が容易で，適切な臓器に導入でき，生涯にわたって発現できるものである．しかし，どのベクターも一長一短があり，上記すべてを満たすものはない．

1）ウイルスベクター
（1）レトロウイルス

最もよく使われる．複製ができないように操作されている．長所としては細胞に対して無害で，導入したい少ないコピー数の DNA のみが宿主ゲノムに挿入される．最大 8 kb（キロ塩基対）までの大きさの DNA を宿主ゲノムに組み

ケミカルシャペロン療法
シャペロンとは，フランス語で介添人（結婚式で花嫁の世話をする人）という意味である．たとえば，シャペロン化合物は Fabry（ファブリー）病の原因となっている不安定な酵素に結合し，折りたたみ構造を安定化する．Fabry 病の酵素補充療法は従来は点滴静注用製剤のみであったが，経口薬によるケミカルシャペロン療法という新たな選択肢が加わった．

ベクター
遺伝子の運び屋のことで，目的遺伝子を組み込むウイルスベクターと遺伝子組換え実験によって人工的な遺伝子を作製するプラスミドなどを指す．この章では概ね前者を指す．

込むことが可能である．ゲノムに挿入されたDNAは安定であり，多数の遺伝子を細胞に導入することが可能である．

短所としては，ウイルスベクターが宿主DNAに挿入されるためには標的細胞が分裂を行っている状態でなければならず，神経細胞のような非分裂性細胞には導入が困難である．

レトロウイルスの一種であるレンチウイルスはサル免疫不全ウイルス由来のベクターで，分裂が遅い細胞や神経細胞を含む非分裂性細胞の多くにもDNAを導入できる．

(2) アデノウイルス

高濃度（高力価）でウイルスを調製できるという長所がある．分裂性細胞，非分裂性細胞を含めさまざまな細胞に広く感染可能である．最大30〜35 kbまでのDNAをベクターに組み込むことができる．ウイルスDNAは核内に移行するが，宿主ゲノムには組み込まれずに細胞が本来もっている染色体とは別に比較的短い環状DNAが独立した染色体として存在し（エピソーム），転写・翻訳される．細胞障害性や免疫原性をもつことが欠点で，免疫反応により死亡例が報告された．

(3) アデノ随伴ウイルス

アデノ随伴ウイルスはヒトに広くまん延しており，長所はヒトに有害作用を起こさないことである．分裂性細胞にも非分裂性細胞にも感染でき，導入遺伝子を宿主ゲノムに組み込むことも，エピソームとして存在することも可能である．短所は，ベクターに組み込むことができるDNAの大きさが最大5 kbまでであることである．

2）非ウイルスベクター

非ウイルスベクターは，ウイルスベクターに関連する生物学的なリスクがなく，調製もより単純である．しかし，ライソゾームに取り込まれて分解される傾向がある一方，この分解を回避できるようなDNAは核には移行しにくいというジレンマがある．よって，非ウイルスベクターは開発の初期段階を脱していない．

(1) 裸のDNA（naked DNA）

プラスミドの調節エレメントを含むcDNAや小分子干渉RNA（small interfering RNA；siRNA）など．悪性腫瘍など目標の組織に直接注入できるというメリットがあるが，細胞への導入効率は非常に悪い．

(2) リポソームに封入されたDNA

連続的な脂質二重膜が親水性内容物を包み込んだもの．

(3) 蛋白質-DNA複合体

細胞表面受容体に結合するペプチドなどと複合体を形成しているDNAは，細胞内への取り込みや細胞小器官への局在が促進される．

ライソゾーム：lysosome．リソソームと同義

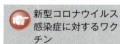

新型コロナウイルス感染症に対するワクチン

新型コロナウイルス感染症で注目を浴びている新しいワクチン技術は，遺伝子治療への応用が期待されている．mRNAワクチンでは，脂質などでおおわれたmRNAが注射部位近くのマクロファージに取り込まれ，細胞内のリボソームがmRNAの情報からスパイク蛋白をつくる．それに対して抗体がつくられる．さらに，ウイルスベクターワクチン，組換え蛋白ワクチン，不活化ワクチン，レプリコンワクチンなどが開発されている．

(4) 人工染色体

天然の染色体の最小限の機能単位を，適切な調節エレメントとともに目的のcDNAや遺伝子と結合させたもの．

3 遺伝子治療の対象疾患

遺伝子治療によって完治した最初の遺伝性疾患は，2002〜2003年のX連鎖重症複合免疫不全症である（表7-6）．インターロイキン受容体の共通サブユニットであるγcサイトカイン受容体をコードするX染色体上の*IL2RG*遺伝子の原因バリアントが原因の疾患である．この遺伝子cDNAを発現するレトロウイルスベクターが罹患者の造血幹細胞に導入され，症状の劇的な改善が得られたが，著しいリンパ球の増加という白血病様の状態が引き起こされた．現時点では，造血幹細胞移植のドナーが得られない場合には，HLAの半分が一致するドナーからの造血幹細胞移植が推奨されており，この治療が成功しなかった際に遺伝子治療が考慮される．

また，アデノシンデアミナーゼ欠損症による重症免疫不全症の罹患者に対する遺伝子治療は，1990年にアメリカで，1995年に日本でも成果が得られた．ただし，リンパ球に遺伝子を導入できたとしても，リンパ球には寿命があるので遺伝子治療を繰り返す必要がある．

> **遺伝子治療の対象疾患**
> 本文に示したもののほか，血友病B，Leber先天性黒内障，Duchenne（デュシェンヌ）型筋ジストロフィーで遺伝子治療の有効性が示唆されている．

4 遺伝子治療の問題点

遺伝子治療のリスクは一般に3種類が考えられる．

1）ベクターによる有害反応

ベクターや導入遺伝子による有害反応は，遺伝子治療を受ける者にとって重要なリスクである．前述のように，アデノウイルスベクターによる死亡例が報告されている．

2）悪性腫瘍の発生誘導

挿入遺伝子が罹患者のDNAに組み込まれる際にがん原遺伝子を活性化したり，がん抑制遺伝子を傷害したりすることで悪性腫瘍の発生を誘導することがある．

3）必須遺伝子の不活化

挿入遺伝子によって生存に必須な遺伝子が傷害されることがある．導入された細胞のみに障害が現れるので重大な影響はないと考えられる．しかし，生殖細胞系列に遺伝子が導入される場合，罹患者の児に影響する可能性がある．

遺伝子治療の倫理的問題点を解消するため，指針・ガイドラインを遵守し，所轄倫理委員会の厳密な審査を受けなければならない．

> **ゲノム編集**
> ゲノム編集とは，部位特異的ヌクレアーゼである人工制限酵素（ZFN，TALEN，CRISPR/Cas9）を細胞に導入することで，任意の標的遺伝子を特異的に改変することをいう．ゲノム編集によってがん化のリスクが高くなる可能性があり，また疾患治療ではなく体質改善を目的にしたデザイナー・ベビー開発につながることが懸念される．

Ⅳ 移植・再生医療

厚生労働省によると，移植医療は加工を伴わないものに限り薬事法の対象とはならないが，再生医療は薬事法の対象となりうる（細胞の培養・加工段階を経て，不特定多数の患者に反復的に用いられうる）ものとされる（**表 7-7**）．

表 7-7　移植医療と再生医療との比較

	移植医療（加工を伴わないもの）					再生医療（培養・活性化など加工を伴うもの）		
医療の定義	臓器提供者（ドナー：donor）から患者（レシピエント：recipient）へ臓器を移し，植える医療．ここではヒトから移植片（グラフト：graft）を得る同種移植について記載する．					生まれつき，あるいは疾病・不慮の事故・加齢に伴い，欠損・損傷・機能低下した組織や臓器を，患者の体外で培養した細胞や組織を用いて修復再生し，機能を補完する医療．		
分類	組織移植		臓器移植			第一種	第二種	第三種
性質	機能を果たせなくなった組織・臓器に対して，機能回復を図るためにヒトの組織を移植すること．組織とは身体の一部のもので，臓器とは区別されている．		病気や事故によって臓器が機能しなくなった人に，他の人の健康な臓器を移植して機能を回復させること．			高リスク	中リスク	低リスク
ドナーの種類	亡くなった人からの組織	生存している人からの組織	亡くなった人からの臓器		生存している人からの臓器	免疫拒絶反応が起こりにくいスーパードナーなど		
ドナーの状態	死亡	生存	脳死	心停止	生存			
移植・投与されるもの	心臓弁，血管，皮膚，角膜，内耳，骨，膵島	骨髄移植，輸血	心臓，肺，肝臓，腎臓，膵臓，小腸，眼球	腎臓や膵臓，眼球	腎臓，肝臓，肺，膵臓	ヒト幹細胞のうちES細胞，iPS細胞	ヒト幹細胞のうち造血幹細胞と間葉系幹細胞などからなる体性幹細胞	ヒト体細胞
種類	原則加工しない					分裂して自分自身をコピーする自己複製能とさまざまな細胞へと変化する分化能を併せ持つ未分化な細胞．造血幹細胞と間葉系幹細胞などからなる体性幹細胞，ES細胞，iPS細胞の3種類がある．		最終分化して人体の一部や臓器になった細胞で，それ以外の細胞にならないもの．
加工方法						患者の体外で人工的に培養した幹細胞等を，患者の体内に移植等する．		患者の体外において幹細胞等から人工的に構築した組織を，患者の体内に移植等する．
薬事法	対象外					対象となる		

1　移植医療

　移植医療は，傷害を受けた臓器や組織を，健康な臓器・組織に置き換えるものである．あらゆる臓器の移植や骨髄移植，末梢血幹細胞移植，臍帯血移植を含む造血幹細胞移植は臨床免疫学の範疇となるので，この項では遺伝性疾患に対する移植をとりあげる．

　移植された細胞はドナーの遺伝型をもつため，移植は体細胞ゲノムの修飾につながる遺伝子導入の1つのタイプといえる．遺伝性疾患の治療として移植が行われる場合には，一般に2つの適応がある．一つは，遺伝子の原因バリアントをもつ患者に野生型の遺伝子を導入する目的で細胞や臓器を移植する場合で，家族性高コレステロール血症のホモ接合体罹患者に対して行う肝移植が相当する．しかし，罹患者の正常な部分の肝組織も摘出してしまうというデメリットがある．もう一つは，遺伝性疾患で傷害を受けた臓器の機能を代償するための細胞補充療法で，α_1-アンチトリプシン欠損症で肝硬変をきたした肝臓に対して行う肝移植がこれにあたる．

2　再生医療

　生物では，老化して寿命の尽きた細胞は取り除かれ，新しい細胞が幹細胞から再生して補充されることによって，臓器・組織の構造と機能が維持される(生理的再生)．一方，外傷や手術などで臓器・組織が欠損した場合にも，幹細胞から細胞が再生し，修復される（病理的再生）．ただし，生理的あるいは病理的再生の範囲を超えるような臓器・組織の不可逆的な傷害が起こり，臓器・組織の機能を回復できない場合には，健康人から臓器の移植を受けたり，幹細胞を応用した再生医療が行われる．

　幹細胞には自己複製能，分化能がある．その自己複製能を応用して，損傷された臓器・組織の機能回復を目指す医療が，再生医療である．幹細胞には，受精卵を培養して樹立され，生体のあらゆる細胞に分化しうる**胚性幹細胞（ES 細胞）**や，固有の組織に分化する**体性幹細胞**（組織幹細胞）がある．また，人為的に体細胞に初期化させる因子を導入し，ES 細胞のようにすべての細胞に分化しうる能力をもつ **iPS 細胞**などもある．

　再生医療は，骨髄移植による造血幹細胞の移植から発展してきた．その後，ES 細胞から分化した各種細胞や，個人の臓器中に存在している体性幹細胞を利用して組織を再生させる方法，iPS 細胞を用いる方法などの研究が進められている．

> **自己複製能と分化能**
> 自己複製能とは，分裂・増殖過程を経ても同じ特性を維持して複製する能力のことで，分化能とは，別の種類の細胞に変化する能力のことである．幹細胞はこの2つの能力をもち，際限なく増殖できる細胞と定義されている．
>
> ES 細胞：embryonic stem cell

> **iPS 細胞（induced pluripotent stem cell）**
> iPS 細胞は，*POU5F1*（Oct-4），*SOX2*（SRY-box 2），*KLF4*（Krüppel-like factor 4），*MYC*（c-Myc）の4つの遺伝子を体細胞に導入することで作製される．

第8章 遺伝学的検査と倫理的課題

I 遺伝学的検査とは

　この章で取り扱う「遺伝学的検査」とは，染色体検査，遺伝生化学的検査，DNA検査を指し，ヒト生殖細胞系列における遺伝子変異もしくは染色体異常に関連する検査を指す．具体的には，確定診断のための検査，保因者検査，発症前検査に加えて，易罹患性検査や薬理遺伝学的検査，出生前検査などが含まれる．多岐にわたる検査が含まれるが，がんなど体細胞に限局し，次世代に伝わらない遺伝子変異を調べる検査は含まないものとする．

　遺伝学的検査の特性として，2022年3月に改定された日本医学会の**「医療における遺伝学的検査・診断に関するガイドライン」**（以下，日本医学会ガイドライン）には下記のように記載されている．

- 生涯変化しないこと
- 血縁者間で一部共有されていること
- 血縁関係にある親族の遺伝型や表現型が比較的正確な確率で予測できること
- 非発症保因者（将来的に病的バリアント（変異）に起因する疾患を発症する可能性はほとんどないが，当該病的バリアント（変異）を有しており，次世代に伝える可能性のある者）の診断ができる場合があること
- 発症する前に将来の発症の可能性についてほぼ確実に予測することができる場合があること
- 出生前遺伝学的検査や着床前遺伝学的検査に利用できる場合があること
- 不適切に扱われた場合には，被検者および被検者の血縁者に社会的不利益がもたらされる可能性があること
- あいまい性が内在していること（あいまい性とは，結果の病的意義の判断が変わりうること，病的バリアント（変異）から予測される，発症の有無，発症時期や症状，重症度に個人差がありうること，医学・医療の進歩とともに臨床的有用性が変わりうること等である）

　このような遺伝学的検査の実施にあたっては，これまで「遺伝学的検査に関するガイドライン」に準拠することが求められてきたが，上述の日本医学会ガイドラインが改定されたことにあわせて，今回このガイドラインは廃止された．この背景として，

①遺伝学的検査の結果や遺伝診療記録などを医療情報として関係者間で共有することが求められるようになった．
②医療安全の面からも，診療記録の一元管理が推奨され，遺伝医療もそこに含まれるようになった．
③遺伝学的検査技術の進歩によって，網羅的遺伝子検査やパネル解析などが臨床応用され，結果解釈が複雑化した．

などがあげられる．

遺伝学的検査における具体的な検査項目としては，
①単一遺伝子疾患および染色体異常症に関する遺伝学的検査
②薬物効果・副作用・代謝に関する遺伝学的検査
③網羅的遺伝学的検査
④疾患易罹患性リスクに関する遺伝学的検査

があげられる．このなかで，④については，非医療分野においてすでに検査が提供されている事例が多く報告されているが，前述した遺伝学的検査の特性について必ずしも十分配慮されていない場合が多く，非医療分野における検査提供のあり方については再検討が必要と思われる．

それ以外の検査項目については，保険収載の有無は別として，臨床検査として医療分野のなかで実施されているものであり，その実施にあたっては後述の各種指針・ガイドラインの参照が必要となる．

昨今のゲノム医療の発展は特にがん領域で顕著であるが，その他の領域においてもゲノム医療が通常診療に組み込まれるケースが増えており，今後さらに多くの疾患領域において遺伝学的検査が急速に普及していくことが予想される．

II 遺伝学的検査の実施と各種指針

1 医療における遺伝学的検査・診断に関するガイドライン（日本医学会ガイドライン）

このガイドラインは，日本医学会に所属する17学会の作成委員によって2011年2月に策定され，2022年3月に改定されている．次世代に伝わる遺伝学的検査全般をカバーしており，今回の改定では用語の整理をはじめ，下記の変更も行われた．

①遺伝学的用語の表記について，「優性遺伝，劣性遺伝」を「顕性遺伝（優性遺伝）」「潜性遺伝（劣性遺伝）」に変更し，「遺伝子変異」についても「病的バリアント」と変更した．
②患者名の匿名化を必須としないこととした．
③社会的不利益や差別防止への配慮について記載した．　　など

2　遺伝学的検査受託に関する倫理指針

この倫理指針は 2001 年 4 月に策定され，その後数回の改正を経て，2022 年 9 月 1 日版が最新のものである．日本衛生検査所協会が作成したもので，主に衛生検査所がかかわる検体検査としての遺伝学的検査について，他の受託検体検査との倫理的問題の差異に着目して策定されている．以下の 7 つの項目を基本方針としている．

①人と遺伝情報の多様性と独自性の理解と尊重
②被検者やその家族及び血縁者の人権の保障
③遺伝学的検査の一次委託元を医療機関に限定
④医療機関における事前の十分な説明と被検者の自由意思による同意（インフォームド・コンセント）の確認
⑤個人情報の保護の徹底
⑥一般市民への宣伝広告の禁止
⑦適正な検査実施に向けた衛生検査所内の体制整備

また，最新版の改正に関しては，医療法等の改正や個人情報保護法の改正，さらに前述の日本医学会ガイドラインの改定など最近の変化に対応したものとなっている．

2018 年の医療法等の改正では，検体検査の一次分類が見直され，遺伝子関連・染色体検査を含めた 7 つの一次分類となり，遺伝子関連・染色体検査は，さらに二次分類として，病原体核酸検査，体細胞遺伝子検査，生殖細胞系列遺伝子検査，染色体検査の 4 つに分類された．また，精度管理のため，以下の 4 つの基準が示された．

①遺伝子関連・染色体検査の責任者の配置（遺伝子関連検査・染色体検査部門に精度の確保に係る責任者を配置する）
②内部精度管理の実施，適切な研修の実施義務
③外部精度管理調査の受検〔代替方法（施設間における検査結果の相互確認）に係る努力義務〕
④その他，検査施設の第三者認定を取得すること（ISO 15189 の取得）を当面，勧奨する．

個人情報保護法：個人情報の保護に関する法律

3　人を対象とする生命科学・医学系研究に関する倫理指針

「ヒトゲノム・遺伝子解析研究に関する倫理指針」（以下，ゲノム指針）は，ヒトゲノム研究の急速な進展に対応するために 2000 年に策定された「ヒトゲノム研究に関する基本原則」をもとに，研究現場で適用されることを目的に，2001 年 3 月に文部科学省，厚生労働省，経済産業省によって定められた．この指針は，2002 年に策定された「疫学研究に関する倫理指針」および 2003 年に策定された「臨床研究に関する倫理指針」とともに，わが国におけるヒト対象研究実施の際の重要な規制枠組みであった．

その後の臨床研究の進展と規制概念の変遷とともに，これら倫理指針の枠組みも変化し，「疫学研究に関する倫理指針」と「臨床研究に関する倫理指針」は統合され「人を対象とする医学系研究に関する倫理指針」（2014年）となった．さらに2021年には，ゲノム指針とも統合され，**「人を対象とする生命科学・医学系研究に関する倫理指針」**（以下，生命科学・医学系指針）となった．この指針は，個人情報保護法の改正などを受け，2022年，2023年にも改正されている．

　生命科学・医学系指針では，研究対象者への同意説明手続きの重要性が強調され，また研究結果である遺伝学的検査結果の開示に関する取り扱いなどにも配慮することが求められている．特に，臨床目的で行われる遺伝学的検査がゲノム解析研究の枠組みで実施される場合には，ゲノム解析研究への参加ということになるため，倫理審査委員会での審査と承認がなければ実施することはできない．また，検査実施にあたっては，患者に研究参加の同意説明も行われなければならない．つまり，臨床と研究がオーバーラップする事例も多くみられるということになる．この点からも，臨床検査技師は遺伝学的検査に従事する立場として，生命科学・医学系指針についての十分な理解が求められる．

　今後，ますます対象領域が拡大していく遺伝学的検査について，臨床検査としての技術や精度の問題に加えて，検査特性を十分理解したうえでの検査実施と結果の開示が求められることになることを，臨床検査技師としても習得しておくことが重要である．

参考文献

● 第2章

1) Miga KH：Centromeric Satellite DNAs：Hidden Sequence Variation in the Human Population. *Genes* (Basel)., 10(5). pii：E352, 2019.
2) Miga KH：Completing the human genome：the progress and challenge of satellite DNA assembly. *Chromosome Res.*, 23(3)：421〜426, 2015.
3) Hirano T：Chromosome Dynamics during Mitosis. *Cold Spring Harb Perspect Biol*, 7(6). pii：a015792, 2015.
4) Sanders JR, Jones KT：Regulation of the meiotic divisions of mammalian oocytes and eggs. *Biochem Soc Trans,* 46(4)：797〜806, 2018.
5) Genome assembly T2T-CHM13v2.0 (GCF_009914755.1, GCA_009914755.4) https://www.ncbi.nlm.nih.gov/datasets/genome/GCF_009914755.1/（2023年9月14日アクセス）
6) Wellesley D, et al.：Rare chromosome abnormalities, prevalence and prenatal diagnosis rates from population-based congenital anomaly registers in Europe. *Eur J Hum Genet.*, 20(5)：521〜526, 2012.
7) Hassold T, et al.：Human aneuploidy：incidence, origin, and etiology. *Environ Mol Mutagen*, 28(3)：167〜175, 1996.
8) Hassold T, Sherman S：Down syndrome：genetic recombination and the origin of the extra chromosome 21. *Clin Genet.*, 57(2)：95〜100, 2000.
9) Hassold T, Hunt P：To err (meiotically) is human：the genesis of human aneuploidy. *Nat Rev Genet*, 2(4)：280〜291, 2001.
10) Hall HE, et al.：The origin of trisomy 13. *Am J Med Genet A*, 143A(19)：2242〜2248, 2007.
11) Gardner RJM, Amor DJ：Gardner and Sutherland's Chromosome Abnormalities and Genetic Counseling (Oxford Monographs on Medical Genetics). 5th ed., Oxford University Press, New York, 2018.

● 第5章

1) Blomqvist C, et al.：Growth rate of lung metastases and S-phase fraction as determined by flow cytometry from the primary tumour in 25 patients with bone or soft-tissue sarcomas. *Br J cancer*, 73(12)：1556〜1559, 1996.
2) Chan KS, et al.：Mitosis-targeted anti-cancer therapies：where they stand. *Cell Death Dis*, 3(10)：e411, 2012.
3) Raza A, et al.：Direct relationship between remission duration in acute myeloid leukemia and cell cycle kinetics：a leukemia intergroup study. *Blood*, 76(11)：2191〜2197, 1990.
4) Hokanson JA, et al.：Tumor growth patterns in multiple myeloma. *Cancer*, 39(3)：1077〜1084, 1977.
5) Kumar R, et al.：HumCFS：a database of fragile sites in human chromosomes. *BMC Genomics*, 19 (Suppl 9)：985, 2019.
6) HumCFS：A Database Of Human Chromosomal Fragile Sites https://webs.iiitd.edu.in/raghava/humcfs/（2020年9月28日アクセス）
7) Grafodatskaya D, et al.：An Update on Molecular Diagnostic Testing of Human Imprinting Disorders. *J Pediatr Genet*, 6(1)：3〜17, 2017.

索 引

和文索引

あ

アガロースゲル電気泳動 …………… 79, 106, 122
アデニン ……………………………… 13
アデノウイルス ……………………… 210
アデノシンデアミナーゼ欠損症 …………… 208, 211
アデノシン三リン酸 ………………… 5
アデノ随伴ウイルス ………………… 210
アニーリング ………………… 79, 121
アノテーション ……………………… 95
アミノ基 ……………………………… 39
アミノ酸 ……………………………… 39
アレイCGH法 ………………………… 94
アレル ……………………………… 186
アンジェルマン症候群 ……………… 151
アンチコドン ………………… 23, 36
アンチセンス鎖 ……………………… 23
安全キャビネット …………………… 105

い

イントロン …………………………… 31
インフォームド・コンセント …… 217
インプリンティング ………………… 153
医療における遺伝学的検査・診断に関するガイドライン …………… 198, 215, 216
医療法等の改正 …………… 165, 217
易罹患性 ……………………………… 194
移植医療 ……………………………… 213
異数性 ………………………………… 61
遺伝 …………………………………… 1
遺伝カウンセラー …………………… 197
遺伝カウンセリング ………………… 196
遺伝学 ………………………………… 188
遺伝学的検査 …………… 200, 215
遺伝学的検査受託に関する倫理指針 …………………………… 217
遺伝型 ……………………………… 186
遺伝子 …………………………… 1, 12
遺伝子マッピング …………………… 56
遺伝子型 ……………………………… 72
遺伝子関連検査 …………… 71, 198
遺伝子診断 ………………………… 198
遺伝子診療 ………………………… 185
遺伝子地図 …………………………… 58
遺伝子治療 ………………………… 208
遺伝子転写方向 …………………… 163
遺伝子発現 …………………………… 37
遺伝性乳癌卵巣癌症候群 …………………………… 100, 204
遺伝地図 ……………………………… 58
遺伝毒性 …………………………… 187
閾値サイクル数 ……………………… 86
一塩基バリアント ………………… 186
一塩基多型 ………………… 93, 186
一塩基置換 …………………………… 83
一次構造 ……………………………… 41

う

ウィリアムズ症候群 ………………… 152
ウイルスベクター ………………… 209
ウォルフ・ヒルシュホーン症候群 …………………………… 150
ウシ胎児血清 ……………………… 167
ウラシル ……………………………… 13

え

エージング ……………… 134, 169
エキスパートパネル ……………… 207
エキソヌクレアーゼ活性 …………… 29
エクソン ……………………………… 31
エタノール沈殿 …………………… 116
エチジウムブロマイド ……………… 104
エドワーズ症候群 ………………… 150
エピジェネティクス ………………… 69
エピジェネティック ………………… 38
エンドヌクレアーゼ ………………… 30
塩基 ………………………………… 13
塩基対 ………………………………… 20
遠心分離装置 ……………………… 107

お

オートクレーブ …………………… 108

か

カルノア固定 …………… 133, 179
カルノア固定液 …………………… 168
カルノア固定標本 ………………… 142
カルボキシ基 ………………………… 39
がんゲノム医療 …………………… 205
がんゲノム医療中核拠点病院 … 207
がんゲノム情報管理センター … 207
がん遺伝子 ………………………… 160
がん遺伝子パネル検査 …… 95, 205
がんゲノムプロファイリング検査 …………………………… 205
がん抑制遺伝子 ………… 72, 160
化学発光 ……………………………… 77
家系図 ……………………………… 195
家族性腫瘍 ………………… 74, 99
開始因子 ……………………………… 37
外部精度管理 ……………………… 101
核 ……………………………………… 4
核型 ……………………… 53, 174
核型解析 …………………………… 138
核型進化 …………………………… 165
核型表記 …………………………… 138
核酸 ………………………………… 12
核酸ハイブリダイゼーション … 140
核酸プローブ法 …………………… 96
核酸の合成 ………………………… 16
核酸の分解 ………………………… 18
核酸増幅装置 ……………………… 110
核酸代謝 …………………………… 16
核酸抽出装置 ……………………… 110
核小体 ………………………………… 4
片親性ダイソミー …………………… 63
乾燥 ………………………………… 169
乾熱滅菌装置 ……………………… 108
間期 …………………………………… 8
間期核 ……………………………… 182
幹細胞 ……………………………… 213
感受性遺伝子 ……………………… 194
環状染色体 ………………………… 68

き

キアズマ ……………………………………50
キナクリンマスタード …………………134
キナクリンマスタード液 ………………171
キメラ ……………………………………131
キメラ遺伝子 ………………………80, 158
キメリズム解析 …………………………101
キャップ構造 ……………………………35
キャピラリー電気泳動 …………………106
ギムザ染色液 …………………135, 170
基本転写因子 ……………………………34
偽常染色体領域 …………………………52
逆位 ………………………………………68
逆転写酵素 ………………………………79
逆転写反応 ………………………………127
均一染色領域 ……………………………68
均衡型相互転座 …………………………195
均衡型転座 ………………………………65

く

クライエント ……………………………196
クラインフェルター症候群 ……………151
クリーンベンチ …………………………104
クレチン症 ………………………………202
クレノウ酵素 ……………………………76
クロマチン …………………………25, 43
グアニジンチオシアン酸塩 ……………117
グアニン …………………………………13
組換え ……………………………………51

け

ゲノム ………………………………19, 185
ゲノムインプリンティング ……………69
ゲノム不安定性 …………………………162
ゲノム薬理学 ……………………………204
ゲノムワイド関連解析 …………………93
蛍光シグナル ……………………………144
欠失 ………………………………………67
検体検査の一次分類 ……………………217
検量線 …………………………………86, 128
顕性形質 …………………………………188
原核細胞 …………………………………2
減数分裂 …………………………………9

こ

コアヒストン蛋白 ………………………43
コード鎖 …………………………………23
コドン ………………………………23, 35
コヒーシン ………………………………48
コルヒチン ………………………………132
コンタミネーション ……………………126
コンデンシン ……………………………48
コンパニオン診断 ………………73, 98, 205
ゴルジ装置 ………………………………5
固定 ………………………………………169
個人情報保護法 …………………………217
個別化医療 ………………………………205
五炭糖 ……………………………………13
交差 ………………………………………50
恒温水槽 …………………………………105
高解像度融解曲線解析 …………………87
高次構造 …………………………………41
高精度分染法 ……………………………137
校正 ………………………………………28
構成的異常 ………………………………140
構造遺伝子 ………………………………31

さ

サーマルサイクラー ……………………110
サイズマーカー …………………………120
サイレント ………………………………186
サザンブロット法 ………………………74
サブクローン ……………………………165
サブテロメアプローブ …………………144
サブマリン型 ……………………………122
サブユニット ……………………………42
座位 …………………………………56, 186
再構成バンド ……………………………78
再生医療 …………………………………213
細胞 ………………………………………1
細胞質 ……………………………………7
細胞周期 ………………………………8, 10
細胞小器官 ………………………………2
細胞培養 ………………………………132, 167
細胞分裂 …………………………………7
細胞膜 ……………………………………3
三次構造 …………………………………42

し

シークエンサ ……………………………111
シークエンス解析 ………………………90
シトシン …………………………………13
シナプトネマ複合体 ……………………49
シノニマスバリアント …………………186
シリカメンブレン法 ………………117, 119
ジエチルピロカーボネート処理
　………………………………………117
ジゴキシゲニン法 ………………………76
ジスルフィド結合 ………………………42
始原生殖細胞 ……………………………52
姉妹染色分体 ……………………………43
姉妹染色分体交換 ………………………137
姉妹染色分体分染法 ……………………137
次世代シークエンサ ……………………112
次世代シークエンス法 …………………94
疾患易罹患性リスク ……………………216
修復機構 …………………………………30
重複 ………………………………………68
絨毛検査 …………………………………203
出生前検査 ………………………………202
純水 ………………………………………110
小胞体 ……………………………………4
常染色体 …………………………………54
常染色体異常 ……………………………149
常染色体顕性遺伝 ………………………192
常染色体潜性遺伝 ………………………192
蒸気乾燥法 …………………………134, 169
心理的援助 ………………………………196
伸長 …………………………………35, 79, 121
伸長因子 …………………………………37
真核細胞 …………………………………2
浸透度 ……………………………………100
浸透率 ……………………………………192
新型コロナウイルス感染症 ……………96
新生児マススクリーニング検査
　………………………………………202

す

スーパーソレノイド ……………………25
スプライシング …………………………31
スミス・マギニス症候群 ………………152
スラブ型電気泳動 ………………………123
刷り込み …………………………………69

せ

- センス鎖 …………………………………23
- セントロメア ……………………………44
- セントロメアプローブ ……144, 146
- 生殖細胞 …………………………………9
- 生殖細胞系列 …………………………200
- 生殖細胞系列遺伝子検査 …………73
- 生命科学・医学系指針 ……………218
- 制限酵素 ………………………………75
- 性染色体 ………………………………54
- 性染色体異常 ………………………139
- 精原細胞 ………………………………52
- 精子形成 ………………………………52
- 精度管理 ……………………101, 165, 217
- 精母細胞 ………………………………52
- 脆弱X症候群 …………………………151
- 責任遺伝子 ……………………………56
- 先天異常 ……………………………130
- 染色質 ……………………………………4
- 染色体 ………………………………4, 43
- 染色体異常 ……………………………60
- 染色体異常症 ………………………149
- 染色体検査 …………………………129
- 染色体構造異常 ……………………65
- 染色体地図 ……………………………58
- 染色体不安定症候群 ………137, 154
- 染色体不安定性 ……………………162
- 染色分体 ………………………………43
- 潜性形質 ……………………………188

そ

- ソレノイド ……………………………25
- 相互転座 ………………………………65
- 相同染色体 …………………………43, 186
- 相補的 …………………………………20
- 相補的DNA ……………………………79
- 挿入 ……………………………………68
- 増幅 ……………………………………79

た

- ターゲットシークエンス …………95
- ターナー症候群 ……………………150
- ターミネーター ……………………31, 34
- ダイターミネーター法 ………………90
- ダイプライマー法 ……………………90
- ダイレクトシークエンス法 …………90
- ダウン症候群 ………………………149
- 多因子遺伝性疾患 …………………194
- 多型 ……………………………………186
- 多倍体化 ………………………………63
- 体外診断用医薬品 …………………101
- 体細胞遺伝子検査 ………………72, 199
- 体細胞分裂 ……………………………7
- 体性幹細胞 …………………………213
- 対比染色 ……………………………143, 180
- 胎盤絨毛組織 ………………………132
- 第三者認定 …………………………217
- 脱パラフィン ………………………182
- 脱制御 ………………………………158
- 単クローン性 …………………………77
- 単一遺伝子疾患 ……………………191
- 単数体 …………………………………9, 18
- 炭酸ガス培養装置 …………………105
- 蛋白質 …………………………………41
- 蛋白質合成 ……………………………38
- 短腕 ……………………………………55

ち

- チーム医療 …………………………208
- チミン …………………………………13
- 着床後診断 …………………………203
- 着床前遺伝学的検査 ………………203
- 中心体 …………………………………7
- 長腕 ……………………………………55
- 超純水 ………………………………103, 110

つ

- 対合 ……………………………………50

て

- テトラソミー …………………………61
- テロメア ……………………………44, 46
- テロメラーゼ …………………………47
- ディ・ジョージ症候群 ……………153
- デオキシリボ核酸 ……………………12
- デジタルPCR法 ………………………87
- 低張処理 ……………………………133, 169
- 定性RT–PCR法 ……………………126
- 定量RT–PCR法 ………………………87
- 展開 ……………………………………134, 169

と

- 転移RNA ……………………………21, 23
- 転座 …………………………………65, 138
- 転写 …………………………………30, 32
- 転写後修飾 ……………………………35
- 転写調節機構 …………………………38
- 電気泳動装置 ………………………106

と

- トポイソメラーゼⅡ ……………………27
- トランスイルミネータ ……………109
- トリソミー …………………………61, 149
- 倒立顕微鏡 …………………………109
- 同腕染色体 ……………………………69
- 動原体 ……………………………………44
- 動原体微小管 …………………………45
- 独立の法則 …………………………190

な

- ナンセンス ……………………………187
- 内部精度管理 ………………………101
- 内部標準遺伝子 ……………………102, 127

に

- 二価染色体 ……………………………50
- 二次構造 ………………………………42
- 二重微小染色体 ………………………68
- 二動原体染色体 ………………………65
- 二倍体 …………………………………18
- 日本医学会ガイドライン ……………215, 216
- 尿酸 ……………………………………18

ぬ

- ヌクレオシド …………………………14
- ヌクレオソーム ……………………25, 43
- ヌクレオチド …………………………14
- ヌリソミー ……………………………61

ね

- 猫鳴き症候群 ………………………150
- 熱変性 ……………………………79, 121, 143

の

ノザンブロット法 90
ノンシノニマスバリアント 186

は

ハイブリダイゼーション 75, 143, 180
ハイブリダイゼーションプローブ法 85
ハウスキーピング遺伝子 81, 102
バー小体 59
バフィーコート 113
バリアント 186
バンドパターン 174
パトウ症候群 150
パラフィン包埋 115
パルスフィールドゲル電気泳動 72, 106
派生染色体 65
胚性幹細胞 213
配偶子 9
配偶子形成 52
倍加時間 132
倍数性 61
発症前検査 200

ひ

ヒートブロック 106
ヒストン 25
ピリミジン 13
比重遠心法 113
皮膚線維芽細胞 132
非侵襲性出生前遺伝学的検査 203
非働化 167
非RI標識法 76
微小残存病変 98
人を対象とする生命科学・医学系研究に関する倫理指針 217
表現型 186
標準作業書 102
病原体核酸検査 71, 198
病的バリアント 216

ふ

ファーマコゲノミクス 204
ファーマコゲノミクス検査 74, 99
ファーマコジェネティクス 204
ファンコニ貧血 155
フィトヘマグルチニン 132
フィラデルフィア染色体 82, 159
フェニルケトン尿症 202
フェノール 104
フェノール-クロロホルム法 115
ブルーム症候群 155
ブロッティング装置 111
プライマー 28, 78
プラダー・ウィリー症候群 151
プリン 13
プローブ 143, 180
プロテイナーゼK 115
プロモーター 31, 34
不均衡型相互転座 195
不均衡型転座 65
不分離 62
父権主義 196
複合ヘテロ接合体 193
複製 26
分光光度計 110
分子標的治療薬 73, 98
分染法 54, 129, 134
分離シグナル 146, 182
分離の法則 188
分裂後期 9
分裂刺激剤 132, 168
分裂終期 9
分裂前期 9
分裂中期 9
分裂中期核 43

へ

ヘキスト33258 136
ヘテロクロマチン 48
ヘテロプラスミー 194
ヘテロ接合性 161
ペインティングプローブ 144
ペプチド結合 40
変異 186
変異原性 187

変性 180

ほ

ホスホジエステル結合 15
ホットスタートPCR 126
ホモ接合体 192
ホリデー構造 51
ポリアクリルアミドゲル 79
ポリアクリルアミドゲル電気泳動 106, 123
ポリペプチド 39, 41
ポリA構造 35
保因者 200
保因者検査 200
保因者診断 74
紡錘糸 45
紡錘糸形成阻害剤 168
発端者 192
翻訳 23, 30, 35, 36

ま

マイクロアレイ法 148
マイクロサテライト解析 92
マイクロサテライト不安定性 100, 162
マイクロピペット 112
マイトジェン 132
慢性骨髄性白血病 98

み

ミスセンス 186
ミスマッチ修復遺伝子 100
ミトコンドリア 5
ミトコンドリアゲノム 24
ミトコンドリア遺伝 193
ミトコンドリアDNA 24, 186
ミラー・ディカー症候群 153
未発症者 202

め

メッセンジャーRNA 20, 23
メンデルの法則 188
メンデル遺伝形式 191

も

モザイク ·················· 59, 130, 195
モノソミー ····························61

や

野生型 ································193
薬剤耐性遺伝子 ······················72
薬理遺伝学 ··························204

ゆ

ユークロマチン ······················48
融解曲線 ······························86
融合シグナル ·············· 146, 182
融合遺伝子 ··················· 80, 158
優性形質 ····························188

よ

四次構造 ······························42
羊水検査 ····························203

ら

ライオニゼーション ··············58
ラギング鎖 ···························28
ランダムヘキサマー ······· 81, 127
卵原細胞 ······························52
卵子形成 ······························52
卵母細胞 ······························52

り

リアルタイム PCR 装置 ········127
リアルタイム PCR 法 ············84
リーディング鎖 ·····················28
リガーゼ ······························30
リボソーム ····························4
リボソーム RNA ············ 20, 24
リボ核酸 ······························12
リンパ球細胞株 ···················132
領域特異的プローブ ····· 144, 146
倫理指針 ····························217
隣接遺伝子症候群 ···············151

れ

レセプター ····························3
レトロウイルス ···················209
レプリコン ···························28
劣性形質 ····························188
連鎖 ·································190

ろ

ローディングバッファー ········121
ロバートソン転座 ··················67

わ

ワトソン-クリックのモデル ······19

数字

2 ヒット説 ··························160
3' 末端 ································16
5' 末端 ································16

ギリシャ文字

α サテライト ·······················45
α-ヘリックス ·······················42
β-シート ····························42

欧文索引

A

ADA 欠損症 ························208
AGPC 法 ····························117
Angelman 症候群 ················151
AS-PCR 法 ··························84
ATP ····································5

B

BCR::ABL1 融合 mRNA ·········98
BCR::ABL1 融合遺伝子 ····82, 163
Bloom 症候群 ·····················155
BRCA1 ······························100
BrdU ·································135

C

CAP サーベイ ······················101
C-CAT ······························207
cDNA ································79
cDNA 合成キット ················127
CGH アレイ ·······················148
CISH ································141
COVID-19 ···························96
Cri-du-chat 症候群 ··············150
Ct 値 ··································86
C 分染法 ···················· 136, 173

D

DAPI ································143
DiGeorge 症候群 ·················153
DISH ································141
DNA ··································12
DNA ジャイレース ················27
DNA の構造 ·························19
DNA の複製 ·························26
DNA ヘリカーゼ ···················28
DNA ポリメラーゼ ················28
DNA マイクロアレイ法 ·········92
DNA リガーゼ ······················28
DNA 結合色素法 ···················85
DNA 合成酵素 ······················78
DNA 抽出 ··························115
DNA 導入 ··························209
dNTP 混合液 ······················120
Down 症候群 ······················149

E

EDTA ·······························103
Edwards 症候群 ··················150
EGFR ·································99
ES 細胞 ····························213
EWSR1::ERG 融合遺伝子 ······164

F

Fanconi 貧血 ······················155
FFPE ································115
FISH 法 ··· 94, 129, 140, 142, 179
FRET プローブ法 ··················85

G

- G_0 期 ……………………………………… 11
- G_1 期 ……………………………………… 11
- G_2 期 ……………………………………… 11
- germline ………………………… 78, 200
- Golgi 装置 ……………………………… 5
- G 分染法 ……………………… 54, 135, 170

H

- HBV DNA 定量検査 ………………… 95
- HCV RNA 定量検査 ………………… 95
- HEPA フィルタ ……………………… 104
- HER2 …………………………………… 99
- HGNC …………………………………… 71
- HLA 検査 ……………………………… 100
- HUGO …………………………………… 71
- hyperdiploidy ………………………… 61
- hypotriploidy ………………………… 61

I

- ICF 症候群 …………………………… 155
- iPS 細胞 ……………………………… 213
- ISCN ……………………………… 54, 138
- ISO15189 ……………………………… 101
- IVD ……………………………… 101, 165

K

- Klinefelter 症候群 …………………… 151
- *KRAS* …………………………………… 99

L

- LAMP 法 ………………………………… 88
- LDT ……………………………… 101, 165
- LOH …………………………………… 161
- Lynch 症候群 ………………………… 100

M

- Miller-Dieker 症候群 ………………… 153
- MLPA 法 ………………………………… 84
- mRNA …………………………… 20, 23
- M 期 …………………………………… 11

N

- NASBA 法 ……………………………… 89
- nested PCR …………………………… 83
- NIPT …………………………………… 203
- NOR 分染法 ………………………… 137
- *NRAS* …………………………………… 99

O

- OMIM …………………………………… 58

P

- Patau 症候群 ………………………… 150
- PCR-RFLP 法 ………………………… 84
- PCR バッファー ……………………… 120
- PCR プライマー ……………………… 120
- PCR 装置 ……………………………… 110
- PCR 法 ………………………………… 78
- PCS/MVA1 症候群 …………………… 155
- PGt …………………………………… 204
- PGx …………………………………… 204
- Ph 染色体 ………………………… 82, 159
- *PML::RARA* 融合遺伝子 …………… 163
- POT 法 ………………………………… 72
- Prader-Willi 症候群 ………………… 151

Q

- Q プローブ法 ………………………… 87
- Q 分染法 ……………………… 54, 134, 171

R

- RNA …………………………… 12, 20
- RNA スプライシング ………………… 35
- RNA の基本構造 ……………………… 21
- RNA ポリメラーゼ …………………… 32
- RNA 分解酵素 ……………………… 117
- rRNA ……………………………… 21, 24
- RT-PCR 法 …………………………… 79
- *RUNX1::RUNXT1* 融合遺伝子
  ……………………………………… 163
- R 分染法 ……………………………… 135

S

- Sanger 法 ……………………………… 90
- SDS …………………………………… 103
- short tandem repeat ………………… 92
- siRNA ………………………………… 210
- SISH …………………………………… 141
- small interfering RNA ……………… 210
- Smith-Magenis 症候群 ……………… 152
- SNP …………………………………… 93
- SNP アレイ …………………………… 148
- STR-PCR 法 ………………………… 101
- S 期 …………………………………… 11

T

- TaqMan プローブ法 ………………… 85
- *Taq* ポリメラーゼ …………………… 79
- TATA box ……………………………… 34
- TCGA ………………………………… 155
- TMA 法 ………………………………… 89
- Tm 値 ………………………………… 121
- TRC 法 ………………………………… 89
- Tris …………………………………… 103
- tRNA ……………………………… 21, 23
- Turner 症候群 ……………………… 150

U

- *UGT1A1* 遺伝子 ……………………… 205
- UPD …………………………………… 153

V

- VUS …………………………………… 187

W

- Williams 症候群 ……………………… 152
- Wolf-Hirschhorn 症候群 …………… 150

X

- X クロマチン ………………………… 59
- X 染色体の不活化 ………………… 58, 59
- X 連鎖顕性遺伝 ……………………… 193
- X 連鎖重症複合免疫不全症 ………… 211
- X 連鎖潜性遺伝 ……………………… 193

Y

Y連鎖遺伝……………………193

【編者略歴】

東田 修二
（とうだ しゅうじ）

- 1984年　東京医科歯科大学医学部卒業
- 同　年　東京医科歯科大学医学部附属病院第1内科医員
- 1990年　トロント大学オンタリオがん研究所（research fellow）
- 1993年　東京医科歯科大学医学部助手（第1内科）
- 1999年　東京医科歯科大学大学院助教授（臨床検査医学）
- 2007年　東京医科歯科大学大学院准教授（臨床検査医学）呼称変更
- 2015年　東京医科歯科大学大学院教授（臨床検査医学），病院検査部長
- 2022年　東京医科歯科大学医学部長
- 2024年　東京科学大学大学院教授（臨床検査医学），病院検査部長，医学部長
  　　　　現在に至る　医学博士

最新臨床検査学講座
遺伝子関連・染色体検査学　第3版　　ISBN978-4-263-22395-6

2015年 2月10日	第1版第1刷発行	（遺伝子・染色体検査学）
2020年 9月25日	第1版第9刷発行	
2021年 2月10日	第2版第1刷発行	
2023年 1月10日	第2版第4刷発行	
2024年 2月10日	第3版第1刷発行	（改題）
2025年 1月10日	第3版第2刷発行	

編著者　東　田　修　二
発行者　白　石　泰　夫
発行所　医歯薬出版株式会社

〒113-8612　東京都文京区本駒込1-7-10
TEL（03）5395-7620（編集）・7616（販売）
FAX（03）5395-7603（編集）・8563（販売）
https://www.ishiyaku.co.jp/
郵便振替番号　00190-5-13816

乱丁，落丁の際はお取り替えいたします　　印刷・教文堂／製本・皆川製本所
© Ishiyaku Publishers, Inc., 2015, 2024. Printed in Japan

本書の複製権・翻訳権・翻案権・上映権・譲渡権・貸与権・公衆送信権（送信可能化権を含む）・口述権は，医歯薬出版㈱が保有します．
本書を無断で複製する行為（コピー，スキャン，デジタルデータ化など）は，「私的使用のための複製」などの著作権法上の限られた例外を除き禁じられています．また私的使用に該当する場合であっても，請負業者等の第三者に依頼し上記の行為を行うことは違法となります．

JCOPY ＜出版者著作権管理機構　委託出版物＞

本書をコピーやスキャン等により複製される場合は，そのつど事前に出版者著作権管理機構（電話 03-5244-5088, FAX 03-5244-5089, e-mail：info@jcopy.or.jp）の許諾を得てください．